ナットとボルト

世界を変えた7つの小さな発明

ロマ・アグラワル

牧尾晴喜〈訳〉

草思社

ナットとボルト

世界を変えた7つの小さな発明

NUTS AND BOLTS
SEVEN SMALL INVENTIONS THAT CHANGED THE WORLD
BY ROMA AGRAWAL

First published in the English language by Hodder & Stoughton Limited
Japanese translation rights arranged with Hodder & Stoughton Limited, London,
through Tuttle-Mori Agency, Inc., Tokyo

CONTENTS

はじめに

私の目の前には、折れてバラバラになったクレヨンが散乱していた。期待外れの結果に、私はため息をついた。

5歳くらいだっただろうか、冬には雪が降りしきるニューヨーク州に両親と妹と一緒に住んでいた。それは1980年代のことで、私は長方形の大きなランチボックスをいくつか持っていた。そのとき私の前に開いて置いてあったのは、指人形のキャラクターであるマペットの絵が描かれた、お気に入りのものだった。大型で、普通ならサンドイッチやスナック、水筒などを入れるものだが、今は食べ物は入っていない。その代わりに入っていたのは、長さも太さもさまざまな色とりどりのクレヨンだった。多くの子どもたちと同じように好奇心が旺盛だった私は、ある日、クレヨンの中身を「発見」してみようと思い立った。そこでクレヨンを包む紙をはがし、ランチボックスの鋭利な縁にクレヨンを1本ずつ当て、二つに折ってみた。期待に胸を膨らませていたが、中身はただのクレヨンだった。妹をがっかりさせたが、私は粘って続けた。

もう少し大きくなって紙に鉛筆で文字を書くようになると、私は鉛筆削りを使って、削りかすが長い渦巻き状になるまで鉛筆をひねり続けた。この時は紙に印をつける灰色の棒が鉛筆の端まで通っているかを確かめたくて、実際その通りになっていた。その後に使い始めたペンを分解すると、その内部はさらに刺激的であった。幼い頃にがっかりさせられたクレヨンとは打って変わって、万年筆やボールペンの内部には細長いカートリッジとらせん状のバネが入っており、ネジのような溝の付いた先端部分によってペンだけでなく、部品同士が固定されていた。

私は好奇心を満たそうと自分で物を分解するだけでなく、他の人が分解しているときにも首を突っ込んだ。インドに引っ越してそこで育った私は、画面に黒い線が入るようになってしまったテレビが分解されるところも目にした。とても複雑な内部構造を理解できるようになったのは、物理学の学位を取得してからである。じつは、私が物理学を勉強することを選んだ理由は、私たちの宇宙を構成する要素を理解したかったからだ。大学へ進学する頃、私は原子物理学と素粒子物理学に魅了されていた。かつては分割不可能とされていた原子そのものが、電子、陽子、中性子で構成されていることが明らかになり、その三つに「物質の基本的な構成要素」という称号が与えられた後、さらに小さな構成要素であるクォークに取って代わられたことに心を奪われたのである。当時、私がそれを理解していたかどうかはさて置き、ものごとの成り立ちや仕組みを理解するという使命を感じていた。

宇宙であれ、生物であれ、人間による発明品であれ、それを形作る複雑な仕組みは、より小さくて単純な「なにか」からできている。幸運なことに、私は物体を構成する要素が何であるかという幼い頃からの好奇心を、自分のキャリアに活かすことができた。エンジニアである私は、機械や建物、身の回りの物がどのようにして生まれたのか、そしてその根底にあるものは何か、といったことに果てしなく魅了されているし、この気持ちは多くの読者にも理解していただけるだろう。本書はそのような身の回りの物の根本的で魅力的な仕組みについて、明らかにするものである。

エンジニアリングは広大な学問分野であるが、その中で特に偉大な成果には、スケールとしては小さなものもある。私たちの身の回りにある人工物の中には、基本的な構成要素があり、それがなければ複雑な機械は存在し得ない。一見すると、それらは面白みのないものに見えるかもしれない。こういった小さくて時には目に見えない所にある要素の一つひとつが、じつはエンジニアリングにおける偉業であり、そこには何百年、さらには何千年前にも遡る魅力的な物語がある。ルネサンス期、科学者とエンジニアは六つの「単純機械」を定義し、すべての複雑機械の基礎であるとした。てこ、車輪と車軸、滑車、斜面、くさび、ネジである。しかし現在、この六つでは時代遅れで不十分に感じる。そこで、いくつかを取り除く代わりに他の要素を追加して、現代社会の基礎をなすと私が考える七つの要素を紹介する。これらは、その根底にある科学的原理、関連するエンジニアリングの分野、それをもとに生まれた物の規模という点で、幅広いイノベーションの数々を網羅している。

釘、車輪、バネ、磁石、レンズ、ひも、ポンプという七つの発明は、いずれも驚くべき設計によって実現したものであり、さまざまな試行錯誤を経て現在に至り、これからも変化を続けていくものである。これらの発明が最初に登場して以来あらゆる変化をくぐり抜けて進化するとともに、異なる配列で組み合わされることで、発明と革新のバタフライ効果が連鎖し、私たちが作ることのできる機械は格段に複雑さを増した。それぞれの発明が私たち一人ひとりに影響を与え、消えることのない痕跡を世界に残している。これらの発明がなければ、私たちの生活はまったく違うものになっていただろう。テクノロジーについて大きな変化をもたらしたのは当然のことながら、その他の側面にも多大な影響を与えており、その影響は歴史、社会、政治、権力構造、生物学、コミュニケーション、交通、芸術、文化など多岐にわたる。

私がこの七つの発明を選んだのは、世界的なパンデミックの最中、２０２０年に英国で初めてロックダウンがおこなわれている時だった。家から出られない状況だったが、心を解き放ち、自分の持ち物や窓の外の物体を見回し、これらの物体を頭の中で（時には実際に）分解して中身を確かめていった。ボールペンを改めて見てみると、それはバネとネジと回転する球体でできていた。私が離乳食を作るために使ったミキサーには歯車が用いられていたが、その歯車の誕生には車輪が不可欠であった。それより前に母乳育児をしていた時は、母乳ポンプのおかげで夫も娘にミルクを与えることができた。受精卵（後に私の娘になる）を作るために経験した体外受精の過程も、新型コロナウイルスのワクチンを作る研究も、細胞レベルで観察できるレンズを必要とした。短い散歩の間に私たちが着用し、また医療従事者の安全を守っていたマスクは、無数の繊維（ひも）を織り合わせた布でできている。家族や友人の声を聞くための電話スピーカーも、インターネットにアクセスするためのイーサネットの差込口にも、磁石が必要だった。

掘削機、高層ビル、工場、トンネル、電力網、自動車、人工衛星など、より大きく複雑な物体について思いを巡らせても、結局のところ同じ七つの基本的な発明品に立ち戻った。私たちは物体同士をつなぎ合わせる（釘）。回転する部品も不可欠である（車輪）。力とそれを蓄える技術が必要である（もちろん電池であるが、より根本的にはバネ）。磁石（と電気）は物体を遠くから操作することを可能にし、レンズは光の道筋によってさまざまな視覚効果をもたらした。ひものおかげで、柔軟性のある丈夫な素材が手に入った。ポンプで水を動かすことで、私たちは生き続けられる。

これら七つのエンジニアリングの発明や発見の裏には、試行錯誤があった。何らかの必要性に迫られると、その解決に向けて、さまざまな材料、形状、フォルムを試すといったプロセスがあった。例えば釘の仲間は、建物、橋、工場、トラクター、自動車、電話、錠前、時計、洗濯機など、金属同士を接合する必要があるほとんどのものに使われているが、その細かな種類としては、釘、ネジ、リベット、ボルトが挙げられる。もともと釘はより頑丈な船や家具を作るための新たな発明として、木材同士を接合するために使われていた。その後、釘の保持力を大幅に向上させたネジが誕生したが、ネジを製造するのは釘よりはるかに困難だった。また、薄い金属板が安価に製造できるようになると、釘とネジでは用が足りず、リベットが登場した。調理器具用だった小さなリベットは、金属製の飛行機、船、橋を接合するために、大きくて強力なものに変化した。さらにその後、エンジニアたちはリベットやネジの特徴を組み合わせるようにして、より強力で取り付けが簡単なボルトを発明した。西ヨーロッパで最も高いタワーであり、私が構造エンジニアとして6年間携わったプロジェクトであるザ・シャードは、このようなボルトによって安定を保っている。

しかし、このような進化が意味するのは、最初に登場した釘が時代遅れの代物ということではない。実際、釘とその改良された派生品は、いまもネジ、リベット、ボルトと並行して使われており、それぞれに最も適した用途に利用されている。デザインはこのように変化していく。何世紀も同じ技術を使い続けていたら、突然に新しい素材やプロセスが登場して、既存の技術をそれに適応させる必要があることに気付く場合もある。反対に、新しい技術（例えば高強度の繊維であるケブラー）が発明され、それから用途（この場合は防弾チョッキ）が見つかることもある。これらの発明の中には、世界の別々の地域で独自に発展しながらも類似したデザインとなった車輪のようなものもあれば、それぞれまったく異なる形となったポンプのようなものもある。そして、これらの発明は誕生してから独自の変化や進化を遂げており、たいていは当初の目的をはるかに超えて、予想外の用途や結果をもたらすこととなる。

エンジニアリングは無機質な物体や複雑な技術に溢れ、私たちの理解を超えた異質な分野と思われがちだが、エンジニアリングの中心にあるのは人間である。技術を創造する人、必要とする人、利用する人、時には思いがけず貢献してしまう人。それはニール・アームストロングの宇宙服の縫い目を心配するデラウェア州の裁縫師であり、痛みに耐えながら自らの手に電流を流した発明家であり、顕微鏡で自分の精子を研究した商人である。あるいは、重要な政府役人の体に電波を通したインドの科学者であり、失敗したと思われた実験から信じられない繊維を発明した移民の化学者であり、私たちがいかに物を見ているかについての認識を変えたイスラムの学者であり、食器洗いで割れた陶器に苛立った主婦である。何世紀もの間、特に西洋において、エンジニアリングは富裕層と教養ある人々、そして歴史的には男性によって支配されてきた。本書で取り上げる物語、装置、発明家は、世界中のさまざまな時代から選んできたものであり、エンジニアリングにおけるマイノリティの人々による知られざる貢献も含んでいる。それは、彼らの業績が文書化されなかったり、特許を申請しなかったり（あるいは申請できなかったり）、あるいは認められなかったりしたために、失われてしまいがちな物語である。

次の章からは、エンジニアリングにおいては、科学、デザイン、歴史が重なり合っていることを紹介する。エンジニアリングとは人間にとっての必要性と創造性そのものであり、問題を発見してその解決策をこれまでにない方法で生み出すことである。私たちの生活をより良いものにしようとすることであっても、責任ある運用がなされなければ、発明が社会に壊滅的な影響を与える恐れもある。エンジニアリングがその最も基本的な部分において、いかに皆さんの日常生活や人類と切っても切れない関係にあるかを伝えていきたい。本書を通じて、皆さんの子どもの頃の好奇心が再び呼び起こされるとともに、ますます複雑化するエンジニアリングの仕組みに関心を持ってもらえれば幸いだ。そこから、世界を構成する要素についてより深く理解することにつながるだろう。

NAIL

釘

ものを固定することは
偉大なり

釘

「真っ赤？　まだダメだ」騒々しい作業場でリッチは大声で言った。

私は自分の腕くらいの長さの細い鉄の棒の端を素手で恐る恐る握りしめていた。棒のもう一端は、1000度以上で燃え盛るレンガ炉のコークスに差し込まれていた。送風機で炎に風を送り、温度をさらに上昇させた。色を確認するために引き抜くと、棒は灼熱の赤い輝きを放っていた。しかし、鍛冶職人のリッチにまだだと言われた私はその棒を火の中に戻し、オレンジがかった焼けつく黄色に変わるのを待った。そしてようやく、この発光する鋼を使って釘を作る準備が整った。

ただ、そのためには道具が必要である。私の目の前には、金床（鍛冶職人が使う伝統的な巨大な鉄のブロック）があり、その側面には「102kgs」と刻印されていた。発光する先端が金床の平らな面に当たるように棒を置き、重いハンマーで叩くと、先端が少し平らになった。さらに数回叩いてから棒を90度回転させてまた叩いた。しばらくすると棒の先端が黒くなってきて、ハンマーの反動と打撃音が鋭くなるのを感じた。棒が冷えたのである。そこで再び火の中に戻し、オレンジっぽい黄色になるのを待った。ハンマーで叩き、

1
NAIL
釘

回転させ、再加熱する。私の場合、この工程を3回繰り返すと、棒の先端が程よく細くなった。（リッチはこれを1回で行う）。こうして私の釘の胴部ができあがった。

次に「角穴」といわれる金床の四角い穴に（刃先が上を向いている状態で）ノミを差し込んだ。そして再加熱した細くなっている棒をノミの刃の上に置き、容赦無く強く叩いて2面に切り込みを入れた。こうすると、尖った先端部分を棒から切り離しやすくなる。最後に必要な道具は釘頭を作るための器具で、穴あけパンチを使ったかのような、さまざまなサイズの穴が開けられた細長い長方形の金属板である。細くなった部分のほとんどを通すことができる大きさの穴を選択し、作りかけの釘を挿入した。釘を強くひねって棒の残りの部分から切り離すと、釘の先端が穴から垂れ下がり、頭部が1センチほど金属板の上に突き出ている状態になった。釘の先端を金床の円形の穴に合わせて、釘の上部を素早く叩いて平らにすれば釘頭ができあがる。

最後は「焼き入れ」である。水をはった桶に金属板と釘をまとめて入れると、熱いものが冷却されるときのジューという心地よい音と蒸気の雲が発生した。金属板と釘を桶から出してハンマーで軽く叩くと、釘は金属板から外れて音を立てて床に落ちた。温かみがまだ少し残る、私のささやかな作品である。

釘はシンプルな工作物のように思えるかもしれないが、身の回りのあらゆるところに使われている。この本を書いている私の机から見えるもので言えば、壁の絵画は打ち付けた釘からぶら下がっているし、本棚も釘を使って組み立てられている。机だって釘で留められているし、その下に私が脱ぎ捨てた靴にも小さな釘が使われている。木製のパネルを下地とする漆喰の壁も、根太の上に敷かれた床も、すべて釘でつなぎ合わされている。これらの釘のほとんどは、その胴部が木や革、あるいはレンガの中に埋まっているため実際には目にすることはないが、私はその静かで心強い存在を認識している。

釘のおかげで、私たちは物を接合することができる。大したことではないように思えるかもしれないが、二つのものをつなぎ合わせるという行為は、かつては革命的なことだった。いま私たちの周りにある人工物のほとんどは、基本的にはさまざまなパーツや素材が集まってできている。私たちはそれを当然のことと考えているが、必ずしもそうではない。何千年も昔には、目的に沿って単一の材料を成形して何かを作るのが普通だった。たとえば、岩に穴をあけて洞窟にしたり、石を削って道具を作ったり、木の幹を川に向けて倒して橋にしたりという具合に。これらはどれも有用な工作物であるが、より複雑な住居や、棒の先端に尖頭器を取り付けた武器、1本の丸太では渡れない川幅に架かる橋などを作るには、パーツを組み合わせて固定する必要があった。人類は複雑な構造を生み出すための大きな一歩を踏み出したのである。

もちろん、石を積み上げて橋を支持することもできる。ロープや革で物を結びとめることや、接着剤の発明以降は物を接着することも可能になった。しかし、釘と、釘から派生したリベット、ネジ、ボルトを用いることで、ほとんど何も教えてもらわなくても、誰もがさまざまな規模で異なる材料を強固に接合できるようになった。大きな木の柱や梁を組み合わせて建物を造り、木の板を何層にも張り合わせてボートを作り、薄い金属板を重ね合わせて船、彫刻、錠前、時計を作ることが可能になったのだ。釘のない世界を想像してみて欲しい。紐で縛ることだけで複雑な衛星を組み立てて宇宙に送り込んだり、可動パーツを接着剤で固定して時計を作ったりすることなど不可能である。

⬡

私が釘を作ったのは、英国ハートフォードシャー州のマッチ・ハダム村で1811年以来ずっと稼働している鍛冶場である。試行錯誤の末に完成したのは、胴部が四角く、分厚くて不均一な釘だった。しかも、釘作りというのは何度もハンマーを振り下ろす大変な作業だったので、私の手のひらには水ぶくれができて上腕二頭筋は痙攣していた。今ではほとんどの釘が機械で作られているのは当然だが、古代エジプト人や古代ローマ人の頃から何千年もの間、釘作りには基本的に、私がマッチ・ハダムで経験した工程とハンマーによる打撃が必要だった。

釘作りがこのような重労働になる主な理由は、使用される素材の展性に起因する。釘の物語は、工程の途中（細くする時点）までは金属の物語でもある。木材などの素材で作られた釘のほうが有利な場合もあるが、金属製の釘は革新的な発明だった。釘の製造において金属が不可欠であるのは、金属が持つ二つの特性のためである。まず、金属はほかの素材に直接に打ち込んで接合するのに十分な強度を持っている。そして同じぐらい重要なのが、金属は鋭利な先端を持つ形状に成形できるということである。結晶状の内部構造を持つ金属には、延性として知られる特種な柔軟性がある。これは、金属の結晶が互いに若干ずれることができるために起こる現象である。ペーパークリップを繰り返し開いたり変形させたりしても壊れないのはこのためである（この対極にあるのがガラスのような脆い素材であり、力を加えると簡単に砕けてしまう）。

熱は金属の延性を高める手段の一つである。炉の高熱により結晶構造内の自由電子や原子が刺激され、激しく動き回るようになる。このようにして熱エネルギーが金属の中を素早く移動するのが、金属が優れた熱伝導体である理由である。融点や熱伝導率は金属によって異なるが、金属が熱くなるほど原子と電子は互いにずれやすくなって柔らかさと柔軟性が増し、ハンマーで叩いて成形しやすくなる。驚くべきことに、熱を加えてハンマーで叩くことにより金属の構造自体が変化し、大粒の粗い結晶がより小さく規則的な結晶へと再配列される。そして、冷却することで、強度と硬度が増した均質な金属へと変化するのだ。

人類は約8000年前の石器時代に金の加工を開始し、その後、銅、銀、鉛を発見した。ほとんどの金属が釘を作るには柔らかすぎたが、その可能性を示した最初の金属は銅だった。その後、私たちの祖先の中でも進取的な者たちが銅と錫を混ぜて青銅を作る方法を見つけ出し、耐久性のある道具や武器、鎧、そして釘を作るのに十分な強度の素材を作ることができるようになった。

最古の青銅の釘は紀元前3400年頃のもので、エジプトで発見された。現在手作業で鍛造されている鋼製の釘に酷似しているが、5000年の時を経て表面は硬い層で覆われて鋭さを失い、変色してしまっている。古代エジプト人は熟練した青銅の加工技術を持っており、かなり実用的な道具（船や戦車を組み立てるために使われた釘など）に青銅を使用していただけでなく、貴石、エナメル、金を使って青銅に細かな象嵌を施したりもしていた。

その後1000年の間、釘の製造には銅と青銅が使用されていたが、青銅は商業面で現実的な素材とは言えなかった。主要な原料である銅と錫は、めったに同じ場所で見つからないためである。紀元前1300年頃、インドとスリランカの金属工が、（銅よりも硬く、青銅とほぼ同じ硬さの）鉄の作り方を発見した。こうして東洋では鉄器時代が到来し、青銅は間もなくこの新しい素材に取って代わられた。とどめの一撃となったのは紀元前1200年頃に始まった中東における政治的な混乱期で、この時期に貿易ルートが乱されて錫が（したがって青銅も）高額になった。その後、鉄に少量の炭素を混ぜると鋼などの合金ができることが発見されて鉄の代わりに用いられるようになり、より強力な釘の誕生につながった。

古代ローマ人はインド製の鉄を扱うことに熟練しており、現在の英国の一部も含むローマ帝国全土において、鎧の製造から釘の大量生産に至るまでさまざまな用途に使用していた。1960年代には、スコットランドのパースシャーにあるインチトゥトヒルと呼ばれる古代ローマ軍の要塞跡地で、大量の古代ローマ製の釘が発見されている。この要塞には、西暦83年から要塞が突然に放棄されることになった西暦86年頃までの間、第20軍団の約5000人の兵士が駐屯していた。つかの間の占領期間だったため、通常の浴場や水を供給するための水道橋の建設が完成することはなかったようだが、発掘調査により古代ローマの要塞設計と彼らの製造技術に関する興味深い知見が得られた。

この要塞は約21ヘクタール（サッカー場26個分以上に相当）の広さを誇り、64棟の兵舎、病院、穀物倉庫のほかに、ファブリカと呼ばれる鍛冶場が整備されていた。この建物の一つの区画では鍛冶炉が見つかり、別の区画では大きな埋め戻された穴が見つかった。考古学者が2メートルの砂利を慎重に掘ったところ、予想外の宝物を発見した。さまざまな大きさの鉄釘が多数（厳密には87万5428本）あったのだ。驚くべきことに、そのほとんどが当初の状態に近いかたちで残っていた。最も外側の釘が腐食して不浸透性の殻となり、残りの釘は保護されて錆びることがなかったため、2000年前の釘が作られた当時と同じくらい鋭く光沢のある状態を維持することができたのだ。

ファブリカの外の道路に轍がくっきりと残っており、重い物資が行き来したことがわかる。インチトゥトヒルの鍛冶場はほかの居住地に釘を供給していた可能性があり、その在庫の量から、軍事計画の焦点がヨーロッパに移されてユリアス・アグリコラ将軍（当時のローマ帝国のブリタニア総督）が突然ローマに呼び戻されるまでは、さらに北上してより多くの砦を建設する計画を立てていた可能性があることが示唆されている。軍団が撤退する際には要塞を焼き払っただけでなく、土着のカレドニア人が釘を溶かして武器を作ることを恐れ、10トンもの釘を穴の中に埋めてしまった。

インチトゥトヒルの穴からは6種類の釘が発見されており、それぞれが異なる目的のために設計されたものだと考えられている。最も一般的な釘は小さな円盤状の頭部を持つもので、おそらく家具や、壁板や床板の固定に使用されていたと思われる。また、私の肘から指先までの長さの大きな釘は、重い木材を固定するのに使用されていたと考えられ、長時間ハンマーで打たれても大丈夫なようにピラミッド型の釘頭が付いていた。ほとんどの釘の胴部は四角だったが、平らな円錐形の頭部とノミのような先端部を備えた丸い胴部の釘も28本見つかった。これらはおそらく石材を貫通するために使用されていたもので、四角い胴部だと角で石を割ってしまう危険性があったため、このような形になったと思われる。

古代ローマ人の技術には目が釘付けになってしまう。彼らが作る釘は高品質で、形状、大きさ、材質が非常に均一であった。大きい釘は小さい釘よりも多くの炭素を含んでおり、より硬い仕様になっていた。鍛冶職人が鍛造前に材料を等級分けしていたのだろう。また、先端部は頭部よりも硬く作られており、これはおそらく加熱、打撃、焼き入れの仕方によるものであり、古代ローマの釘が極めて熟練した金属工によって作られていたことがよくわかる。私も身に染みて感じたことであるが、手作業による釘の製造は複雑で、大きな労力を伴う作業である。金属を理想的な温度まで加熱する術を理解し、正しい力と方向でハンマーを打つ必要がある。しかも、金属がまだ熱いうちに素早く行わなければならない。材料が何度に達したかを測定できなかった古代人は、色に頼っていた。真っ赤に熱された状態（鋼の場合は摂氏約700〜900度）では曲げることは可能だが、より複雑なことをしようとすると金属が割れる可能性がある。温度をさらに上げると柔軟性が増し、夕日のようなオレンジ色に変わる。さらに摂氏1300度以上に加熱すると、鋼は眩いばかりの白い光を放つ。この温度は、部材をハンマーで叩いて鍛接するのに適した温度である。このプロセスは、鋼から眩い白色の火花（Fire）が飛び散るのにちなんで「Fire weld」という名が付けられた（ここまで熱せられた金属には特有の催眠術のような力が宿る。本書のための取材の中で、アグネス・ジョーンズに話を聞いた。彼女は、鋼を使って素晴らしい有機的な彫刻を作り出す鍛冶職人であり芸術家である。白く熱せられた鋼の表面の薄い層が溶けると、まるで風が強い日の砂浜上空のように輪郭がぼやけていく。彼女はそこに超現実的な美しさを感じているという）。目もくらむような白い熱が、鍛冶職人が目指すところの限界である。この点を超えると鋼は火花を発し、花火のような匂いを出し始める。鋼が燃えているということである。

したがって、摂氏1000〜1200度が低炭素鋼の鍛造にとって最適な温度である（正確な温度は鋼の具体的な組成によって異なる）。この温度で、鋼は夏の午後の太陽のように黄色く輝き、先がとがった形状に加工できる程度に柔らかくなる。満足のいく形状になれば、ロッドを冷水に浸して急速に冷やす（前述の焼き入れのプロセス）とロッドが硬くなり、強度が増して形状を維持できるようになる。

ヨーロッパでは、ローマ帝国崩壊後も何世紀にもわたって、釘作りは貴重で特別な技術であり続けた。中世の英国では、蹄鉄、木工、そして住宅建設用の釘を製造していた釘職人（Nailer）たちがネイラー（Naylor）という姓の由来となった。今では想像するのが難しいが、材料や熟練工がそう簡単に見つからなかった産業革命より前の時代には、釘は極めて高価なものとして扱われていた。英国では、木造住宅が普及していた北米などの植民地への釘の輸出を禁止した。そのため、植民地では釘が希少価値のあるものとなり、引っ越しの際に家に火を付けて、灰の中から釘を回収する人さえいたほどである。1619年の米国バージニア州ではこの行為を阻止するために、所有者に補償を約束するという法律が可決された。

前述のように、農園を放棄する者が敷地内において必要とされる住宅を燃やすことは違法とするが、その建物に使われている釘の本数を二人の第三者が算定し、十分な釘を受け取ることとする……。

1776年の独立後、米国は拡大する経済と住宅市場のために独自の釘製造産業を確立しようとした。初期に立ち上げられた大規模な釘の製造所に、建国の父トーマス・ジェファーソンによるものがある。1801年の大統領就任の7年前、ジェファーソンはバージニア州シャーロッツビルのモンティセロ農園に鋳造所を開いた。2000ヘクタール超のプランテーションを有する急な丘の上に立つこの邸宅では、ジェファーソンの生涯を通して400人以上の奴隷が働いていた。その一人であるジョー・フォセットは、12歳のときから釘工場で働き、ほかの少年たちと合わせて毎日8000本から1万本の釘を手作業で作っていた。プランテーションの休閑期に、痩せた土壌を回復させている間にジェファーソン家の資金を賄うのに十分な量だった。フォセットは後に釘工場の職長となり、ジェファーソンの遺言によって自由になった後は、妻と10人の子供たちの自由を買うために自身の釘工場を設立した。

ジェファーソンは、自身の釘製造事業を誇りに思っており、フランスの政治家ジャン・ニコラ・ドゥムニエに宛てた手紙で、彼にとって釘製造業者であることは「貴族の称号」を得たようなものであると書いている。ようやく数年後に英国が釘の輸出を始めると、鉄の価格が下がって釘がより容易に入手できるようになった。ジェファーソンは別の友人に宛てた1796年の手紙で、新しい「切断機」を用いた増産への高まる期待を綴っている。

この機械はジェファーソンがニューヨークのバーラル氏から購入したものであり、釘の製造における機械化の始まりを象徴していた。釘製造機は1600年頃にはすでに登場していたものの、操作しにくく、釘を1本ずつしか作れなかったため、あまり好評ではなかった。ジェファーソンの機械は、樽の帯鉄として使用される薄い鉄の板から小さな4ペニー釘（中世の英国で釘100本の価格が4ペニーだったことからそう呼ばれた）を切り出すことができた。この機械では、手動で回す軸に取り付けられた一対の垂直のブレードで帯鉄を切断していたようだ。釘頭を作ることはできなかったが、同時期には、複数のレバーを操作して、釘の幅が広い方の端部をプレスして平らにできる機械もあった。釘作りに伴う重労働は軽減されて製造工程も短縮されたが、過去との根本的な決別を意味するものではなかった。初期の機械で製造された釘はやや分厚く角ばっており、現在の完全に丸い釘よりも、過去の手作りの釘に近いものであった。

英国は19世紀を通じて釘の一大生産国であり続けた。熟練した釘職人であれば手作業で、1本の釘をほぼ1分以内で作ることができた。7歳やそれよりも幼い子どもたちが1ペニーでも多く稼ごうと釘作りに従事することもよくあった。特に鉄と石炭が採れたイングランド中部のブラック・カントリーでは釘作りが盛んとなった。当時の中産階級では男性の賃金だけでは十分ではなかったために、女性も食費や生活費を稼ぐというのが一般的であった。そのため地元の炭鉱労働者や金物商たちは、自分たちは家事も育児もしない一方で、家事や育児に加えて副業で収入を得てくれる「釘打ちの女工」との結婚を熱望することが多かった。

こういった長時間労働の問題が顕著になるとよく起こることだが、この慣習に対する反対運動が起こり、釘鍛造職人の組合は女性による釘の製造に規制を導入しようとした。しかし、女性を安い労働力として利用していた釘製造業の経営者たちは反対した。当時にこのようにして働いていた女性の中には、逆境をものともせず自らの力で成功した人もいた。

たとえば、1851年の夫の死後に釘製造会社を引き継ぎ、「The Widow（未亡人）」として知られるようになったエリザ・ティンズリー。夫が亡くなった時に彼女には11歳未満の子どもが5人いたが、家業の釘と鎖の製造事業を拡大することに成功した。その種の事業としては英国のスタッフォードシャー郡で最大のものに成長させ、ほかにも7拠点に倉庫を構えるまでになった。彼女は公正で人道的な雇用主として知られ、顧客に会うために英国中を駆け回った。彼女が1882年に69歳で亡くなった時には、4000人以上の従業員が彼女の会社で働いていた。会社はいまも続いており、製造する釘のパッケージ一つひとつに彼女の名前が記されている。

一方、エリザの生涯と並行して、釘業界には二つの出来事によって革命がもたらされた。まず、精密かつ大量に生産すること、つまり正確な測定値に従って均一に繰り返し製造できる能力に、エンジニアたちが価値を見いだし始めたことだ。ヘンリー・モーズリー（1771年生まれ）は、世界初の実用的な金属切削旋盤を発明した。それまでは、機械用の小さな金属部品は手作業で作られていたため、基本的に不均一なものだった。しかし、モーズリーの機械によって一定の正確な測定値をもとに製品を製造することが可能となり、部品交換という新たな領域が切り拓かれた。今日では、どの部品も必要な場所に確実に収まるという確信のもと、さまざまな部品が大量生産されている。大量生産の概念は産業革命の根幹をなすものであり、ネジ、歯車、バネ、ワイヤーなど、特に薄くて小さい部品の製造技術の向上をもたらした。

もう一つは、鋼鉄を迅速かつ安価に製造する方法が発見されたことである。もう一人のヘンリー、ヘンリー・ベッセマー（1813年生まれ）は、銃の製造に使用する鉄の品質向上に取り組んでいたときに、燃焼する石炭を使用するよりも鉄に熱風を吹きかけることのほうが、鉄をはるかに高い温度まで加熱できることに気づいた。この新しいプロセスにより、鉄中の不純物を効率的に燃焼させてから、正確な量の炭素を加え直して鋼鉄を作ることが可能になった。鋼鉄は純鉄よりも強くて硬いだけでなく、耐摩耗性もあり、わずかな柔軟性も備えていることから、釘には最適な素材である。

この二つの進歩により、高速で動き、圧縮力が強い19世紀の機械の製造が可能になった。その結果、大きなドラムに巻いた鉄線を製造することができるようになり、安価な釘の製造に使用された。

この鉄線から作られる釘は細く丸かったため、角ばった釘に比べ保持力が弱く、当初は熟練した木工職人には好まれなかった。しかし最終的には鉄線釘の圧倒的な価格の低さという魅力が勝って、その生産量は急伸した。1886年には、鉄線をカットしたものは米国の釘の10パーセントだけだったが、1913年には90パーセントになっていた。

現在の製釘機は、1分間に800本以上の金属釘を製造することができる。滑らかな鉄線釘（最も一般的）、腐食防止のために亜鉛などのコーティングが施された釘、わずかなネジ山や凸凹が付いたスクリュー釘と呼ばれる釘など、釘にはいくつかの種類がある。しかし、材料はすべてドラムに巻かれた鉄線であり、20世紀初頭の機械によって作られたものとまったく同じである。鉄線の直径は通常は6ミリで太すぎるため、回転ドラムで引き伸ばして細くしてから棒状に切断する。これらの棒を釘へと変化させるために必要なことは二つだけだ。まず、一方の端を刃で押し切って尖らせる、次に別の機械でもう一方の端に大きな圧力を加えて釘頭を成形する。それで終わりである。加熱や上腕二頭筋が鍛えられる打撃は不要である。これで釘は完成だ。

釘を眺めていると何が見えてくるだろうか？　エンジニアの目には、硬くて変化しない物体ではなく、打撃、押し引き、せん断といったさまざまな力の中心に見える。エンジニアたちはこういった力を利用して、物同士を釘で固定して離れないようにしてきた。

釘を打つときには、鋭い打撃で叩いて受け材に打ち込む。釘の先端は鋭利であるため、大きな損傷を与えることなく表面に穴を開けることができる。これは、力が作用する面積が小さいほど圧力が大きくなり、ハンマーからの打撃力が釘の先端へと効果的に伝わるためである。これは、ピンヒールを履いて土の上に立つと沈んでしまうのと同じ理屈だ。

釘を介して受け材にかかる力のほかに、釘自体が受ける力もある。以前、絵画を壁に掛けるために壁に釘を打ち込もうとして、釘が曲がってしまったことがある。私が釘の真芯を捉えられなくて、力が釘の胴部に真っ直ぐ伝わらなかったためだと思うかもしれないが、問題はそれだけではなかった。実は、釘を叩く強さが足りなかったのだ。このことは金属が釘に適しているもう一つの理由を示しているのだが、直観的には理解しにくいかもしれない。「力が大きいほど、胴部が座屈し変形しやすくなるのではないか」と思うかもしれない。確かに、構造物の重量が長期間にわたって骨組みにかかる大きな建物や橋には当てはまる。しかし、釘にかかる力の作用の仕方と、それに対する反作用の仕方のせいで、釘は異なった挙動をする。釘にかかる力は、長期間の力ではない。釘を打つときの圧縮力は巨大で、釘の胴部には衝撃波が伝わるが、負荷がかかる時間はほんの一瞬にすぎない。釘を十分に強く叩けば、釘は座屈する時間を失ってしまう。これは、負荷がかかったときの金属の奇妙な挙動に起因することでもある。金属が変形する荷重は、その荷重がどのくらいの速さで加えられるかによって決まる。荷重が速く加えられるほど、金属は破損することなく、より大きな力に耐えることができるのだ。

釘が打ち込まれると、摩擦力によって釘が所定の位置に固定される。摩擦力は、二つの接触する面が互いに移動するとき、または移動しようとするときに生じる力である。釘で打ち付けられた二つの木片を引き離そうとすると、木の繊維が釘の胴部を締め付ける。釘を縦軸に沿って引き裂こうとする力は引張力と呼ばれる。この場合、釘に対する引張力が大きすぎるために釘が伸びてちぎれるか、摩擦力が負けて釘が緩んでしまうかのどちらかで失敗に終わる可能性がある。釘を伸ばすのにかかる力は釘の表面にかかる摩擦力よりもはるかに大きいため、前者が起こる可能性に関してはあまり心配する必要はない。私たち

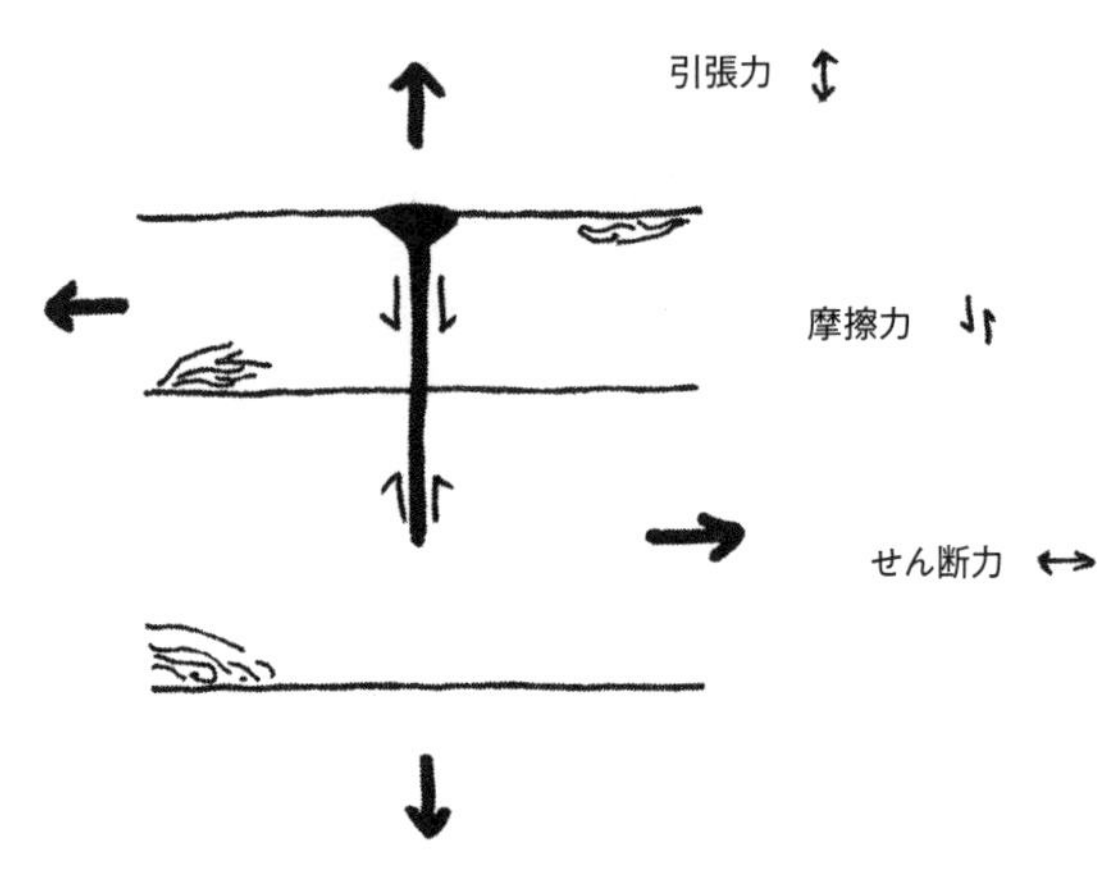

釘が受ける力

が注意する必要があるのは、摩擦力である。

釘と木片の間の摩擦の大きさは、二つの材料が接触する面積とその粗さによって異なる。木材は不均質な素材である。木は、高く太く成長し、年輪を持ち、葉が増えたり減ったりする生物である。伐採されて木材に加工されると、木の層の硬さ、水分含有量、木目の方向、周囲の温度や湿度などの影響を受ける。これらの要素は時間の経過とともに変化する可能性もあり、すべてが摩擦力に影響を及ぼす。一部はネジの到来によって克服されるのだが、これについては後述する。

釘が受けるもう一つの力はせん断力と呼ばれるものである。釘を保持している下の木片が静止している状態で、上の部材を横に動かすと、釘の胴部に直行した変形が起きる可能性があり、それはせん断力によるものである。

釘が耐えられるせん断力は、主にその材質と断面積によって異なる。強い材質で、面積が大きいものほど、より大きなせん断力に耐えることができる。

素材としての鋼鉄には延性といわれるわずかな柔軟性があるので、鋼鉄は引張力やせん断力を吸収するのに優秀な素材である。錬鉄は柔らかすぎ、鋳鉄は脆すぎるなど、鋼鉄以前に使用されていた材料には弱点があり、引張力やせん断力にさらされると過度に変形したり、折れたりする傾向があった。こういった素材で作られた釘は膨大なサイズとなったが、破損を防ぐのに十分な強度があったので、何世紀にもわたって使用されてきた。しかし、細い鉄線釘を作るためには、鋼鉄の到来を待つ必要があった。

絵画を飾るために壁に打ち込まれた小さな釘からも、エンジニアが日々考慮する力の一端を知ることができる。ゴールデンゲート・ブリッジのような大きな橋の床版を支えるケーブルは、床版とその上を走行する車の重量によって引っ張られ、引張力を生じる。また、床版を構成する梁は、自重と梁にかかる荷重によってせん断力を受ける。構造の規模に関係なく、エンジニアリングの核心となる部分には同じ基本的な力が存在している。

釘に作用する力と、それに対処するためにエンジニアが考え出した解決策を示す大規模建造物の一つに、結婚を繰り返した英国王ヘンリー8世お気に入りの600トンの軍艦メアリー・ローズ号がある。この軍艦は1545年にソレントの海戦で沈没して数世紀にわたって海底で眠っていたが、後に再発見され、英国南岸に位置するポーツマスで展示された。構造の大部分が波によって失われ、まるで朽ち果てた胸郭の一部のように、いまは船体が大きく剥き出しになっている。しかし、大混乱のなかで不意に海底に沈んだことや、何世紀もの間、ソレント海峡の変化の激しい潮流にさらされていたことを考慮すると、これだけのものが残っていたのはすごいことである。船底には、船体の背骨である竜骨があり、これが水中の最も深い位置にあったと考えられる。竜骨からは、船体の骨格を形成する肋材が上向きに伸びている。内部には、「ニー（肘材）」と呼ばれるL字型の部材（海洋工学では、印象的な独特の語彙が使われる）で端部が支持された梁と甲板からなる四つのデッキがあり、甲板とニーからは「トラネル（木釘）」と呼ばれる木製の釘が突き出しており、これが何世紀にもわたって船がばらばらにならないように構造を保持していた。

この木釘は円筒形の木の棒で、一般的に、金属製の釘よりもはるかに長くて太いものである。メアリー・ローズ号の木釘の長さは最大で50センチだった。この木釘には、「釘」と聞いたときに思い浮かぶような鋭い先端がない。これは、木材には別の木材を貫通できるほどの強度がないためである。そこで、まずは木工ぎり（現代の電気ドリルの先駆け）で木の板に少し小さめの穴を開け、動物の脂肪に浸した木釘の先端を穴に滑り込ませ、最後に柄が長くて重いハンマーで打ち込む。よりしっかりと固定するために、木釘の端部をわずかに割ってコーキング剤やタールを塗った繊維を詰め込み、すこし膨らませることもあった。

船の構造には定期的な修理と交換が必要だったので、のこぎりで簡単に切ることができる木製の釘は船に適していた。また、木は濡れると膨張するので、船が海上に出ると木釘の締まりは良くなった。しかし、ニーなどの重要な接合部分では、木釘だけでは十分な強度が確保できなかったため、補強のために鉄の棒が挿入された。

この巨大な船が風波に加えてフランス艦隊との戦闘に耐えながら航行した33年の間、木釘はしっかりと固定されていた。船の最期は謎に包まれたままだが、敵の船に接近した際に急に傾いて水が流れ込み、ほどなくして沈没したという。これにより乗組員ほぼ全員の命が失われた。その後、沈没した船の一部が干潮時に時折発見されていたものの、船の位置はわからなくなってしまった。しかし１９６０年代半ば以降、ソレント海峡でダイバーのチームによる組織的捜索がおこなわれ、ついに１９７１年に船の残骸が発見された。その時点で鉄の多くは塩水で腐食しており、船は木釘のおかげで崩壊を免れていた。木造部分をそのままの状態に保つために、船を引き上げる際、残っていた鉄はすべて除去された。現在、メアリー・ローズ号の船体は乾燥して縮み、以前は木材の表面に収まっていた木釘の頭部が突き出し、それはあたかもメアリー・ローズ号を守ってきた役割を認めてもらおうとしているかのようである。

メアリー・ローズ号は、軍艦として造られた最古の船の一つである。２２０年後、別の軍艦、英国のヴィクトリー号がチャタムの王立海軍工廠で進水した。当時ヴィクトリー号は木造としては最大の軍艦だった。建造には少なくとも2000本の樫の木が使用され、航行には37反の帆を必要とした。ヴィクトリー号でも依然として大きな木釘が使われてい る接合部もあったが、技術の進歩に伴って膨大な数の金属製の留め具が使われ、船を一体に保っていた。ここでも、聞きなれないが想像を掻き立てるような語彙が登場する。ヴィクトリー号には、「コークス（ユソウボクの木で作られた幅広の短い釘）」、「クレンチ（主要な構造部材を接合するための巨大な銅の棒）」、「デッキダンプ（太くて長い湾曲した錬鉄製の棒で、おそらくデッキ構造を船体に接合するために用いられたもの）」、「ランタン釘（ランタンを吊り下げるための鉤形の頭部を持つ錬鉄製の釘）」、「フォーロックボルト（尖った先端に穴が開けられており、そこに鉄のくさびを通してボルトを所定の位置に固定する）」、「ムンツメタル大釘（鋭利な先端を持つ大きな真鍮の釘。考案者であるバーミンガムの実業家ジョージ・ムンツにちなんで名付けられた）」といった留め具が使われた。

この頃までに、エンジニアたちはより合理的に材料を選ぶようになっていた。たとえば、銅の留め具は喫水線より下の部分で使用された。銅は鉄と異なり、海水に触れても木材を損傷するような反応は起こさないためである。銅と鉄を含むムンツメタルには、純銅よりも安価で、ある程度の耐腐食性を有するという利点があった。鉄は喫水線より上や船内で使用された。

ヴィクトリー号は1765年に進水した当時最新鋭の軍艦で、アメリカ独立戦争（1775～1783年）で艦隊を率い、1805年のトラファルガーの海戦ではネルソン中将の旗艦として名声を得た。しかし、エンジニアリングの分野で盛んに発明がおこなわれた時期であったため、産業革命の加速に伴って古い工法はすぐに廃れてしまい、ヴィクトリー号は英国で建造された最後の巨大木造軍艦の一つとなった。その後に造られるようになったのはほとんどが鉄製の船であり、さまざまなタイプの留め具が使われた。木造造船技術の記念碑であるヴィクトリー号は、現在、ポーツマスにある英国の王立海軍博物館のドライドックで見ることができる。もしも訪問することがあれば、ヴィクトリー号に驚嘆するだけでなく、船で使われたさまざまな留め具のコレクションが収められた展示ケースをぜひ見て欲しい。軍艦という複雑かつ動く構造物を造るために、エンジニアたちが材料をいかに組み合わせたかという、目立たないながらも独創的な手法の証である。

メアリー・ローズ号に木釘が存在することから、金属釘は有用だが必ずしも最良の選択だとは限らないとわかる。また、単に必要に迫られていたという場合もある。鉄鉱石が豊富ではない日本では、砂鉄から金属を取り出す労力が必要であり、そのほとんどは伝説的な日本刀を作るのに充てられた。5世紀以降の日本の寺院や塔は、金属製の留め具を使うことなく、複雑にかみ合う継手・仕口が彫られた木材を正確な順序で組んで建設されていた。木材のみで構成される柔軟な接合部は、ガタガタと振動する際にもエネルギーを分散させることができたので、地震の多い日本に適していた。

しかし、エンジニアが直面する状況によっては、釘の優れた性能をもってしても対処できない場合もある。釘の根本的な欠点の一つは、しっかりとした固定が摩擦力に依存していることである。つまり、釘は適度に長く、接合する素材に全体が埋まっている必要がある。そうでないと、釘を所定の位置に保持するのに十分な摩擦力が発生せず、振動や反復する動きが摩擦力を上回って釘が緩んでしまう可能性がある。継続的な振動にさらされる可能性のある工作物では、釘が最良の選択肢ではないこともありえるのだ。

飛行機ほど振動にさらされるものはない。私は飛行機が苦手で、地上数千メートルの上空にいて、私と外気を隔てているものがとても薄い金属だけだと思うと不安になる。こうした振動に対処できる留め具をエンジニアたちが考案していることを知らなかったら、さらに不安になっていただろう。

飛行機に対する恐怖心に加えて、初期の飛行機の部品が航空機製造に適していない釘でつなぎ合わされていたと知ったとき、私は少し動揺した。同時に、初期の飛行機での類まれなる乗組員たちへの称賛の気持ちでいっぱいになった。第46タマン親衛夜間爆撃航空連隊の航空士であったポリーナ・ウラジミロヴナ・ゲルマンは、10代であった1930年代にグライダーの操縦を学び始めたが、彼女は身長が低かった（大型の航空機が多様性を考慮して設計されていなかったとも言える）。初めてグライダーで飛行した際に教官から教えられた操縦をおこなっていたところ、ラダーペダルを踏もうとして操縦席からずり落ち、コクピット窓から見えなくなってしまった。ゲルマンはもう訓練に戻って来なくてよいと告げられた。しかし、後に第二次世界大戦でドイツがロシアに侵攻したとき、マリーナ・ラスコーヴァというパイロットが女性だけの飛行連隊を編成していることを聞きつけた彼女は、パイロットに憧れていたものの、機体が依然として体格に合っていなかったため、代わりに航空士になるための訓練を受けることになった。

ゲルマンと相棒のパイロットは、ポリカルポフPo－2と呼ばれる飛行機を操縦した。ゲルマンと戦隊の他のメンバーたちは闇夜に紛れて、ドイツ軍の塹壕や補給路、鉄道を狙い、目標に近づくとエンジンを切って静かに滑空して爆弾を投下した。飛行機が静かに滑空する際には、翼が風を切る音が聞こえたという。陸上の兵士たちはこの音をほうきに乗った魔女になぞらえ、あざけりを込めて彼女らを「夜の魔女（Nachthexen）」と呼んだ。

当初、女性パイロットたちは男性パイロットから過小評価されていたが、過酷な気象条件の中でもしばしば睡眠不足もいとわず飛行したので、その価値は十二分に証明された。ほとんどの連合軍のパイロットが帰還までに遂行した任務がわずか30から50であったことを考慮すると、連隊の上級中尉として860もの任務を遂行したゲルマンの実績は見事である。彼女はソビエト連邦国民または外国人に与えられる最高の栄誉称号であるソ連邦英雄を与えられた唯一のユダヤ人女性であり（ユダヤ人であったため、ロシア人とみなされなかった）、後にその功績により金星章を与えられた。

私はPo－2を見るために、英国のビッグルスウェイドにあるシャトルワースの飛行機コレクションを訪れた。Ｐｏ－２は安価で粗っぽさが残るが、頑丈で信頼性の高い航空機である（シャトルワースの機体は、今でも飛行できるほどの状態にある）。全長わずか８メートルの複葉機（上下に2組の翼がある飛行機）であるが、私にとって最も注目すべき点は、Ｐｏ－２が木製で、その構造と製造に釘が使われていたことだ。Ｐｏ－２の本体（胴体）は、４本の長くて硬い木製の縦通材（上下、左右に1本ずつ）で作られており、垂直の木製の支柱がそれらをつなぎ合わせて細長い長方形のフレームを形成していた。垂直の支柱の間には斜材を入れてチューブ構造を支持し補強した。この主要構造部は、頑丈な鋼板とボルトで接合されるか、あるいは接着のうえで釘で補強されていた。胴体の最も外側の塗装面は、湾曲した薄い木のリブで組まれた下地に接着されたリネンであった。接着剤が乾燥するまでリネンを木材に固定するのに釘が用いられたが、その後は重量を減らすために取り外されることが多かった。

第一次世界大戦では飛行機の製造に木材が使用されていたが、それ以降の航空工学は進化し、有名な戦闘機ホーカー・ハリケーンをはじめとする第二次世界大戦初期の飛行機は、胴体の構造形状こそ第一次世界大戦のときと同じだったが、木製ではなく鋼製で翼は通常は一組しかなかった。当時は過渡期であり、航空機の主構造は鋼製で外皮には木材や布地が使用されているということがよくあった。こうした飛行機で布地を留めるためには依然として釘が使われていたが、鋼板と骨組みは薄い板材であり、釘の胴部を受けるのに十分な厚みがなかった。薄いもの同士を釘で留めることは不可能なので、別の留め具が必要になったが、幸いなことに、古代世界のエンジニアたちは、その役割を果たすことができる留め具をすでに発見していた。それが、リベットである。

リベットの胴部は鉄線釘と同様に円筒形だが、釘の胴部よりも太い。先端が鋭利な鉄線釘とは異なり、接合後のリベットの両端部はドーム型で、小さなダンベルのような見た目になっている。あたりを見回せば、産業革命時代の鉄道橋や建物に、構造の梁と柱をつなぐその特徴的なドーム状の頭部が並んでいるのが見つかるかもしれない。今日ではこのような構造におけるリベットの使用は時代遅れとなり、ボルトが使われている（ボルトに関しては後述する）。しかし、航空宇宙産業のエンジニアたちは、現在でもリベットを条件にかかわらず広く使用している。ボルトはより広い面積を必要とし、重量もあるからだ。造船業も現在では木材よりも金属を多く扱っており、リベットが好まれている。しかし、これらの業界は単にリベットの恩恵を受けているだけで、エンジニアたちがリベットを発明するに至った理由は別にある。リベットの起源を知るには、さらに時を遡る必要がある。

「ロリカ・ハマタ」と「ロリカ・セグメンタタ」という2種類の古代ローマの鎖かたびら（革製のストラップに鎖を固定して作られた鎧）には鉄のリベットが使われていた。マッチ・ハダムの鍛冶場で私に釘の作り方を教えてくれた鍛冶職人のリッチが説明してくれたところによると、鍛冶職人たちは、木工技術にならって、ホゾ穴とホゾを使って大きな鉄片を接合しようとした。部材の端部にあるホゾ（凸部）が他の部材のホゾ穴（凹部）に差し込まれることで成り立つこの種の接合部は、丁寧に彫り込むことができる木材とは相性がよい。しかし、鉄の性質および成形方法では木材のような滑らかな表面を作ることはできず、ホゾ穴とホゾの間に必要な摩擦力を生み出すのに十分な接触面を作り出すことができない。また、大きく重い鉄片をつなぎ合わせるには摩擦力のみでは不十分である。そこでホゾ穴を貫通する長いホゾを作り、ホゾの端部を加熱してハンマーで叩いて頭部を作った。これがリベットの設計の元となった。

しかし、リベットは実はこれよりも前にも存在していた。古代エジプト人は、釘を作るようになって間もない紀元前3000年頃に、リベットを使っていたと推測されている。エジプトのアビドスにある古代の墓で発見された紀元前1479～1352年の青銅の水差し（ボストン美術館所蔵）がその証拠である。これは美しく加工された作品で、球根型の胴の上にずんぐりとした円筒形の首があり、濃い赤と茶色がまだらに混ざった色合いの表面には、青銅を叩いて成形した跡を示す小さな窪みが残っている。片側にある蓮の花をかたどった取手は、3本のリベットで胴に固定されている。

今も昔もエンジニアにとってのリベットの長所は、釘のように摩擦力に頼って所定の位置に留まるのではなく、自身の形状によってものをつなぎ合わせることである。リベットで固定されている2枚の金属板を引き離そうとすると、リベットの胴部に引張力が生じ、両端のドーム型の頭部の内側の面に力がかかる。こうして力に抵抗するために、リベットは取り付けられる過程で状態が変わらなければならない（この点においても、状態が変わらない釘とは異なる）。リベット接合には熱間接合と冷間接合の2種類があり、どちらの場合

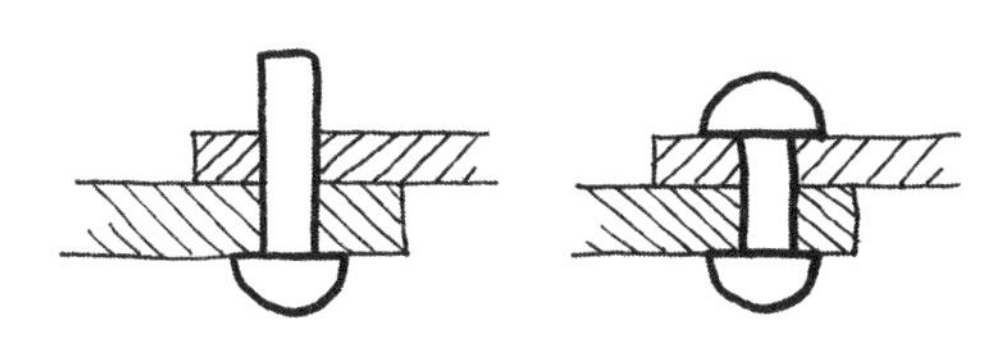

リベット
取付前（左）と取付後（右）

も最初は円筒形の胴部の一方の端部に半球状の頭部が付いている。取り付け前に、接合する2枚の母材にドリルやパンチで穴を開ける。

私が心惹かれる19世紀の橋のような大型の構造物を大きな力で接合する場合、熱間接合されたリベットの方が強度を発揮する。リベットを加熱担当者が炉で加熱して受取担当者に素早く渡す。受取担当者はそれをトングで掴み、あらかじめ開けられた穴に通す（このように灼熱の金属片が建設現場を飛び交うのが過去のことでよかった）。次に、別のリベット職人が、「リベットスナップ」と呼ばれるドーム状に型取られた重い金属パーツが入ったハンマーで、突き出た胴部を叩き始める。鋭い打撃により胴部のもう一方の端部もドーム型になり、二つの半球状の頭部が母材を所定の位置に固定する。リベットが冷えると少し収縮し、より強い締め付け力が発揮される。熱間接合のリベットは鉄や鋼などの硬い材料で作られていたため、二つ目の頭部を成形するために加熱する必要があったが、現在ではこの種のリベットを取り付けるプロセスは機械化されている。

エンジニアは、熱間接合の代わりに冷間接合のリベットを使用することもある。冷間接合のリベットはアルミニウムのような柔らかい金属で作られており、より簡単に成形できるので加熱する必要がない。また、冷間接合のリベットは中空であることが多く、熱間接合のリベットよりもはるかに小さいため（強度は低いが）ずっと軽い。この種のリベットは、燃料の量を減らすために重量を最小限に抑えることが求められる航空機で使用されている。

たとえば、ホーカー社の戦闘機ハリケーンにおいては、大きな荷重がかかる骨組みの接合部でのネジやボルトに加えて、何百もの中空リベットが機体の接合に使われていた。また、リベットは飛行機の胴体の設計を根本的に変えた。ハリケーンの胴体は、鋼材と木材で作られた2組の構造、つまり内側の主構造と、外皮が取り付けられた外側の湾曲したフレームで構成されていた。しかし、スピットファイア（バトル・オブ・ブリテンで使用された伝説の戦闘機。独特の楕円形の翼と流線形の胴体を備え、時速600キロ近い速度に達する）は、根本的に異なる戦闘機であった。

シャトルワース・コレクションでPo-2からそう遠くないところに置かれているスピットファイアの内側を覗いた私が最初に気づいたのは、内部がほとんど空っぽだということである。外皮のすぐ内側に一連の湾曲したアルミニウムのアーチが並び、胴体の主要構造を形成している。縦通材の端には細いリムが付いており、外皮にぴったり重なっている。この2層（縦通材のリムと胴体の外皮）が何千ものリベットで固定されていた。この二つのアルミニウムの層は極めて薄く、ずれてしまうと単一の強力な構造として機能しないため、両者が一体的に機能するようにつなぎ合わせる必要がある。胴体にかかるせん断力に対して効果的に抵抗するリベットは、まさにぴったりであった。ここで重要なのは、ハリケーンは二つのフレーム（構造と外皮）が必要だったのに対し、スピットファイアに必要なフレームは一つだけだったということだ。この新しい胴体構造により、軽量かつ堅牢で、時代を先取りした高性能な飛行機が誕生した。

通常、リベットには前述のように二つのドーム型の頭部が付いているが、スピットファイアの設計者であるR・J・ミッチェルは、より速く飛行できるよう、飛行機の外側の頭部を平らにし、機体周りの空気の流れを滑らかにしたいと考えていた。しかし、フラッシュリベットとして知られる平らな頭部のリベットは製造コストが高く、取り付けに時間がかかるため、本当にスピットファイアの速度に違いをもたらすことができるかを検証することになった。この試験のために採用された方法は珍しくて、エンジニアたちは飛行機のすべてのフラッシュリベットの頭部にスプリットピー（半分に割ったえんどう豆）を接着して飛行機を飛ばし、速度を記録した（飛行機は水ぼうそうに感染しているかのように見えたらしい）。スプリットピーを段階的に除去しながらテスト飛行が繰り返され、結果が記録された。この試験により、ドーム型の頭部が付いたリベットを用いると戦闘機の最高速度が最大で時速35キロ低下するというデータが得られ、ミッチェルが考案した平らな頭部のリベットの正当性が証明された。

戦後の数十年間は、スピットファイアとよく似た構造のアルミニウム製の旅客機が主流であった。胴体と翼は曲げやねじれなどの大きな力を受け、また突風や大きな温度変化、さらには強い振動にもさらされる。リベットは航空機にとって極めて重要な部品であり、たとえばボーイング737では1機あたり60万本を超えるリベットとボルトを使用して機体の一体性を保っている。

20世紀初頭に安価で迅速にアルミニウムを抽出し、アルミ板を製造できるようになったことにより、航空宇宙産業に新しい設計の可能性がもたらされた。しかし、リベットがなければ、今日私たちが利用する大型旅客機を思い描くことはできなかったであろう。Ｐｏ－２とハリケーンの外皮の内側に組まれた邪魔なフレームに依存し続け、乗客数は制限されていたのではないか。リベットで固定されたスピットファイアの開放的なチューブ構造のおかげで航空機内のスペースが使えるようになり、数百人の乗客や数トンの重量物を運ぶ大型で軽量の航空機を開発することが可能になったのだ。

◯

18世紀末に始まり19世紀に拡大した大量生産と組立ラインの時代の到来により、スピッツファイアのような複雑な機械の製造が可能になった。ジョブ・ワイアットとウィリアム・ワイアット兄弟、ヘンリー・モーズリー（金属切削旋盤の発明者）、ジョゼフ・ホイットワースなどのエンジニアたちは製造手段に革命をもたらし、小さなものを正確な寸法でかつ大量に、そして特定の基準に従って製造することを可能にした。その中にはネジも含まれていた。

リベットや釘と同じように、ネジは物と物を接合するための工学的ソリューションである。軸部が長く頭部が付いているという点でネジは釘に似ているが、軸部は滑らかではなく、らせん状のネジ山が巻き付いている。また、どちらも先端が尖っていて、接合する素材に穴を開けるという点では共通しているが、釘とは異なりネジは回転させることでネジ山が素材に食い込んで潜り込む。さらに、ネジは力学的な固定によりネジ山の間に素材を物理的に挟み込むが、これも釘とは異なる点である。

ネジにおいても摩擦力は重要である。摩擦力は、ネジ山と、ネジが取り付けられる素材との間に作用し、ネジが回転したり緩んだりすることを防いでいる。ネジによって接合されている二つの部材を引き離そうとすると、ネジの軸部に真っ直ぐにかかる引張力よりも、素材がネジ山に沿って押す力がかかる。また、取り付けの際にもネジは釘とはまったく異なる力を受ける。それは、一瞬の打撃ではなく、ドライバーで回すときにかかる継続的なねじれの力である。そのためネジの素材には、ねじっても変形しない強度が必要となる。

ネジは釘を改良したものであり、釘より優れた留め具であると考える方もいるかもしれない。確かに、ネジは、ねじ込んでも変形しない十分な強度を必要とするため、一般的には釘よりも硬い材料で作られている。ネジ山により物と物をしっかりと接合し、引張力にも強いので、緩むことをあまり心配せずにネジから物を吊るすことができる。らせん状のネジ山をコンパクトにしたり、軸部を短くしたりもできるので、腕時計の部品や薄い金属板といった小さなパーツを固定するのにも適している。また、ドライバーを逆に回すだけで簡単に取り外すことができる。

一方で、ネジは硬く、せん断によって破損しやすいのに対し、釘は延性や柔軟性が高いため、簡単に折れることはない。ネジの頭部に（ドライバーを差し込むプラス／マイナスなどの）特定の形状が施されるようになるまでは、ネジの取り付けは困難なものだった。モーズリーの旋盤が開発される前は、ネジ山はすべて手作業で丹念に切られており、ネジの製造にはコストと手間がかかった。このため、15世紀以前のヨーロッパではネジが広く普及しておらず、産業革命の時代になってはじめて安価なネジが一般的に使用されるようになった。

しかしながら、ネジの概念（より具体的には、棒に巻き付けられたらせん状のネジ山の概念）は、二つのものを接合するという行為よりもはるかに古く、エンジニアリングにおいて長く利用されているものである。古代エジプトには、現在「アルキメデスのらせん」と呼ばれる灌漑用の器具があった。ネジ山が設けられた長い筒が収まった中空の木管を想像してほしい。斜めに設置された木管の一端は川もしくは湖に沈められ、もう一方の端は陸に突き出ている。ハンドルを回転させて筒を回すと、ネジ山が筒の内で水をキャッチし、水が引き上げられる。こうした灌漑はエジプトのナイル川流域で今でも利用されており、おそらくそこでアルキメデスも着想を得たと考えられている。しかし現在では、このシステムはさらに数百年前の紀元前6世紀に、バビロンの空中庭園と呼ばれる有名な緑地の灌漑のために、ネブカドネザル2世に仕えたエンジニアたちが発明したという説もある。いずれにしても、この揚水用のネジは史上初のらせんであり、らせんは数学的に複雑な形状であるため、製作するのも困難だった。

16世紀になると、ネジは（てこ、車輪と車軸、滑車、斜面、くさびと共に）単純機械の一つとして挙げられるようになっていた。古代ギリシャ人によって最初に考え出された「単純機械」という概念は、ルネサンスの科学者やエンジニアたちによってさらに洗練されたものとなった。可動パーツをほとんど（あるいはまったく）持たない道具であり、多くの場合、力の方向を変えることで力に対抗する。

たとえば、重いものを上に運ぶには、垂直に持ち上げるよりも、斜面で押し上げるほうがはるかに簡単である（ピラミッドの建設に使用されたテクニックである）。あるいは、てこの一種であるシーソーを使って子どもが父親を持ち上げることができるか考えてみよう。父親が支点（中央）の近くに座っている場合、反対側の端を子どもが押し下げることで、父親を持ち上げることができる。これは明らかに、子どもが筋肉や体重だけを使って達成できることではない。ネジの場合、らせん状のネジ山により回転運動が直線運動に変換される。よって、アルキメデスのらせんでは、筒の回転により水が直線的に引き上げられる。

この回転から直線へと移行する運動がなければ、世界の一部の地域では超高層ビルを建てることができない。最も初期の高層ビルはマンハッタンなど、地盤が固くて、ビルの桁外れの重量を分厚いコンクリートスラブのみでスラブ下の岩に分散することができる場所に建てられた。しかし、ロンドンのような都市は、より柔らかく、より変化しやすい素材である粘土の上に位置する。粘土は、水によって運ばれてすり潰された粒子からできた細かい土壌である。濡れると膨張し、乾燥すると縮んでひび割れる場合がある粘土は、季節や年ごとに変化する地盤であり、高層ビルの基礎としては問題がある。

これを解決するためにエンジニアたちが使用するのが杭だ。杭は構造物を支えるために地中に設置される竹馬のような基礎である。地中に40メートルほど埋め込まれた、直径1メートルを超える巨大なコンクリートの柱の上に載っている超高層ビルもある。杭は釘とはかけ離れたもののように思えるかもしれないし、規模についてはそのとおりであるが、力のかかり方が似ている。つまり摩擦杭は、釘と同様に、その表面（杭の外周面）と土壌の間に作用する力によって機能している。

しかし、杭の施工は、比較的狭い範囲に非常に深い穴を掘って生コンクリートを流し込んで硬化させる必要があるため、エンジニアにとっては困難な作業である。そこで登場するのが、アースオーガーと呼ばれるネジ（この場合はスクリューと呼ばれる）を用いた魔法の機械である。長大なスクリューをエンジンで回転させて地中に垂直に打ち込むタイプの機械もある。スクリューのネジ山の中に土が閉じ込められるため、スクリューを引き抜くと泥が付着しており、きれいに穴を掘ることができる。コルク抜きでワインボトルからコルクを抜くのと同じ要領である。次に、この穴を液状のコンクリートで充塡し、その中に鉄筋のかごを建て込む。コンクリートが硬化して鉄筋と接合すると、荷重を効果的に地盤に伝える、強力で耐久性のある構造が形成される。

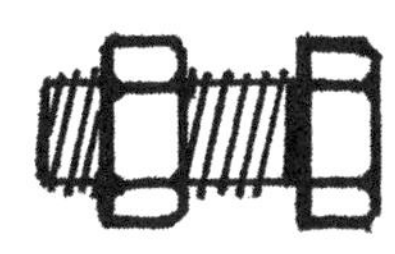

ナットとボルト

精密かつ大量に生産する時代に入ると、別の留め具も誕生した。「ナットとボルト」は私が特に気に入っているもので、英語で〝nuts and bolts〟と言えば、何かを機能させるために欠かせない小さな部品や要素を意味する慣用表現にもなっており、この本もそれにちなんで名付けられている。

「ボルト」は、ある意味で、ネジとリベットの融合といえる。長い円筒形の軸部の端に六角形の頭部が付いていて、レンチで締め付けることができる。軸部のすべて、あるいは場合によっては端部だけにネジ山が付いている。この時点では、太短いネジに似ている。ボルトを取り付けるには、リベットのように、まず接合する鉄骨の梁または柱にあらかじめ穴をあけ、あとは一人でもボルトの反対側の端からナットを取り付けることができる。ナットは六角形のドーナツのような形をしており、中央の穴の内面にはボルトの軸部に合わせたネジ山が付いている。モーズリーの旋盤などの機械のおかげで、ネジ山をぴったりと合わせることができ、ナットがボルトの軸部で回転できるように、ナットとボルトのネジ山は完全に一致するようになっている。

ボルトはネジのように見えるが、力とそのメカニズムにおいてはリベットに近い。ナットとボルトを締めると、つなぎ合わせる金属の母材が固定される。比較的分厚い鉄板や鋼板を接合する必要がある橋や超高層ビルなどの大きな構造物では、ドライバーを回して金属板に物理的にネジ山を切ることはほぼ不可能であるため、ネジは機能しない。熱間接合のリベットはある程度機能するが、リベットは比較的柔らかい鉄で作られている。これは、リベット端部の二つ目のドームを現場でハンマーで打つことができるようにするためで、それは危険で骨の折れる作業である。ナットを締めるプロセスは熱い金属を振り回すより安全であり、ボルトはリベットよりも硬い鋼鉄で作ることができるため強度がより高くなる。現在建設現場で一般的に使用されている直径わずか20ミリのボルト1本で、約11トンの引張荷重に耐えることができる。これはロンドンの2階建てバスとほぼ同じ重量である。

しかし、これだけではない。ザ・シャードで何千ものボルトにかかる力を検査したエンジニアで、自称「ボルトオタク」のオマー・シャリフと再会したとき、彼はこの本のタイトルを『ナットとボルト』ではなく『ナットとボルトとワッシャー』にすべきだと言った。ワッシャーも付け加えるべきだという彼の言い分にも一理ある。ワッシャーは薄くて平らな鋼製のリングで、ボルトが機能するのに不可欠なものである。ワッシャーは、ナットと接合される鋼製の母材の間に取り付けられ、ナットが締め付ける力を分散させる役割を果たす。ワッシャーを使わないと、ナットを締める際に梁や柱に小さな亀裂が生じ、強度が落ちる可能性がある。オマーの言葉を借りれば、互いによきライバルのように、ボルトにはワッシャーが必要であり、一方がなければもう一方は機能しない。（よく考えた上で、最終的にはこの本の名前を変えないことにした。『ナットとボルトとワッシャー』では、『ナットとボルト』の小気味好い響きが失われてしまうからだ。）

ザ・シャードの上部にある尖塔を接合するのに使われたボルトには、エンジニアリング面での特異な課題もあった。尖塔に吹き付ける突風は、鉄骨フレームを通ってビル本体のコンクリート造の背骨へと流れる。鉄骨フレームは骨格のようなもので、それによって尖塔の強度が維持されている。その最も重要な部分は骨と骨をつなぐ関節、つまり接合部である。複雑に組み合わされたボルトと溶接により梁と柱が接合され、建物を高く保っている。尖塔は風雨にさらされるだけでなく、一般客がその構造を展望台から見ることができた。そのため、ボルトは耐風性や耐候性、高所での作業性の良さを備えているのに加えて、美しいものでなければならなかった。

これを実現するためにどれだけの労力を費やしたかを考えていただければ、私がこの場所を訪れても眼下に広がる素晴らしいロンドンの景色を眺めようとしないと聞いても、皆さんは驚かないはず。代わりに、私が愛情たっぷりに見つめるのは、尖塔をつなぎ合わせているボルト（釘から派生した留め具）である（オマーも同じことをすると聞いて私は安心した）。一つひとつのボルトは手のひらに簡単に収まってしまうが、強くて美しいエンジニアリングの産物であり、長い歴史の中で苦心して設計されたものである。

2 WHEEL 車輪

ものを遠くへ運ぶこと

車輪

　目覚まし時計が鳴る。ベッドの上を転がってアラームのスイッチを切り、文字盤で時刻を確認する。重い足取りで洗面室に向かい、蛇口をひねり、電動歯ブラシのスイッチを入れる。顔を洗い、着替えを済ませたらキッチンに行き、冷蔵庫の扉を開けて牛乳を探す。フライパンに入れたオートミールに牛乳を混ぜる。今日は自分へのご褒美として、ブレンダーで手作りスムージーを作ってもよい日かもしれない。朝食を済ませたら玄関のドアノブを回してアパートを出て、電車に乗る。

　よくある朝の光景であり、平凡と言ってもいいかもしれない。しかし次に同じような朝を迎える時は、一日の始まりがいかに「回転するもの」であふれているかを意識してほしい。移動に使う車、ボールペンの先端の球体、荷物を持ち上げるクレーンの滑車、位置や時刻を知らせる衛星を安定させるためのジャイロスコープなど、枚挙にいとまがない。これまでの最高の発明、もっとも影響を与えた発明、もっとも長く利用されている発明を（何でもよいので）訊ねるとする。すると、どれだけ独創的なものを答えようとしても、多くの人が車輪を少なくとも思い浮かべはするだろう。車輪というのはそれだけ一般的な答えなのである。

車輪は私たちにとって馴染み深いものであるにもかかわらず（私たちは車輪がどのようなものであり、何ができるのかを理解していると思い込んでいる）、驚くべきことがまだまだ存在する。まず、車輪が史上最高の発明と広く考えられているのは、モビリティ（移動性）において多大な影響を与えたからである。しかし、車輪は私たちが移動するために発明されたわけではなく、当初はまったく異なる目的があった。さらに言えば、車輪は千年以上もの間、「車軸を持った丸いものという形」を変えていないと私たちは思っている。「車輪を再発明するな」（すでに存在するものを一から作り直すような無駄な努力はするな）という決まり文句さえ存在する（皮肉にも、2001年にオーストラリアの弁護士が「環状の運搬補助装置」のイノベーション特許の取得に成功した。彼は車輪を再発明することで新しい特許システムの欠陥を浮き彫りにしようとしたのである）。しかし、私はこの「車輪を再発明するな」という決まり文句には同意できない。過去5000年で世の中が劇的に変化するなかで、私たちは幾度となく車輪を再発明してきた。形状を検討したり、新しい素材を取り入れたりするだけでなく、車輪が「どのように」利用され、私たちに「何を」もたらしてくれるかという概念を完全に塗り替えたのである。本書ではそのような革新を再発明と呼ぶことにしたい。

翼による飛行、面ファスナー、ソナーなど自然界からインスピレーションを受けた発明品は多くある。しかし、車輪は人類が成し遂げた偉業である。たとえばアルマジロはタンブルウィード（西部劇で見かける球状の枯草）のように丸くなって転がり、フンコロガシは糞を球状に成形して転がしやすくする。一方で、回転する物体と回転しない物体を組み合わせて装置を作り出すというアイデアは自然界に前例がない。それはまさに……コペルニクス的転回であった。

人類の偉業と比べると些細なものだが、私も以前に工房で不格好な粘土の塊を作ったことがある。その塊は私をあざ笑うかのように目の前で回転し続け、私の努力の賜物の醜悪さをあらゆる角度から見せつけてきた。私は粘土をろくろ（回転する車輪だ）に置いて手で整形しようと試みたが、12秒後には陶芸家としてのスキルのなさに気がついた。しかしながら、少なくとも紀元前29000年頃から、人間は芸術的な粘土作品を制作してきた。粘土は現代の高層建築の基本材料としては最適ではないかもしれないが、私たちの祖先にとってその展性は扱いやすく完璧な材料だった。当初は粘土の容器を手で一から成形していたが、後に紐状の粘土を渦巻き状に積み重ねていき、指を使って表面をならす紐作り（コイリング）という技法を生み出した。ただ、時間がかかる技法であったため、人間の定住が進み、食料を栽培して保管し、調理するようになるにつれ、大きくて質の高い陶器をより迅速かつ大量に生産する必要に迫られた。

車輪はもともと陶器のための発明だった。いままで発見されたもっとも古い車輪は、紀元前3900年頃のメソポタミアのものである。ろくろは焼成粘土製もしくは大きくて重い木製の円盤だった。上面は平らであるが、底面は出っ張っている。固定された木や石の台の上面には、この出っ張りとかみ合うような凹みが設けられていた。陶器職人がこの台の上に円盤を置いて手で回すと、円盤の重みによって一定の時間は回転し続ける。

最初の頃は、陶器は紐作りの技法で作られていたが、より速く平滑で完璧に成形できるろくろが用いられるようになり、はるかに均質な製品を生産することが可能になった。その後、ろくろをフットペダルで動かすメカニズムによって陶器職人の両手が自由となり、その両手を粘土の成形に集中させられるようになった。一定の速さで回転する動きにより、私がしたような、回転する円盤の中心で粘土の塊を成形する技法が生み出された。手練れの陶器職人たちは（私と違い）均質な表面の陶器を素早く作ることができるようになり、居住地において増え続ける需要を十分に満たす数の容器が生産された。

メソポタミアの陶器職人たちは、固定点における回転運動を利用することに史上初めて成功した。私たちは車輪が何よりも先に発明されたと思いがちだが（これに関しては米国のテレビアニメ『原始家族フリントストーン』のフレッド・フリントストーンと彼が乗り回していたフリントモービルの責任だとおもう）、実際には人間が車輪を思いつくよりもずっと前から、宝飾品、ワイン、船や楽器（どれもエンジニアリングにおける素晴らしい偉業である）が作られていた。

円運動を利用して直線上を前進するというのは、想像力の飛躍によるアイデアだった。誰かが車輪を再発明する、あるいは少なくとも使い方を見直す必要があったはずである。

また多くの発明が時を経て徐々に進化するのに対し、それは飛躍であったようにおもわれる。たとえば私たちは、元々尖っている石に触発されて他の石を削って道具にし、その尖った石を今度は柄や長い棒、矢の先端に取り付けるようになっていった。しかし、車輪と軸に関しては、その基本形態に辿り着くための進化過程が存在しない。うまく動作するか否かのどちらかである。車輪と車軸を発明したのは、太い木の幹から円盤を切り出してその円盤の中心に穴を開けるという極めて優れた木工技術を習得した人々である。比較的平坦な地面の上で重い物を運ぶ必要があったのだろう（ほとんどの発明は必要性に迫られて実現されたものである）。そして、求められる器用さ、地形、技術ともに厳しい状況のなかで、彼らには実に革新的な思考が必要だった。なぜなら、車輪を実用的な物体にするために必要な車軸は、それ自身が複雑なエンジニアリングの賜物であるからだ。

車軸とは要するに車輪を貫通する棒である。軸と車輪は二つの方法で機能する。一つ目は、車軸は車両に固定され、その車軸のまわりを車輪が回転する。二つ目には、車輪と車軸が固定され、両方が回転する。車軸には車両の重さに耐えうるだけの丈夫さが必要である。また、軸はその機構が回転できるような余裕をもたせなければならないと同時に、ガタつかない程度にぴったりと合わせなければならない。車軸が太すぎる場合は生じる摩擦力が増加し、機構の速度を下げるだけでなく、摩耗によって寿命が短くなってしまう。車輪と車軸が接触する表面もまた滑らかでほぼ完璧な曲線である必要があり、ノミのような金属製の道具が一般的になるまでは、その加工に求められる高い木工技術に苦戦していた。

こうした理由から、熟練したエンジニアである私の意見としては、フレッド・フリントストーンのフリントモービルの車軸は、言うまでもなく機能しなかっただろう。

この機構の発明についての複雑さゆえに、車輪や車軸それぞれが独立して発明された可能性は低いと主張する歴史家たちもいる。彼らによると、車輪と車軸は発明されるとすぐにユーラシア大陸に広がったという。要するに、その利点は明白だった。何世紀もの間、人々はものを移動する時には動物やソリに頼っていた。しかし、動物は疲れるし食べ物や世話も必要だ。また、ソリであれば平坦で凍っている地面では滑るので有効だが、それ以外の条件だとソリと地面の間には大きな摩擦抵抗が生じてしまう。丸い形状の車輪はどのような条件であっても（どう転んでも）、確実に有利であった。

車輪は急速に広がったため、その起源をピンポイントで特定するのは難しい。考古学者たちはウルクやメソポタミアで紀元前4000年中期頃の荷車が描かれた粘土板を発見している。同時期のものとして、車輪のついた乗り物が描かれた陶器が現在のポーランドにあるブロノシチェで発見されている。ドナウ川流域と北コーカサス周辺の地域では荷車の土器などが出土している。植民地化される前の南北アメリカで車輪のついた玩具が出現していることから、アメリカの地でも独自に車輪が発明された可能性が推測される。しかし、通常サイズの車輪が付いた乗り物が存在した証拠はない。おそらく主要な文明が山に囲まれた湖畔（アステカ文明）や険しい山脈（インカ文明）で発展したためであり、移動には動物の方が適していたのであろう。

車輪のついた乗り物の考古学上の物的証拠を探すため、ロシアの北コーカサス地方にあるスタヴロポリという町から東に進路を取ろう。ここで考古学者たちは、数万の墳丘墓が存在するエリアを見つけた。それらの墳丘墓は紀元前5000年頃に地域の人々によって掘られた後、紀元前4000年頃にヤムナ文化の人々が再利用した。彼らはさらに多くの墓を作ったが、そのうちの一つで考古学者たちは興味深いものを発見した。狭く深いカタコンベ（古代キリスト教徒の地下墓所）に似た竪穴の底から、四輪の荷車に座った状態の人骨が出土したのである。紀元前3356年から3033年頃に作られたこの荷車は激しく劣化していたものの、現存する荷車の中ではかなり古いものである。

車輪は頑丈に作られており、それぞれ3枚のオーク材を木製のダボやペグ（木釘に似ており、前章の「釘」がエンジニアリングにとっていかに重要であるかを示すさらなる例）で接合した構造となっている。木には木目があるために強い方向と割れやすい方向があり、単純に樹木の幹を輪切りにしても車輪として機能しない。繰り返し使用するうちに弱い部分が影響を受け、車輪が変形してしまうのだ。ヤムナ人は早いうちから動物を家畜として使役しており、次第にその家畜に荷車を引かせるようになったと考えられる。動物がいなければ荷車はそれほど便利ではなかったはずであり、荷車の発明には畜産も影響していると言える。

車輪と車軸、そしてその延長線上に生まれた荷車は食糧生産を変えた。私たちの先祖が農業を始めた頃は、食物を育てるために大勢の人が田畑を往復し、土を耕す必要があった。移動には動物か自分の脚に頼るしかなかった。しかし、牛や馬、そして荷車のおかげで、一世帯の家族が一か所の土地から十分な作物を収穫し、作物が腐る前に長い距離を運ぶことが可能となった。車輪によって解放されたのはそれだけではない。もともとは水辺の小さな集落で暮らしていたヤムナ人は、ついには探険家となったのだ。これらの見慣れない乗り物に乗ったヤムナ軍隊は遭遇する他の開拓者に対して有利であり、大草原地帯のさらにその先へと領土を拡大していった。

ヤムナ人は領土とともに、文化も広げていった。ヤムナ人が話していたとされるインド・ヨーロッパ祖語からは、サンスクリット語、ギリシャ語、ラテン語、パシュトー語、ブルガリア語、英語、ドイツ語など多様な言語が生まれ、世界の約半数の人口がそれらの言語を使用している。彼らは自身の畜産や冶金の技術を、遭遇した開拓者と共有した。また、知らず知らずのうちにヨーロッパに黒死病を持ち込んだ可能性さえあると、ヤムナ人の起源とされる地域において人間の歯の化石から黒死病をもたらすバクテリアを発見した遺伝子学者たちは指摘している。もしヤムナ人が荷車を作っていなかったら、ヨーロッパやアジアは現在どのような世界になっていたのだろう。

ろくろを90度傾けることで車輪を陶器製造機から移動手段へと変換したことは、この回転する発明品の最初の再発明にすぎない。ユーラシア大陸の人々の視野を広げ、彼らの暮らしを変えた初期の車輪は円板状であったが、技術革新によって軽量でより速く回転するものへと変貌を遂げた。

私はサンスクリット語を由来とするヒンディー語を話すが、そのサンスクリット語もヤムナ文化まで起源を辿ることができる。つまり、車輪の歴史は私の母語の歴史とも密接な関連があるのだ。インドで育った私にとって、車輪のモチーフは身近な存在だった。初期の国旗はイギリス人開拓者たちからの独立のために戦った際にデザインされており、その中心にチャルカ（糸車）が描かれていた。マハトマ・ガンジー、オーロビンド・ゴーシュ、ラビンドラナート・タゴール、ラーラー・ラージパト・ラーイをはじめとするスワデシュ運動の指導者たちの野望の一つは、英国への経済的依存から自由になり、植民地化されたインドの人々に力を与えることであった。当時の英国領インド帝国では国内で衣服を縫うことが禁じられていたにもかかわらず、ガンジーは自身の衣服を自ら縫い、この平和的で市民的な不服従行為を奨励したことが知られている。

ガンジーとともに旅をし、独立闘争の象徴的な写真にも登場する糸車は、インド独立のシンボルとなった。現在の国旗は、横方向に三分されたストライプの白い中央部分の中心にネイビーブルーのチャクラ（法輪）を置き、その上下にサフラン色と緑色のストライプを配している。古代インドの図像やアート、建築にたびたび登場するこの車輪の歴史は、紀元前268年から232年までインド亜大陸の大部分を支配し、アジアに仏教を広めたマウリヤ朝のアショーカ王の時代まで遡る。

ユーラシアステップで発見された荷車の車輪とは異なり、チャルカとチャクラの両方にスポークが付いている。この洞察に満ちたデザインが車輪を一変させることとなった。ユーラシアステップ北部で栄えたシンタシュタ文化、またインド・イラン語派の人々は紀元前3世紀の末にはこのような車輪を使っていたと考えられる。エジプトのツタンカーメンの墓からは紀元前2世紀のスポーク付きの車輪が発見され、さらにはミタンニ（現在のシリアとトルコの地域）に関する記録にも記されている。これらの車輪は木製で中心にハブがあり、円形の外縁部のリムに対してロッド（車輪により本数は異なる）が放射状に延びていた（インド国旗の中央のアショーカ・チャクラには24本のスポークがあり、それぞれが良い人生を歩むための根本原理を象徴しているとともに、1日が24時間であることに呼応している）。

ヒンドゥー教の神々はそれぞれのヴァーハナ（乗り物）に乗っている姿を描かれることも多く、太陽神スーリヤが乗る7頭の馬に引かれた二輪戦車の車輪にはスポークが付いている。神でさえも円板状の車輪よりもスポーク付きの軽い車輪を好んだであろうことは想像に難くない。製作は複雑だったものの、スポーク付きの車輪により、板状の車輪がゴロゴロと転がる荷車よりずっと速い移動が可能となった。ローマ人はスポーク付きの二輪戦車でレースを楽しみ、ギリシャ人は戦争で使用した。

スポークによって車輪が改善されたことは間違いないが、当初は欠点もあり、その解決にはエンジニアリング面での更なるイノベーションが必要だった。スポーク付きの車輪は多くの木製の部品によって構成されていたため、ガタついた地面を進むうちに壊れてしまうことが多かった。しかし、鉄器時代（紀元前1200年〜紀元前600年頃）に金属加工技術が広まり始めたヨーロッパでは、車輪のリムの外側に金属板の輪を追加して強度を上げた。巧みだったのは、その鉄製の「タイヤ」は、金属が高温のうちに車輪の外周と一致するように長さを計測してホイールに巻き付けている点である。金属が冷めて収縮すると、リムを内側方向に圧縮して木製のスポークを中央のハブに押し込んで固定する効果があった。こうすることで車輪の強度と耐久性を高めることに成功した。

車輪を強く、速くする方法を見つけ出したあと、次にどのように発展させたのか。抜本的な見直しがおこなわれるのはそれから1000年ほど先のことである。

18世紀初頭、航空エンジニアのジョージ・ケイリーは空を飛ぶ機械の製作に取り組んでいた。彼は着陸時に大きく跳ね返る力を吸収できる頑丈な車輪を必要としていたが、車輪は軽量でなくてはならなかった。さもなければ航空機を浮かせること自体が難しい。当初は木を使用して重い車両の圧縮力に耐えうる強度を持ったリムやスポークを取り付けた。ところが金属で実験を始めたケイリーは、力の流れる方向を逆転することを思いついた。

スポークに圧縮力が加わる場合、曲がったり壊れたりしない強靭な素材が必要となるが、代わりにハブとリムの間に細い金属製のワイヤーを張り、これらのワイヤーに引張力をかけることで同じ機構を安定させたのだ。彼が1808年に発明したそのデザインは従来のものに比べてはるかに軽量であり、彼とその仲間が作ろうとしていた軽量航空機の実現を後押しした。

木製スポークの車輪とワイヤー製スポークの車輪の他の違いはその断面形状であり、車輪に働く力の作用に対する材料の反応の違いを示している。分かりやすくするため、硬い紙を円形に切り取って垂直に立てて持つことを想像してみてほしい。円の中心をつついても形状は変わらないが、少し力を加えると円形の紙は反ってしまう。薄い紙で作った円で同じことをした場合、円はより簡単に変形してしまう。しかし、この円形の紙の一部（細い扇形）を切り取り、切り取った部分の両側を合わせてテープで留めて浅い円錐を作ると、その構造はより安定し変形しにくくなる。木製の車輪の多くが（カードで作った円のように）平らな面になっていた一方で、英国の馬車職人たちは外側がわずかにへこんだ「皿」の形状で車輪を作り、道の凹凸や馬に引かれている時の横方向へのふらつきに対する安定性を高めた。この車輪を一方向にへこませるという方法は、木のような圧縮力に強い材料で作られた車輪が車軸に対して二つ付いており、互いの力を打ち消し合う場合に限り、うまく機能した。

独創的な発想ではあったが、ワイヤースポーク車輪ではうまくいかない。例えば、6本

両面が「皿」の形状となっているワイヤースポーク車輪
その断面図（左）と正面図（右）

のひもの片端を一つに結んでハブとし、他端それぞれを（クッキーの円形の抜き型のような）固いリングに結びつけることでワイヤースポーク車輪のモデルを作ったとする。中央のハブを押すとひもが伸びてハブは横方向に動いてしまうが、それは車輪にとっては望ましくない。皿形の車輪の場合、ひもは引張に強いため、皿の内側をつついても変形しにくい。しかし、外側から押してしまえば、ひもが緩んでハブは動いてしまう。そこで、ワイヤースポーク車輪を機能させるために、両面が皿形になった車輪が設計されたのである。現代の自転車の車輪をじっくり見ると、中央のハブから延びる2セットのワイヤーが外側のリムで合流しているのがわかるだろう。

両面が皿形になったテンションワイヤースポークの車輪は、その軽さと優れた強度や柔軟性（ガタついた地面でも簡単には壊れない）により、車輪の進化の中でも極めて重要なポイントとなった。しかしその時点でもなお、二つの車輪は平行に配置されていた。驚くべきことに、ワイヤースポーク車輪の発明後、おそらくスポーク以来で最も重要なイノベーションまでに10年近くを要した。それは車輪を前後に並べる、という発想である。

自転車の起源とされるドライジーネは、乗り心地が悪くて疲れる乗り物だったに違いない。1817年にドイツでカール・フォン・ドライスによって発明されたドライジーネは木製の車輪とフレームで構成されていた。ペダルはなく、アニメのフレッド・フリントストーンがフリントモービルを足で動かしていたように、自身の脚で走らなければならなかった。それでも、ドライジーネは交通における大きな飛躍であり、動物に頼らずに長距離を移動できる初めての乗り物となった。発明家の多くがそうであるように、ドライスもまた時代の先駆者であったために彼のデザインはマスコミによって子ども用の馬の玩具と面白おかしく比較されたし、当時は道路の状態も良くなかったため乗りにくかった。歩行者はドライジーネが歩道に乗り上げてくることに苛立ち、邪魔者扱いをした。ミラノ、ロンドン、ニューヨーク、コルカタ（旧カルカッタ）などの大都市ではドライジーネの使用を禁止するようになった。

時間が経つにつれて人々の態度も変化した。英国の馬車職人であるデニス・ジョンソンはドライスのデザインを見て誰よりも早くイングランドで特許を取得した。彼は自身の機械をベロシペードと呼び、鉄で補強された、より大きく安定した木製の車輪などの改良を施した。さらに、スカートの女性も乗りやすいように低い位置のフレーム（ステップスルーフレーム）を導入したほか、その後の数十年間でペダルとブレーキを加え、ついにワイヤースポーク車輪は一般的なものとなった。１８８８年には獣医のジョン・ボイド・ダンロップが、息子が乗りやすいように三輪車のホイールに柔らかいチューブを巻き付けた。これが空気入りタイヤの発明につながり、自転車はより安全で、操作しやすく、乗り心地の良い乗り物となった。

自転車は人々の日常に大きな変化をもたらした。馬車や初期の自動車を購入できない大多数の人々にとって、自転車は初めての購入できる個人の長距離移動手段であった。看護師や聖職者たちは郊外まで足を延ばしてより多くの人を受け持つようになり、19世紀終わり頃には郵便局が各世帯に毎日配達するようになった。女性が自転車に跨って座ることは激しく批判され、冷笑された。１８９６年に『女性サイクリストのためのハンドブック（*Handbook for Lady Cyclists*）』を著したリリアス・キャンベル・デイビッドソンは、「自転車に跨る女性は女であることを完全に捨てたと公に言われていました」と回想している。そのような偏見はあったものの、自転車は技術の結晶であり、人々に自由をもたらした。当時、女性のサイクリングの主唱者であったＮ・Ｇ・ベーコンは、「自転車によって私たちは女性らしさを完全に保ちつつ……みずからを解き放つことができるのです」と評した。そして、それは彼女が想像していた以上に核心を突いている。生物学者のスティーブ・ジョーンズは自転車の発明を近年の人類の進化の中で最も重要な出来事と評価している。なぜなら、自転車を所有することで行動範囲が広がり、結果的に潜在的な結婚相手の候補数が増えることで、遺伝子プールが広がることにつながるからである。

○

幸運にも、女性が自転車に乗ることは今では一般的に受け入れられているが、女性がエンジニアになることは、社会通念的にはいまだに難しい問題である。エンジニア向けのファッションは、スーツを着た男性を念頭にデザインされたものがほとんどだ（ポケットチーフにネクタイ……とにかくネクタイばかり）。だからこそ、極めてオタクっぽいイヤリングを見つけた時にはとても興奮した。極薄の積層合板をサイズの異なる四つのスポーク車輪の形にレーザーカットしたもので、一番大きい翡翠色の車輪が黒や白の車輪と重なり合っている。今では私のお気に入りのイヤリングだ。しかし、これらの車輪の縁は今まで見てきた滑らかなものではなく、のこぎりの歯のようにギザギザになっている。

これらの溝は互いに完璧にかみ合っており、手でイヤリングの車輪の一つを回すと、他の車輪も回る。それがエンジニアリングに対する私の情熱を視覚的に表現しているだけでなく、車輪（あるいは「ギア」と呼ばれる車輪の生まれ変わり）の配置がいかにそれぞれの動きや力を伝達しているのかを美しく示している点がとても気に入っている。こういった小さな不思議は、時計、自動車から、歯車式の缶切りやクレーンに至るまで、あらゆる機械に存在している。現代の機械で例外を見つける方が難しいだろう。

ギアとは歯の付いた車輪で、歯車とも呼ばれる。ギアがとても便利である理由は、二つ（またはそれ以上）のギアを歯が重なるように並べると、回転の方向を変える、回転の速度を変える、ギアのリムに作用する力を変える、という三つのことができるからである。

歯車式の缶切りは、小さいが興味深い道具である。缶切りは2本のアームを閉じて缶を挟み込み、アームを開いて缶を放す。刃は缶の外周に沿って回転させる必要があり、歯車によってこの動きが可能になる。2枚の歯車（各アームに1枚）が重なってそれぞれの歯がかみ合うと、一方の歯車をハンドルで回すことでもう片方の歯車も回り、機構全体を一体的に機能させることができる。

注意深く観察すると、ハンドルを時計回りに回すと、他方のアームについている刃は反時計回りに回転することがわかる。2枚の歯車は同じサイズであるため、同じ速度で回転し、同時に1周する。次に、缶切りを解体して2枚の歯車を横に並べることを想像してみよう。このとき、左の歯車は右の歯車よりも大きく、円周と歯の数が2倍だったとする。両方の歯車の外周の歯はかみ合っているため、同じ距離だけ動く。すなわち、左側の大きい歯車が1周する間に右側の小さい歯車は2周する。こうすることで歯車に作用する力の大きさも変わる。大きい歯車に比べて小さい歯車ではより大きな力が外周部（リム）に作用するというこの事実は、皆さんもご存じの機械のデザインに利用されている。

私たちの多くが最初にギア（歯車）を操作するのは、自転車に乗る時である。私自身は

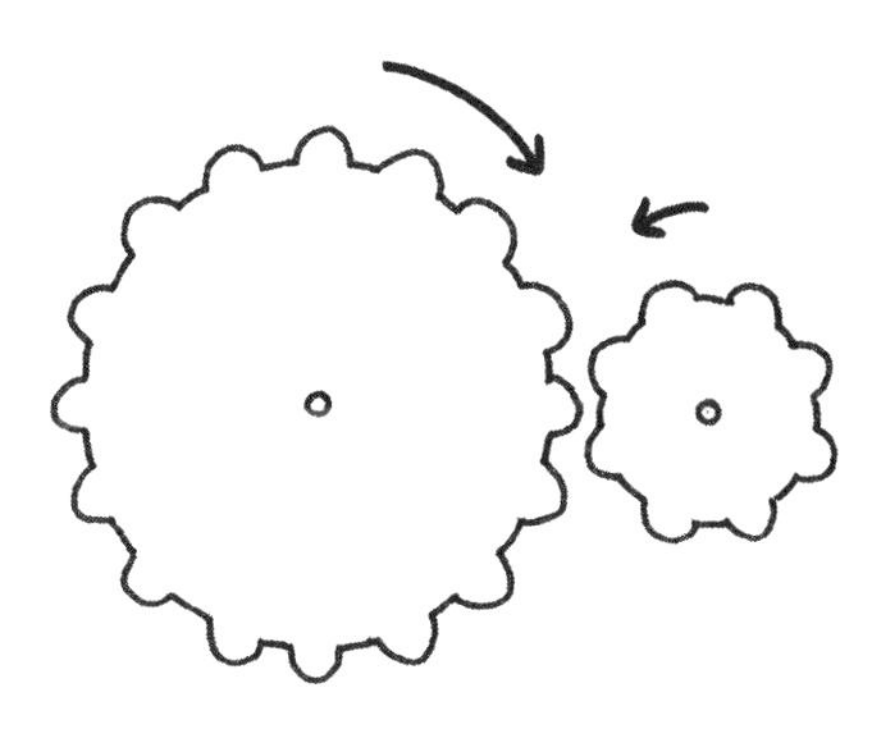

サイズの異なる歯車の歯がかみ合う様

自転車に乗らないが、プロのサイクリストたちが曲がり角や傾斜を巧みに通り抜け、ギアを器用に操って速度を調整する様はいつ見ても驚かされる。ペダルはギア（チェーンリングと呼ばれる）に取り付けられ、ギアはチェーンを介して後輪のさまざまなサイズのギアにつながっている。現代の自転車は前輪に最大3枚のギア、後輪に8から11枚のギアを装備しているのが一般的であるが、わかりやすいよう、前輪には48歯のギアが1枚だけある状態を想像してみよう。平坦な地面を走行するのは簡単なので、後輪の小さなギア（ここでは12歯のギアとする）を使用する。ペダルを1回まわすごとに前輪の大きなギアが小さなギア（と後輪）を4（48÷12）周回転させるため、ペダル1回転に対して最も長い距離を移動できる。しかし急な斜面を上る場合、小さなギアを回して、重力がかかる自身の体重を持ち上げるためには、私たちの脚ではとてもかなわないほどの力が必要である。そこで後輪のより大きなギア（たとえば前輪と同じ48歯のギア）に切り替えると、回転に必要な力が減るためペダルを漕ぎやすくなるが、ペダルが1回転するごとに後輪も1回転しかしないため、移動できる距離は短くなる。

力の大きさや力の方向を変えられるというギアの特性を利用して、これまでにさまざまな技術がエンジニアによって開発されてきた。蒸気機関車はエンジンで燃料を燃やし、ギアの機構を介して客車の車輪を回すことができる。時計では同じ動力源によるサイズの異なるギアによって、秒針、分針、時針がダイアル周りをそれぞれの速度で回転し、時刻をより正確に知ることができるようになった。私たちは車のギアを切り替えることで、急な斜面を上り、高速で走行中にはガソリン消費を抑え、下り坂では斜面から転がり落ちないように制御している。工場には建物と同じくらいの大きさの生産ラインがあり、ギアを頼りにあらゆる製品が作られている。ギアが巨大で複雑だったり、あるいは途方もなく小さくて繊細なものを動かしていたりすると、感銘を受けやすいだろう。しかし私は、ブレンダー、洗濯機、食洗器といった日常的な家電に使われているギアも好きである。ロレックスの腕時計やレーシングバイクほど魅力的ではないと思われるかもしれないが、私にとってはまさに魅力的なものと言える。なぜならこういった家電が社会というもの、特に女性の生活を一変させたからだ。

１８９３年に開催されたシカゴ万博では、ある発明が話題となっていた。それは片側にたくさんのクランクやギア、車輪が取り付けられた長方形の木箱で、汚れた食器がたくさん入ったかごを入れると、数分後にはまるで手で洗ったかのようにきれいな状態で現れたのである。万博の審査員たちは、「最も優れた機械構造、耐久性、業種への適合性」を持つとして、その発明品に最高の賞を与えた。展示物の中で女性によって設計された唯一の機械でもあった。

ジョセフィン・コクランは1839年にオハイオ州のアシュタビューラ郡でエンジニアの一家に生まれた。母方の祖父であるジョン・フィッチは蒸気船の発明で特許を取得したアメリカで最初の人物であり、父親のジョン・ギャリスはオハイオ川流域に数々の製粉所を建設した土木技術者であった。ジョセフィンがジョセフとして（男として）生まれてくれば、家族と同じ道に進みエンジニアリングを学ぶ機会を得ることができたかもしれない。しかし女性には限られた選択肢しかない時代であったため、彼女は19歳の時にウィリアム・コクランと結婚し、イリノイ州のシェルビービルにある大邸宅に移住した。そこで彼女は社交界の著名人となり、2児の母となった。

コクラン家は大規模なディナーパーティーを開くことを好んだ。ジョセフィンはしばしば1600年代のものと思われる家宝の貴重な食器を持ち出したが、使用人が洗うと少し欠けてしまうことに苛立ちを感じていた。食器を守るために自分で食器を洗うこともあったが、もっと良い方法があるはずだと確信したのである。おそらくはエンジニアの家族を見ていた幼少期の体験に後押しされ、彼女は高い志を胸に食器を洗ってくれる機械の設計を始めた。「誰も食洗器を発明しないのであれば、私がする」

開発の途にあった1883年、ジョセフィンの夫は膨大な負債とわずかなお金を彼女に残しこの世を去った。生計を立てるため、自身のアイデアとスケッチを早急にビジネスへと変えることを強いられた彼女は、機構の細部の設計に専門のエンジニアの助けを求めたが、その貢献には不満を感じていた。「私の方法に従ってもらうためには、男の人たちが自分で試して失敗するのを待つしかありませんでした」と彼女は後に語っている。1885年に初めて特許を申請すると、ジョージ・バターズという若い機械工を雇い、自宅の裏にある小屋で食洗器のプロトタイプを製作した。

この時代には食器洗いと無縁であったと想像に難くない男性たちは、ジョセフィンより前に食洗器の設計を試みたが、ことごとく失敗に終わっていた。彼らの設計では食器をゴシゴシとこすり、誰かが手動で熱湯をかける必要があった。一方でジョセフィンはいかにして食器を洗い、保護するかを熟知していた上に、利便性を高めるためには機械にかかる労力を最小限にする必要があることも知っていた。彼女はまずモデルの内側から検討を開始することとし、自身の食器を測り、サイズの異なる食器類をしっかりと固定できる断面形状を持つワイヤーかごを設計した。配置された複数のギアでかごをゆっくりと回転させ、かご内のすべての食器が洗剤と吹き出す水に晒されるようにしたこの機械では、食器をこする代わりにポンプで送り込まれた洗浄水が初めて使用された。各ポンプ（一つは水用でもう一つは洗剤用）は変形させたギア（円形ではなく、鋸歯付きの直線（78頁の図中11）と円弧（同19）が対になったものが2組）をかみ合わせたレバーで操作した。初期状態からレバーを前後に動かすと、泡立った石鹼が食器に向けて一つ目のタンクから放出される。次に円弧を二つ目の位置に調整し、ポンプで温水に圧力を加えて食器がきれいになるまですすぐ。この一連の工程はたったの数分で完了した。１８８６年12月28日、ジョセフィン・コクランは食洗器の特許を取得した。

当初は機械の価格、サイズ、使用するために必要な温水の量といった要因から、国内市場での販売は苦戦を強いられた。そこで彼女はレストランやホテルにターゲットを絞り、友人からの紹介でシカゴの有名なホテルであるパーマーハウスへ初めての納品を完了させた。その後、別の大型ホテルに売り込む際には、男手がなかったために一人で出向かわなければならなかった。当時彼女のような社会的地位の女性が男性の同伴なしに家を出ることはなく、彼女も父親や亡き夫無しではどこにも行ったことがなかった。ホテルのロビーは1キロ以上の長さに感じられたというが、彼女はそのロビーを渡り切り、ホテルのチームと会い、８００ドルの注文を請け負って帰路についた。

事業を立ち上げたものの、出資者たちが女性にお金を渡すことに積極的ではなかったため、資金調達に苦労した。それでも前進し続けた彼女にとっての突破口となったのが、１８９３年のシカゴ万博であった。彼女が万博で展示したギャリス・コクラン・ディッシュ・ウォッシング・マシーン・カンパニー社の広告ポスターには次のように謳われていた。「すべての前進的なホテル事業家に検討していただきたい機械です。操作はシンプルで簡単なので、たった1時間で使い方を習得できます」。彼女はイリノイ州と周辺の州の企業

(No Model.) 8 Sheets—Sheet 1.

J. G. COCHRAN.

DISH WASHING MACHINE.

No. 355,139. Patented Dec. 28, 1886.

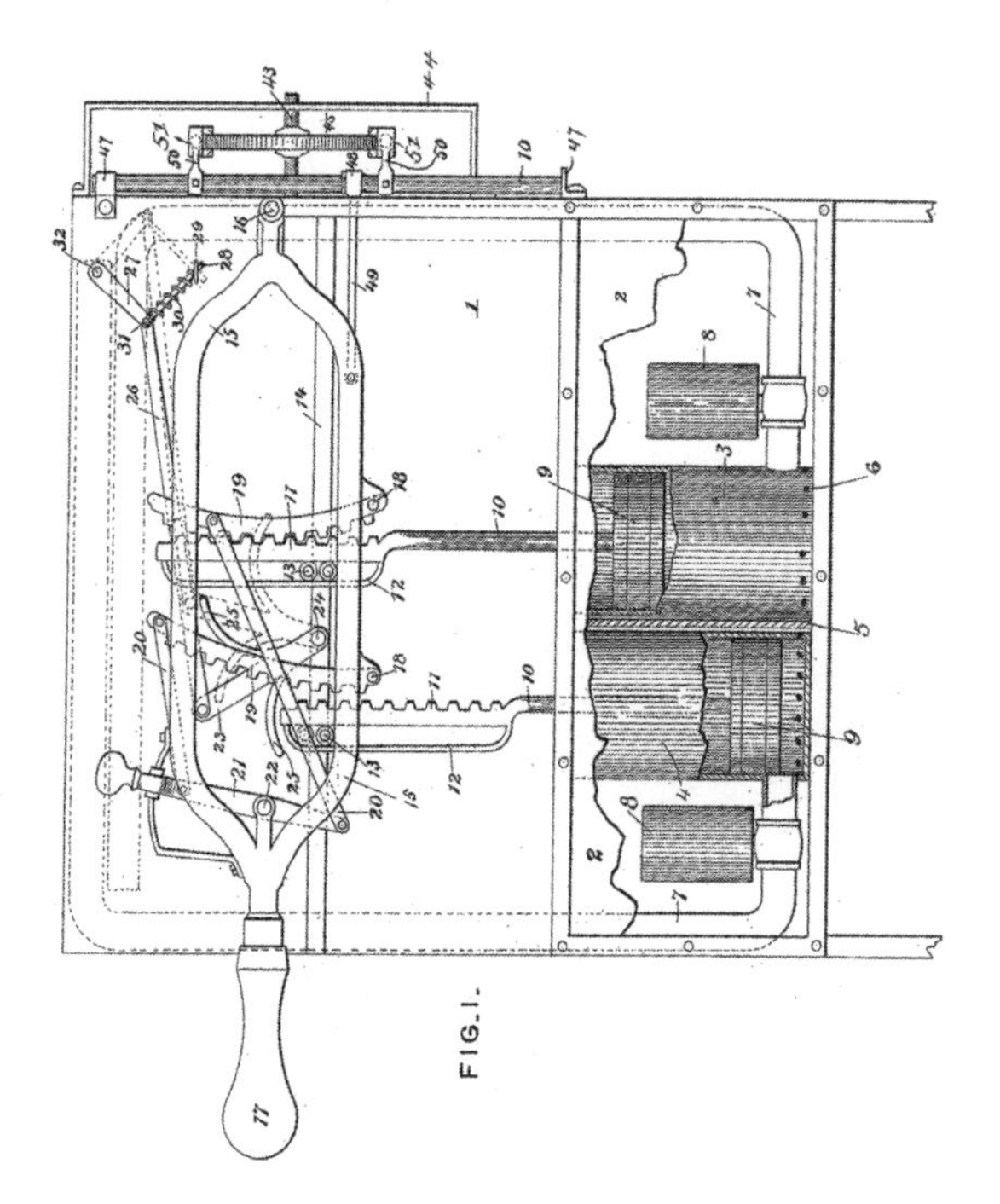

Attest:
Geo. T. Smallwood.
F. A. Hopkins

Inventor:
Josephine G. Cochran.
By Knight Bros
attys

N. PETERS, Photo-Lithographer, Washington, D. C.

コクラン食洗器

改良されたギア部分を示す

だけでなく、遠くはメキシコからも注文を受けた。大きいサイズの食洗器は240枚の食器をたった2分で洗浄・乾燥でき、顧客は病院や大学などへと拡大していった。

ジョセフィンはデザインの改良を続け、機械的に揚水し、食器ラックが前後に動くモーター式のモデルを製作した。のちのモデルでは回転するラックによって車輪の回転に近い動きを実現し、ホースでシンクに排水する仕組みを加えた。そして1912年、かつてホテルのロビーを渡るのに怯えていた女性は73歳にしてニューヨークに行き、著名なホテルやショッピングセンター相手に多くの食洗器を売ることに成功した。悲しいことに、彼女はその翌年に亡くなり、彼女の事業はホバート・マニュファクチャリング・カンパニー社に買い取られ、そのキッチンエイド部門（現在はワールプールグループの傘下）に合併された。キッチンエイドは1940年代に実用的な家庭用食洗器を初めて発表し、ジョセフィンが当初に思い描いていたように、個人のユーザーへとようやく機械を届けることとなった。

ギャリス・コクラン社の先駆的な機械と同様、現代の食洗器も揚水された温水を利用して食器を洗浄する。ほかに車輪を利用した部分としては、芝生のスプリンクラーのように温水を食器に吹き付ける回転アームも付いている。実はジョセフィンはそのエンジニアリングの才能をもって、この技術をすでに予測していた。彼女は亡くなる直前に同様のデザインを思い付いていたのである。

2006年、ジョセフィン・コクランはその発明の功績が認められ、全米発明家殿堂に名前が刻まれた。食洗器や掃除機、ブレンダー、洗濯機といった発明は何百万人もの生活を変えてきた。それら発明のすべてがギア、車輪、滑車などの回転する部品を基に構成され、住宅に収まるようにコンパクトになっている。これらの装置が一般的になるまでは毎日の数時間を家事に取られていた女性たちは、機械を使うことで、「時間」というとても貴重なものを獲得したのである。モントリオール大学が２００９年に発表したある研究によると、１９００年に女性が家事に費やした時間は平均で週58時間であったが、１９７５年には週18時間に減少している。賃金の増加、戦争、女性の社会的役割についての幅広い議論といったさまざまな事情を踏まえた大局的な視点から見れば、家電が占める割合はわずかであったのはもちろんのことだが、それでもなお、女性が職場に居場所を見出すための一役を担っていた。

○

荷車、自動車、自転車、電車などに使われるさまざまな形状の車輪は、私たちの陸上交通の在り方やその周囲の都市デザインを変えた。また、車輪の外周を溝状に欠き込んで歯車（ギア）とすることで、まったく新しい機械の世界を作り出した。車輪を、発明当初のろくろと同じ水平方向に戻してブレードをつけるとヘリコプターになった。今度は再び垂直方向にしたホイール（車輪）が飛行機のエンジンとなったが、このエンジンがあったからこそ、人類が空に飛び立って世界がこれほど移動しやすくて活力に満ちた場所になったのだ。こういった進歩は、すべて車輪の再発明のおかげである。船舶や航空機の交通においては、エンジニアたちは水平と垂直の異なる方向に着目することで画期的な進歩をもたらしたのだ。

車輪だけでなく、その車軸の方向も同時に回転させたとき、凄まじいことが起きる。そうすることで極限の環境下で自身の位置を確かめることが可能になり、はるか遠くへの冒険の道を切り拓いた。この奇跡的な機械こそがジャイロスコープである。中心に据えられた回転する車輪は、複数の回転する円弧で構成されるフレームに吊るされており、どの方向にも回転できる。この機構が、動いている物体の特異な挙動（慣性力）を利用することにより、安定性を生み出している。

ニュートン力学における運動の法則によると、物体が一定の速さで運動をしている場合、物体に外力が加わらない限り、同じ運動状態を保ち続ける。ここで、「運動している物体」は、運動量（物体の質量、速度、運動の向きによって定義される物理量）を持っている。ビリヤードのボールが台の縁に当たるまで同じ方向に進み続けるのはこのためである。

運動量は「保存」され、その系（運動している物体のまとまり）の運動量の総和は常に一定となる。二つのビリヤードのボールがお互いに向かって一直線に同じ速度で進んでいるとする。二つのボールの質量、速度が同じであれば、逆向きに進んでいるため、全体の運動量は0となる。二つのボールが完全弾性衝突（最もよくはね返る衝突）をすると、直ちに同じ速度で互いから離れるように動きはじめるが、運動量の合計は0のままである。ビリヤードボールは線形運動量（直線上を運動する物体の運動量）の例であるが、この運動量保存の法則は回転する物体の運動量にも適用することができる。それを「角運動量」と呼ぶ。

さらにニュートンは、すべての作用する力には、同じ大きさで逆向きの反作用の力が存在することを示している。壁を押せば、壁に押し返される（手が壁を突き抜けないことから、「手が壁を押す力」と同じ大きさで反対向きの力が、壁から手に向かって働いていることがわかる）。この法則もまた回転力（「トルク」と呼ぶ）に適用できる。こうした科学的知識を総動員すれば、回転する物体にも運動量があることがわかる。つまり、回転する物体に力を加えて方向を変えようとすると、物体から押し返す力が働く。系における角運動量の総和は常に一定に維持される。

ジャイロスコープの基本的な考え方は、フライホイールと呼ばれるローター（回転子）を特定の方向に回転するように設定することである。角運動量の保存の法則から、フレームがその周りを回転していたとしても、ホイールは元の回転方向を維持し続ける。ジャイロスコープは複数のジンバルでできており、周囲のフレームが動いてもホイールの回転軸自体は動かない。航空機では（ファーストクラスやビジネスクラスについてはわからないけれど、少なくともエコノミークラスでは）、座席前のテーブルを折りたたんだ状態でも開くことができる小さなカップホルダーが付いている場合がある。ホルダーの内側にあるリングは2点で留められているため自由に回転することができ、コップをホルダーに入れると、ホルダーの角度にかかわらずカップが垂直になるように調整される。これがジンバルである。ジ

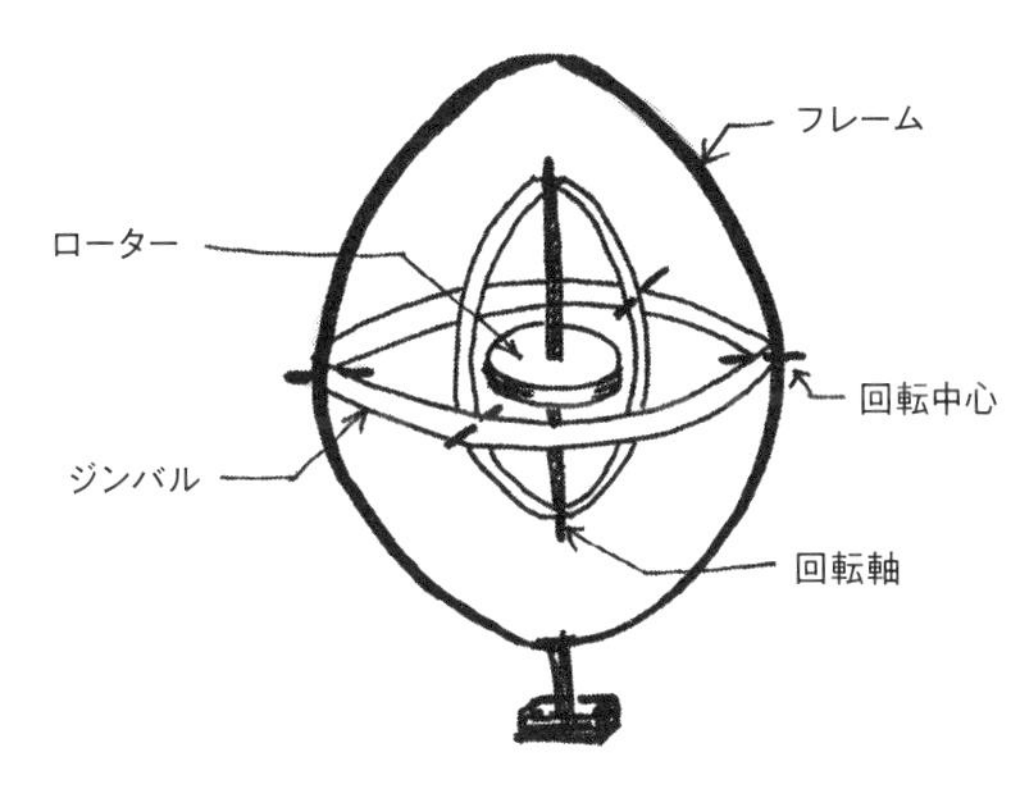

ジャイロスコープの例

ャイロスコープのフレームは2組のジンバルで構成されている。回転するホイールは軸の両端で一つ目のジンバルに固定され、そのジンバルも二つ目のジンバルに2点で、ただしホイールの軸に対して90度の角度となるように固定される。

ジャイロスコープは旅行や探検に多大な影響を与えてきた。ジャイロスコープが発明される19世紀以前の世界では、航海士は方位磁針、すなわち地球の磁場（地磁気）に頼っていたが、これは確実とは言い難い手法であった。なぜなら、地球の磁場は変動するため、磁場における「北」は必ずしも地球の自転から導き出される北とは一致しないからである。そのうえ、船乗りたちが初めて鉄製の船で航海に出た際に気づいたことであるが、金属が方位磁針と干渉する恐れがある。こういった問題を未然に防いでくれるのがジャイロコンパスである。ジンバルが回転してもフライホイールの軸の方向は変わらないため、軸の位置とフレームを比較することで自分たちがどの方角に進んでいるかを確実に知ることができる。戦闘機の操縦士が機体を高速で複雑に回転、旋回させても機体の向きを把握できるのはジャイロスコープのおかげである。

ジャイロスコープはその逆の方法で利用することもできる。フライホイールを自由気ままに回転させるのではなく、軸の方向を変えることでフライホイールの向きを強制的に変えることができる。子どもの玩具のコマ（独楽）を見ていただきたい。上から見て反時計回りに回転するコマの角運動量は、回転軸に沿って上向きであると定義できる。この場合、二つの同じコマを隣同士で同じ速度で回す場合、角運動量は合計で2倍となる（二つのビリヤードボールが平行に同速度で同じ向きに進んでいる状態に似ている）。もし仮にあなたが宇宙空間にいて、一方のコマが他方のコマと逆さまの状態で浮遊している場合、系の角運動量の合計は0となる（二つのビリヤードボールが互いに向かって進んでいる状態に等しい）。

それでは遊び場から飛び出して、より広い世界でこの話について考えてみよう。ジンバルに取り付けられた同じフライホイールが四つ（つまり四つのジャイロスコープ）ある構造体を想像してみてほしい。しかし今度はフライホイールの周りをジンバルが自由に動き回るのではなく、ジンバルを制御することでホイールの軸の向きを制御することができる。各フライホイールは重さ98キログラム、直径1メートル程度で、毎分6600回の回転をするため、比較的大きく、極めて高速で回転していると言える。フライホイールはずっと大きな構造体の中に据えられている。通常は、角運動量の総和が0となり、外側の構造体に影響を及ぼさないようにそれぞれ向きが設定されている。しかし必要に応じて、ジンバルを調整してホイールを動かし、運動量の総和を増やすことができる（すべてのホイールが同じ向きのとき、角運動量の総和は最大となる）。もともと運動量が0だったところに、ジャイロスコープから正味の運動量を無理やり引き出したため、角運動量の保存の法則から、ジャイロスコープはそれが据えられている巨大な構造体を押し返し、この大きな構造体が回転して運動量を0に相殺しようとする。この大きな構造体とは、じつは国際宇宙ステーション（ISS）のことである。

国際宇宙ステーション（ISS）は人類のもっとも素晴らしい協働事業に違いない。ヨーロッパ、日本、カナダ、ロシア、アメリカの複数のチームが何十年にもわたって協力し、この宇宙ステーションを作り上げ、世界中の科学者やエンジニアが無重力下で実験をおこなうことを可能にした。そのステーション（地球の地表面からおよそ408キロメートル上空にモジュールを連結しながら徐々に建設された）は41万9700キログラムの重さがあり、その大きさは109メートル×73メートルとアメリカンフットボールのフィールドよりもわずかに大きい。ISSには「姿勢」と呼ばれる特定の方向が設定されていて、赤道面に対して常に傾斜角約51度の軌道を維持しながら約90分で地球を一周する。この軌道は地球上の居住可能な地域の約9割をカバーすることとなり、ステーションは地球の表面を観察する上で唯一無二の場所となっている。さらにISSは常に地球に同じ側を向けるように設定されている。主な理由としては、もし太陽を基準にして向きを固定してしまうと、常に太陽に向いている側だけ極端に熱せられる一方でその反対側は極端に冷たくなり、ＩＳＳを構成する材料に影響を及ぼすためである。またＩＳＳが地球との交信に使用する通信衛星は高度がより高い軌道を回っているため、地球との交信を維持するために常にアンテナが地球とは反対側に向いていなければならないことが挙げられる。

映画やＳＦドラマで見られるように、宇宙空間では一度物体を回転させると、外力が加わらない限りは回転し続ける。原理上は、ＩＳＳは軌道を設定すれば永遠に地球をその軌道で回り続けるが、ステーションに働く小さな力がその姿勢に影響を及ぼす。地球からあれほど離れていても大気がごくわずかに存在し、ステーションの運動に対して抵抗する。ＩＳＳの主な動力源（大きな可動翼に取り付けられた太陽電池パドル）は太陽の方を向くように動かされるが、位置によっては空気抵抗がほんの少しだけ増える。また、重力勾配による影響もごくわずかに存在する。つまり、地球に近いほど作用する引力が大きいので、ＩＳＳの中で地球にもっとも近い部分には他よりも少しだけ大きな引力が作用することとなり、わずかではあるが力の不均衡が生じる。

したがって、ＩＳＳはみずからの方向を設定しなおす方法が必要であり、その一端を担うのがジャイロスコープである。ＳＦ作品ではしばしば、ブースターやスラスターを利用して向きを調整するシーンが登場する。ＩＳＳには大きな動作が必要な時（ドッキングする宇宙船を迎え入れるために姿勢を著しく変える場合など）のためにスラスターが装備されているが、それが最適な方法ではない場合もある。まず、スラスターを使うために必要な燃料は、巨額な費用をかけて地球から運んでくる貴重なものである。しかも、スラスターから放出される力は膨大であるため、微調整が必要な場合は制御が難しい。そしてその力は宇宙船の中の微小重力環境下で宇宙飛行士たちがおこなっている繊細な実験に影響を及ぼしかねない。たとえば、ＩＳＳの構成要素や実験装置の動力源である太陽電池パドルは壊れやすいため、通常、スラスターを起動する場合は収納してロックする必要があり、ＩＳＳの運用に非常に致命的となる。そこで小さく、緩やかな動きで構造体を操縦できるように、エンジニアたちはコントロール・モーメント・ジャイロ（ＣＭＧ）と呼ばれる四つのジャイロスコープを使用している。

通常の状態では、ＩＳＳはおおよそ自身で航行する。コンピューターとセンサーからなるシステムでＩＳＳの姿勢を計測、記録したら、ＣＭＧを制御するコンピューターにその情報を送り、ＣＭＧを動かす必要がある場合はその度合いと併せて通知する。このシステムは感度が極めて高く、船員が起床してステーション内を動くことで発生するような、系全体における角運動量のわずかな変化も感知する。ＩＳＳを地上で操作するチームは何か問題が起こった時にどうすべきかを把握するためのシミュレーションを繰り返しおこない、モジュールのドッキングなどの特別な活動の計画を立てることにほとんどの時間を費やしている。彼らがＩＳＳの姿勢を制御する主要な責任を負うことで、宇宙飛行士が多忙なスケジュールをこなせる時間を確保しているのだ。しかしＣＭＧが不審な動き（たとえば、ボルト、ばね、磁石を積んだケース内での振動）を見せた場合は、ヒューストンにいるチームが手動運転に切り替える。

このように、車輪は大小さまざまなスケールの技術に影響を与え、制御してきたと言える。宇宙空間においてバクテリアや菌類などの微生物の力で岩から鉱物を抽出できるのかという「バイオマイニング」の研究、長期の宇宙飛行中に人間が時間をどう知覚するかの調査、人工臓器の実現を目指した幹細胞から3次元の臓器断片の生成、新素材の試験や食用植物の栽培などを宇宙飛行士たちがおこなっている研究室が地球の上空408キロメートルにあるなんて、凄すぎて言葉が出ない。しかもそれらの研究は、地球上での技術の向上だけでなく、地球外環境で人類が生活する可能性について思い描くことを目指している。それができるのも、地上で机の前に座っている人間が、月との間にある人工衛星と交信して四つのホイールを制御し、宇宙空間にある研究室を制御できるようになったためである。

車輪と車軸が生まれてからというもの、私たちはさまざまな機械を作り出し、人の移動、言語、グローバル化に影響を与えてきた。そして今、車輪と車軸によって、私たちは自身の惑星にとどまらず、そのはるか遠くの未来を想像している。さまざまに形を変えてきた車輪と車軸は、人類の進化と複雑に絡み合っている。だからこそ、私たちは車輪を再発明し続けなければならないのだ。

バネ

力を溜めたり、解放したり

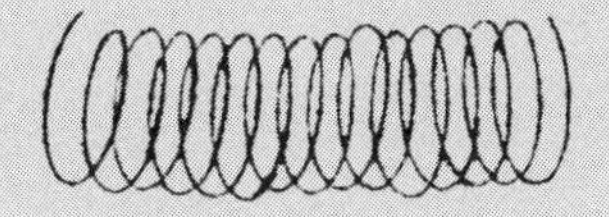

バネ

もし時を跳び越えて、12世紀のチンギス・ハーン（当時はテムジンと呼ばれていた）の少年時代まで遡ることができたとしても、彼がやがて成長してモンゴルの種々様々な部族をまとめあげ、地続きの国としては史上最大の帝国を打ち立てるなどとは到底想像できないだろう。対立部族によって父が殺された後、彼らの部族はテムジンと母ホエルン、兄弟たちを見捨てた。冬も始まろうというある夜に、家畜を連れて行方をくらましたのだ。気温が氷点下40度にも落ち込む冬のことだった。一家が生きていけるとは誰も思っていなかったし、それを望む者もいなかった。一家が生き延びたのはホエルンのおかげによるところが大きい。ホエルンは家族に、食糧を探し、動物の皮を縫い合わせて暖かい服を作り、弓矢で狩りをするといった生存に不可欠な技能を教えた。中でもこの最後の能力は、テムジンがチンギスとなるにつれて、生存よりむしろ覇権に影響を及ぼすようになった。並外れて軽量かつ強力な弓こそが、彼の軍事戦略の鍵となっていったのだ。

弓はバネの一種だ。バネとは基本的に、外力によって変形したときにエネルギーをたくわえる。外力が取り除かれるとバネは弾けるようにして元の形に戻り、その時にエネルギーを放出する。このエネルギーを何かに役立てるのだ。バネの素材はやや柔軟性があって簡単に変形しやすいとともに、弾力があるので、力が除かれると元の形に戻る（ゴムひもを引っ張って離した時のように）。これに対して可塑的な素材は、力による変形が残り続ける。指でつついた粘土に指の跡が残るように。

バネを変形させるにはエネルギーが必要だ。弓を射るには、湾曲した弓を自分の前に片手で持ち、弓の両端に結ばれた弦を使って、手を後ろに引きながら弓を変形させる。曲げられた弓はこのエネルギーをためこみ、射手が指をパッと離した時点でエネルギーが急速に解放されて矢に伝わり、矢は遠くに飛んでいく。弓の変形が大きいほど、より多くのエネルギーがたくわえられ、バネとしての力も強くなる。その力は素手で矢を投げるのとは比べものにならない。バネは人間にとって初めてエネルギーを「たくわえ」、そしてそれを「必要なときに」、大抵もとの労力の何倍にもして取り出すことのできる道具だった。

バネが特に興味をひくのは、形の種類が豊富だからだ。発明されて以来ほとんど姿を変えていない釘や車輪と違って、バネの形は多岐にわたる。たとえば弓形のバネの場合、武器として使われていただけでなく、微妙に湾曲した木材や金属を重ねたバネは馬車のサスペンションに利用されていた。円筒状のらせん型のバネは金属を巻いたコイルでおなじみだが、特許が取得されたのは1763年で、さらに渦巻形、円錐形、球形のコイルもある。さらには立方体や直方体のブロックというシンプルな形のバネもあるが、これはゴムを重ねて成形したもので、構造設計という私の仕事場でよく見かける。

外力の加わり方や変形の仕方も様々だ。圧縮したときにエネルギーをたくわえるように設計することができ、たとえばノック式のボールペンには先端のすぐ内側に細長いバネが入っており、筆記中は押し下げられてその場にとどまっている。書き終わってバネを解放することで伸びて、芯を隠すのだ。その反対に、伸ばした時に張力を保持することもできる。トランポリンの縁に並ぶバネがその例だ。人が跳び乗ってネットに体重がかかると、縁のバネは伸びてエネルギーをたくわえ、そのバネが縮むとともに、解放されたエネルギーが今度は逆にネットへ、さらに人へと伝わり、脚だけで跳ぶよりずっと高く跳び上がることができる。さらにバネはひねってねじり力を加えることでも働き、洗濯ばさみの小さなバネがその例だ。たくさん曲げるほどより多くの力をたくわえることができるのは馬車のサスペンションのバネや弓と同じだ。

こうした柔軟性（文字通りの意味でも比喩的にも）ゆえ、バネはおそらく、本書で選んだ発明の中で最も幅広い場面で、最も多様な規模で利用されている。バネは、弓だけでなく投石機や火器といった武器に使われる。腕時計、ペン、ピンセット、キーボード（押しボタンのあるものすべて）の部品でもある。錠前、マットレス、伸縮式のエクササイズ補助具、バネ式のダンス用床材、トランポリンにも使われている。ベビーカー、荷車、車のサスペンションシステムや、格納式の注射針、顕微鏡や望遠鏡の支持台などにも役立てられている。超高層ビルの基礎にも、地震による揺れを抑えるために巨大なバネを使っているものがある。私にとってバネとはまさに多目的の技術だ。

誰がいつどこでバネを発明したのかは、よくわかっていない。バネの実用例で複雑なものとしてはおそらく、弓矢が最初期の例だろう。弓を作って弦を張り、狙いを定めて矢を放つというのは、人間の能力が発達した証だ。ただ、弓は何万年も前から存在したと考えられるものの、木材という劣化しやすい有機素材で作られるため、時間の流れに耐えることはできず、これまでに発掘された中で最古の完全な形の弓は、ほんの1万年前のものだ。五つの破片に分断されたその弓は、こげ茶色のニレ材でできており、第二次世界大戦中にデンマークの泥炭地で見つかったもので、発見地にちなんでホルメガードの弓と呼ばれる。百年戦争中にフランス軍を圧倒したことで知られる中世の有名な弓、すなわち当時のイングランドのロングボウと同じく、ホルメガードの弓も木という単一素材でできている。

中世のモンゴルの弓の特筆すべき点は、当時最も先進的な複合素材によるデザイン、つまり複数の素材からできていたことだ。この弓を設計した人は、弓を引いたときに内側の面（射手に近い側）は押されて圧縮され、反対に外側は伸ばされて張力がかかることを理解していて、力の種類に応じてそれぞれに対して最も強い素材を使用して弓を作り上げたのだ。

弓の芯となる中心部分は軽くて強い素材である竹や木材で作られており、強度と柔軟性を備えるように慎重に乾燥させてある。次に、鹿や牛、馬、ヘラジカなどの後脚から採った腱を乾燥させ、叩いて繊維をほぐす。この繊維を魚の浮袋から作った糊に浸して弓の外側の面に重ね貼りするという作業を丹念におこなう。繊維が多すぎると弓が固くなりすぎ

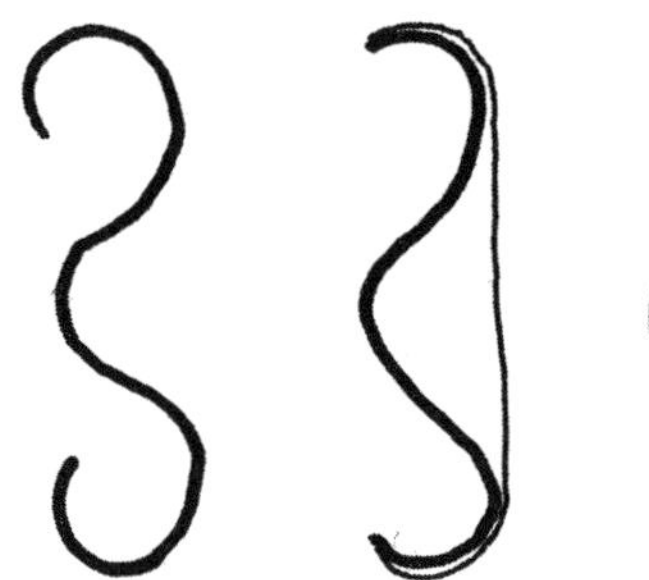
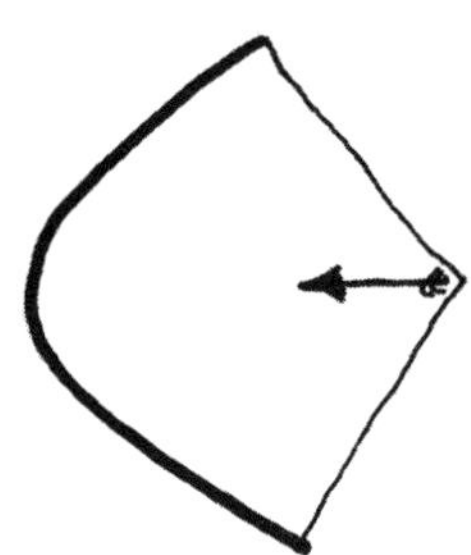

モンゴルの弓の湾曲を簡略化した図

て変形させづらくなり、矢を射るエネルギーが少なくなるし、繊維が少なすぎても弓が弱くなって折れやすくなるのだ。腱は柔軟でありながら伸ばすと強くなるため、弓づくりに最適な素材だ。これはコラーゲンのおかげであり、ほとんどの人にとってシワ対策クリームの広告やメディアで目にするセレブの整形疑惑でおなじみのコラーゲンは、実のところ腱などの結合組織に強度を与えるたんぱく質の分子である。

半年にわたって乾燥させた後、圧縮に耐えるため、弓の内側の面には野生のヤギや家畜の角を煮沸して柔らかくしたものが貼り付けられる。

さらに半年の乾燥を経たのち、弓を湿気から守るため、軟らかくした樹皮が巻かれる。その結果、耐候性や耐久性にすぐれ、小さくて軽量で弾力がある、非常に強力な武器が完成する。ほぼ同時期のイングランドのロングボウのほうが大きくて見た目は邪悪かもしれないが、モンゴル弓はその柔軟性ゆえ、射手が労せずしてより多くのエネルギーをたくわえたり放出したりでき、より速く、遠くまで矢を飛ばすことができたのだ。1226年の建立と考えられている石碑には、東トルキスタンのサルト人征服を祝する宴の中で、弓の名手イェスンゲが335尋（約536メートルに相当）の距離にある的を射たことが、ウイグル文字で記されている。これが正確であれば、イングランドのロングボウが平均300メートルほど飛んだと考えられているのと比べると驚くべきことである。

チンギス・ハーン率いるモンゴル軍が驚異的に強かったのは、兵士たちが、頑強かつ小柄で俊敏な馬を巧みに乗りこなしながらこの弓を使ったためである。男たちは3歳で乗馬できるようになり、5歳からは足だけで馬を操りながら弓矢を射ることを教わる。このようにして、実戦においても腕を自由に使えるようになり、自分には害が及ばない距離から、敵めがけて正確な射撃ができた。

チンギスは領土を拡大していく中で中国も狙った。彼が入城した金朝の首都、燕京（現在の北京）は、鉄壁の守りを固めた都市だった。厚く高い城壁には千近くもの櫓が立ち、そのひとつひとつが無数の弩（クロスボウ）で守られていた。中国には、これまたバネの力を利用した武器である投石機もあり、煮えたぎる油を詰めた陶製の壺を投射した。直接の攻撃では勝機がないと見たモンゴル族は、代わりに周辺の農村を騎馬で荒らし回ることで、燕京の住民が飢えて1215年に降伏するまで機会をうかがったのである。

チンギスは中国を去る際、こうしたバネを使った中国の大型兵器も持ち帰った。弩は弓矢をより洗練したもので、発射機構と台座からなる。弓の中心を人の腕で支える代わりに、弩には台座（臂）という、通常は木でできた固い部品がある。弦を手で引き発射機構（機）に固定し、その前に矢を置く。発射機構の引き金を引くことで弦が解放されて矢が放たれる。

弩も、張力と圧縮力を利用したバネという点ではロングボウと同じだが、一方で多くの相違点もある。私も以前に古式アーチェリーを試したことがある。渡された弓が非常に軽く、弦を引き絞ってその場に保持するだけで、腕はもちろん胸や体幹、脚まで多くの筋肉を必要とするのに驚いたものである。これだけの筋肉に力を入れた状態では、狙いを定めて矢を放つどころか、じっとしているだけでも大変だった（命中と言うには程遠いものの、板になんとか当たっただけでも、私にとっては大成功だ）。その反面、弩はほとんど訓練をしたり筋力を鍛えたりする必要がなく、農民を募って早急に兵力を補充したり、あるいは農民たち自身が本職の兵士から身を守ったりすることも可能だったのだ。弓よりはるかに強力なものもあり、矢を強く飛ばすことで金属の盾や防具を貫通することができた。また、発射機構が弦を保持してくれるため狙いに集中することができ、はるかに容易に正確な射撃ができた。

長年の間に中国では様々な派生形が作られた。例えば片手だけで毒矢を射ることのできる小型の弩や、複数の矢を射られるもの、移動式の台座に載せられた巨大なものなどである。弩の操作に必要な技術や訓練（そして思考）はますます減り、遠くから殺傷・破壊できるようになっていった。チンギス・ハーンが現れるまで中国（金）が外部からの侵略に耐えることができたのは、弩をうまく生産・配備できたためでもある。さらには、中国のこうした武装にもかかわらずチンギスが中国を制圧できたのは、高い能力を持ち自給自足も可能なモンゴル軍の機動性と能力のおかげである。彼らは強力で非常に携行性の高いモンゴル弓を持って長距離を素早く移動することができた。

こうしたこともチンギスが残忍な殺戮者であったという評価につながったのは間違いない。しかし実際には、彼の残した功績はより多岐にわたる。彼は臣下に信教の自由を許し（当時としては極めて珍しい）、たとえ占領地の出身者でもその才能を見込めば取り立てた。13、14世紀はユーラシア大陸において平和と繁栄が比較的保たれた時代だったのだ。モンゴル帝国は貿易や租税のシステムを統一し、中国東部からシリアまでを結ぶ郵便制度であるジャムチを作り上げた。移動は（モンゴルに服従すれば）安全になり、シルクロードを通じた貿易が盛んになり、文化圏を超えて技術やモノの流通が活発となって、とりわけ絹や製紙を中世のヨーロッパにもたらしたのである。

技術を、進歩や世界平和の原動力としてだけ描きたいのはやまやまだが、それは一面的な見方に過ぎない。交易路によってヨーロッパには、弓矢や弩（クロスボウ）、投石機といったそれまでよりも強力な武器ももたらされた。その背後にあったのが、バネだったのである。バネは今も武器にとって重要な役割を担っている（約束通り、ここで火を噴く銃身のお出ましだ）。現代の機関銃が再装填することなく連続して多数の弾丸を発射できるのは、多くの場合、バネ機構によって弾帯を銃身に送り込んでいるためである。半自動式拳銃に

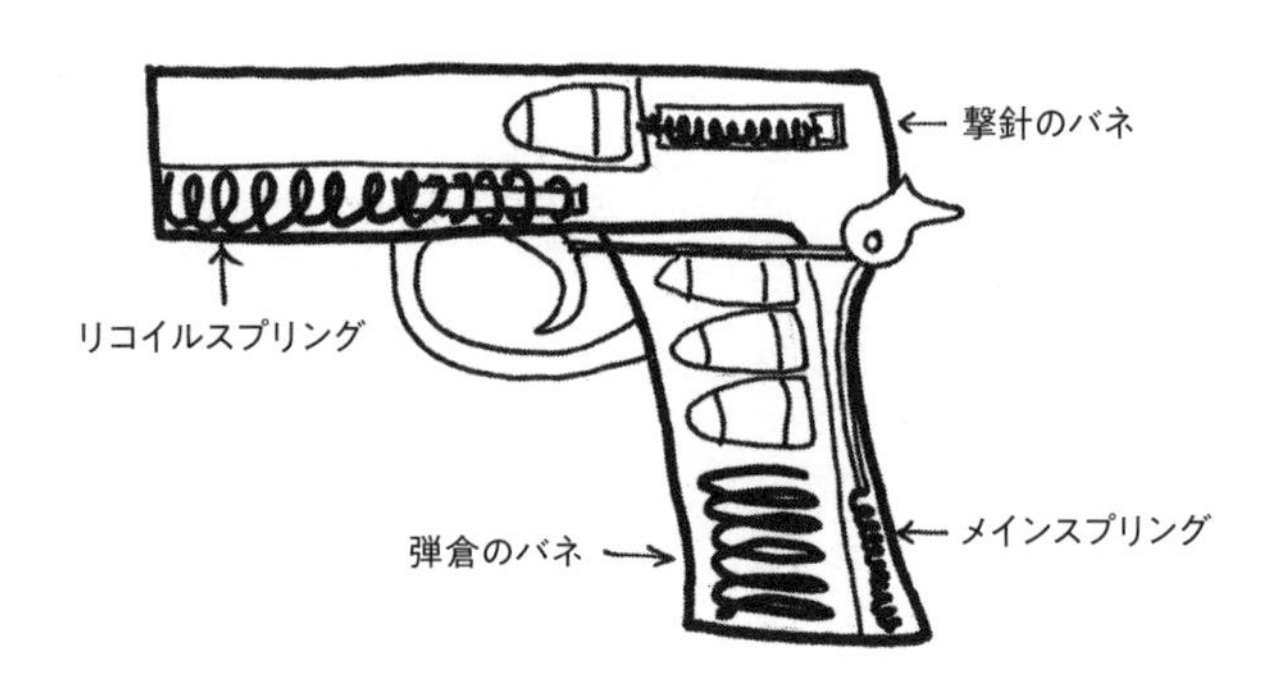

半自動式拳銃の中にあるバネ

も多数のバネが使われている。こうした拳銃にはグリップの内部に弾倉という取り外し式の部品があり、ここに弾薬が収められている。弾倉の底部にある大きなバネが、弾丸を込めることで圧縮される。弾倉をグリップ内に戻したら、スライドと呼ばれる銃の上部全体を手前に引く。するとスライドに入っているリコイルスプリングというバネが圧縮される。スライドを動かすことで弾倉の上部に空間が生まれ、底部のバネが弾薬を押し上げる。スライドから手を放すと、リコイルスプリングがスライドを元の位置に押し戻し、こうして銃は装填されて、撃つことができる状態となる。引き金を引くとさらに別のバネが解放され、このバネが撃針という長く尖った金属棒につながっていて、弾薬を鋭く打撃する。これにより弾薬内で小さな爆発が起こり、弾丸を発射する。こうして説明するのには1段落まるまるかかったが、バネのおかげで、この一連の動作がすべて1秒にも満たない短時間に起こるのだ。でもまだ終わりではない。ニュートンの作用・反作用の法則により、弾丸を発射した爆発力はリコイルスプリングを圧縮し、銃のスライドを後方に押すことで、次の弾薬が持ち上がり、また撃てるようになる。

現代の銃には弓矢とのつながりもある。中国で9世紀に火薬（木炭と硝酸カリウムと硫黄の混合物）が発明され、竹筒や金属筒から敵に向かって火炎や散弾を発射するのに使われた。モンゴル帝国時代のシルクロード交易は、私が思うに少しは弓矢のおかげもあって安定していたわけだが、この中で火薬も13世紀にはヨーロッパ人の手に渡った。そして16世紀までには、東洋のものよりずっと優れた火器を作り出していた。威嚇と征服には火力がものをいうようになり、戦争は再び姿を変えることとなった。戦火を交える両軍の距離は遠くなり、被る負傷の種類も変化した結果、医学も発展を迫られることとなった。国土の一部を大規模に消し去るほどの破壊力を持つ原爆が生まれるまでの間、戦争を支配したのは火器であった。

銃の力は恐ろしい。たった指一本のごくわずかな力で人が死ぬのも、バネの仕組みをとても効果的に利用しているためだ。保健指標評価研究所による２０１８年の報告書の主著者であるモーセン・ナガヴィ博士によれば、銃による暴力は現代有数の公衆衛生上の脅威であるという。２０２０年、２０２１年には、米国で年間４万５０００人以上もの人々が殺されている。１９９０年以降、ルワンダ虐殺のあった１９９４年を除いて毎年、世界全体の銃関連死は紛争やテロによる死者よりも多い。この統計は、特にエンジニアにとっては屈辱的だ。エンジニアは、発明や技術革新が、たとえそのつもりでなくとも人類の生命の破壊に転用される可能性があることを肝に銘じておかなくてはならないと思う。

バネという技術は、その背後にある科学の研究がまともにおこなわれる前から、長期間にわたり多くの形で使われていた興味深い例である。バネ作りは試行錯誤でおこなわれており、それぞれの目的にどんな材料や形状が最もうまくあてはまるかを、経験を頼りに探り当てていた。細かな仕組みを理解せずとも進歩は可能だという実例である。とはいえ、17世紀に科学的な研究が実際におこなわれてからは、バネの使われ方もはるかに洗練されたものとなった。

バネの理解や利用法が飛躍的に進んだのは、ロバート・フックの功績によるところが大きい。フックは1635年にイングランドのワイト島に生まれた。4人兄弟の末っ子であった彼は早くから機械や図面に興味を示し、やがてオックスフォード大学に進学すると、まさにその博識をもって知られるようになった。たとえば、彼は望遠鏡を作り上げて火星と木星の運行を観察した。また、聖書を文字通りに解釈していた時代に、化石や地球の年齢についての仮説を打ち立てた。さらに、1666年のロンドン大火で被災した建物のおよそ半数を調査した。こういった多くの興味の一つに素材の弾性もあり、その延長でバネの研究をおこなうこととなった。

バネを機構の中で利用できるように、その仕組みを数学的・物理的に予測可能な形で説明したいと考えた彼は、今日「フックの法則」として知られる理論を発表した。1660年の時点ではなぜかアナグラムとして暗号化したもの（ceiiinosssttuu）を提示し、ようやく18年後にその答えがラテン語で「伸びは力とともにあり」（Ut tensio, sic vis）を意味していたと示したのである。フックが説明したのは、バネの伸びが荷重に比例すること、そしてバネの伸びが大きいほど変形させるのに必要な力も大きくなり、より多くのエネルギーをたくわえられるということであった。言い換えれば、たとえば1キログラムの重りでバネが1センチ伸びるとして、2キログラムの重りなら2センチ伸び、後者のほうがバネが保存するエネルギーも大きい（この法則でモンゴルの弓が強力な理由も定量化できる）。フックの法則は、外力や変形が小さく、素材の弾性が保たれる（元の形に戻れる）限りにおいて有効である。

この法則の影響は広範囲にわたった。エンジニアは、バネに限らず、ある弾性系に特定の外力が加わった場合の伸縮や動きをフックの法則で予測できるようになったのだ。ボールの跳ね上がる高さや、素材の吸音ぐあい、さらには風や地震力に対する塔の揺れすら予測可能になった。フックの業績は多くの実用例も生みだした。車のサスペンション用のコイルばねと、人体の中の収縮した血管を拡張させるのに使われるバネは明らかに違うものだが、外力の種類や、どの程度の動きや柔軟性が必要かといった用途の理解があれば、バネを設計することができる。たとえばコイルばねなら、コイル全体の径、線径、長さ、巻き数などの完璧なバランスを算出できる。こうした原理を使ってエンジニアたちが設計してきたのが、バネ式はかり（私の娘も、生まれた翌日に正確な体重を測るためこれにぶら下げられた）であり、圧力計（腕に巻いた細長い袋を絞めたり緩めたりするとダイヤル上で針が回る昔ながらの血圧計など）であり、ピッキングされにくい複雑な錠（小さなバネが鍵の凹凸にはまり込み、正しい配置になると仕掛けが解除される）である。こうした装置のどれかを取り上げてバネの役割を詳しく解説してもよいのだが、ここで選んだのは、バネのおかげで革新的な飛躍をとげ、人々の暮らしや営みを永遠に変えた、ある機械である。

イングランド中部、バーミンガムのジュエリー・クォーター地区にあるジョージアン・スタイルの背の高い赤レンガの建物に、時計職人にして時計研究家であるレベッカ・ストラザーズ博士を訪ねた。ただでさえ興味深く有益な体験であるが、2020年のコロナ禍で何か月も家に閉じこもり、何もかもが制限された状況を過ごしていただけに、彼女の工房を訪ねる喜びはひとしおだった。

工房の中はすっきりしており、広々とした空間に高さのある白い机が並んでいた。静まりかえった中に、私の訪問に興奮した飼い犬のアーチーの吠え声だけが隣の部屋から聞こえる。部屋は旋盤やフライス盤、歯切り旋盤といった古い機器の宝庫そのもので、レベッカによるとそれぞれの機器には名前がついていて家族の一員なのだという。この場所で彼女と夫のクレイグが営むストラザーズ・ウォッチメーカーズは、美しいオーダーメードの時計製作や年代物の時計の修理を専門としており、ユニバーサル・ジュネーブ用のベゼルの新規製作から、ヴィンテージ・カーのダッシュボードの時計の分解清掃までなんでも請け負っている。それほどヴィンテージ時計に傾倒しながら自分の腕には金色のカシオのデジタル時計を着けているのは驚きだが、本人曰く、仕事中に身に着けるには、大事な機器類の間を動き回ってぶつけても壊れない「工房仕様」の時計が必要なのだそうだ。

仕事の腕前の素晴らしさを別にしても、レベッカは業界では独特の存在だ。80年代に幼少期を過ごし、外で働く母と家にいる父に育てられたレベッカは、ステレオタイプを打ち破る強さを学び、まさしく前例破りで時計職人となった。中流・上流階級の白人男性が牛耳る業界で、若くて刺青のある労働者階級の女性（と彼女はマスク越しに自身を表現した）が職人になったのだ。2017年には、英国史上初の、時計学で博士号を取得した女性職人となった。レベッカは、バネ（ゼンマイ）仕掛けの時計が登場する以前の人々が時刻を知るにはどんな困難があったたか、概要を教えてくれた。

科学的かつある程度正確に時を計るためのカギは、一定の間隔で規則正しく起こる現象を数えることだ。約5000年前、古代エジプトやバビロンの人々は、3種類の自然現象をもとに計時法の枠組みを作り出した。すなわち、太陽の日周運動、月の月周運動、そして年間の季節変化である。古代エジプト人にとって12という数字は特別な意味を持っていた。毎年のナイル川の氾濫の時期に12個の特別な星々が見えたのである。そこで彼らは1

年を30日からなる12の月に分け、さらに5日を足して1年とした。明るい時間と暗い時間はそれぞれ12等分して不定時とした（不定時は、日中と夜間の長さが変わるため変動幅があり、たとえば夏の不定時では日中のほうが夜間より長かった）。

これは計時法としてはまずまずだったが、いくつかの限界もあった。いつも出ているとは限らない太陽の光に依存していた点、地球の公転に伴って日の長さが変動する点、基準となる太陽の出入りがあまり頻繁に起きない点である。

時間の経過を物理的に観察するため、私たちの先祖は棒を使ってその影を追跡し、日中の時間のうちどれぐらいが経過したかの目安とした。のちに水時計が発明され、昼夜を問わず時間を計測できるようになった。最も単純な水時計の形は穴の開いた水盆から水滴が容器に落ち、その水位で経過時間を計るものである。棒が洗練され日時計へと進化したのと同様、水時計も数百年の間に非常に精巧になり、複雑な歯車機構を用いるようになった。こうした発展をけん引したのは中世のアラビアや中国の学者たちであった。どちらも温暖な気候ではうまく機能したが、ヨーロッパの北の方では日中は曇りがちで夜は水も凍るため使い勝手が悪く、そのためにヨーロッパ人は別の方法を探さねばならなかった。

電気が発明されるまで、ヨーロッパの時計は機械仕掛けによって動力を供給していた。こうした機械式時計の最初期のものは13世紀イタリアのカトリック教会で生まれた。教会に革新的技術は似つかわしくないかもしれないが、聖職者たちは日に7回以上、深夜にも1回祈りを捧げる決まりになっており、務めを果たすために時を告げてくれるものが必要だったのだ。

　こうした時計は教会の塔の頂部に設置され、重りが重力によって塔の中をゆっくりと下降するものだった。機械仕掛けで重りの動くスピードを制御し、そのエネルギーを吸収して歯車機構を動かしていた。歯車機構の中にある「てこ（ハンマー）」を1時間ごとに動かして鐘を鳴らす仕組みだった。

　こうした時計を動かす重力は一定のため信頼性の高い動力源ではあったが、重りを腕からぶら下げるのは実用的とは言えないし、重りがジャラジャラと動いてしまえばその信頼性も落ちるだろう。時計塔の大きな重りが下がりきると、いちど頂部まで持ち上げて、再び下降させなくてはならない。日に何度もこれを繰り返すわけにいかないので長い落差が必要であり、それゆえこうした時計は高いところに設置されていた。つまり時計とは大きくて動かせないものだったのだ。それを変えたのが動力ゼンマイの発明だ。

　レベッカは工房の作業台の上に、いろいろなバネを並べてくれていた。指先に収まるほどの小さなクエスチョンマークの形をしたものや、それより少し大きめで細い円筒形のワイヤーでできたV型のもの。その中には動力ゼンマイもあった。平らな幅広の帯状の金属でできた「らせん」である。うちの一つはほどけて自然な形でテーブル上に置いてあり、きつく巻かれた中心からフィボナッチ曲線のようにだんだんと広がって、手のひらほどの大きさになっていた。その横にある同じようなゼンマイは端が反対向きに巻かれており、タツノオトシゴの尻尾を思わせる。もう一つはきつく巻かれてバレルという円形のケース

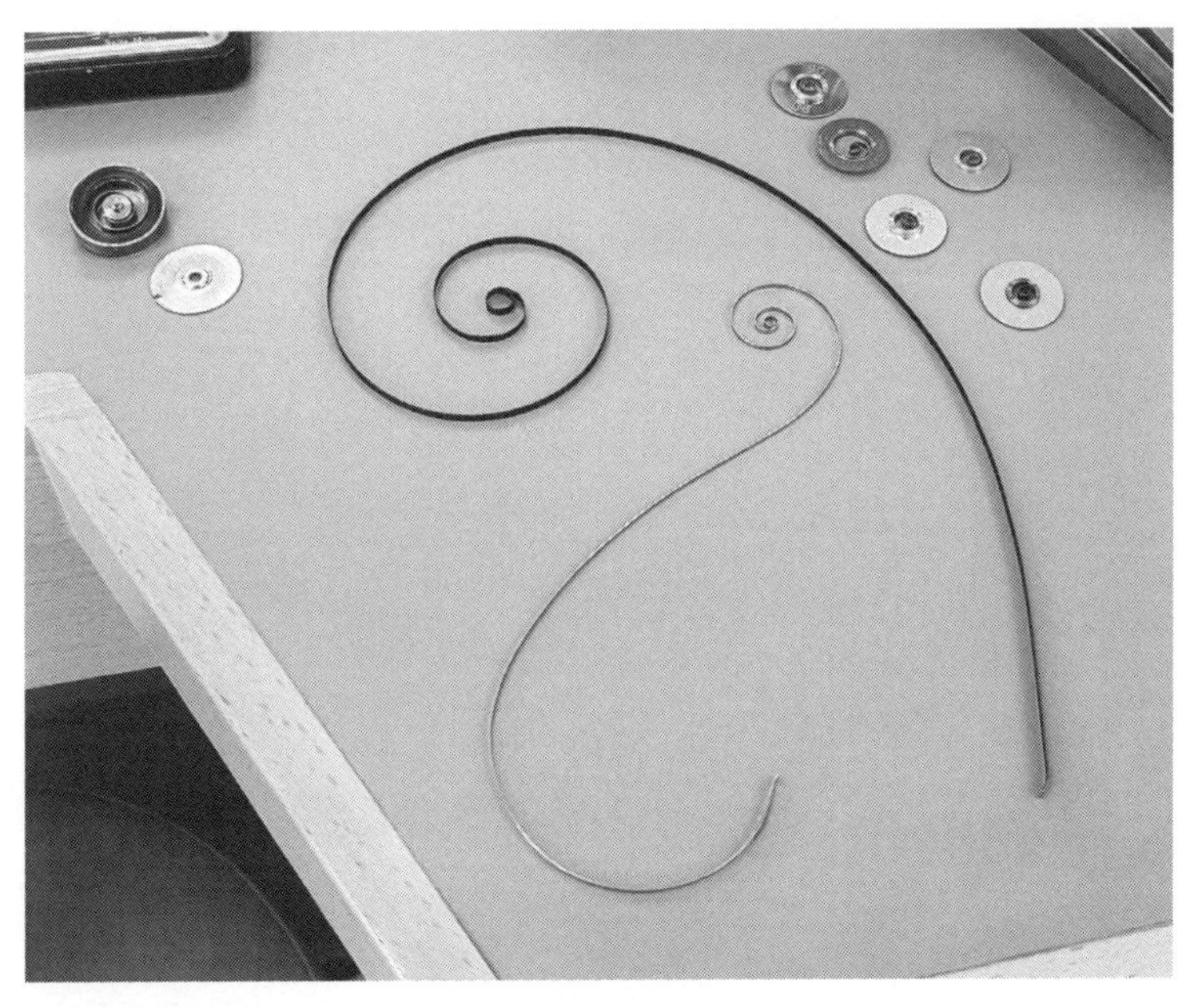

さまざまな形のゼンマイ

巻かれた状態のもの、 ほどけた状態のものがある。
ストラザーズ・ウォッチメーカーズにて撮影

におさまっていた。らせん状で平たいこのようなゼンマイが、小型の機械式時計の動力源となり、時間を計るための歯車機構を動かすのに必要な力を供給しているのである。ゼンマイが重りにとって代わったことで、時間の測定に飛躍的な進化が起きた。ゼンマイがなければ、腕におさまるほど小さな時計は発明できなかっただろう。

動力ゼンマイは15世紀終わり頃のドイツで発明されたと考えられている。平たい金属の帯をらせん状にして軸のまわりに巻きつけたものである。ゼンマイの内側の端は軸と接続されている。巻き上げることでゼンマイが締まり、エネルギーをたくわえる。ゼンマイが急速に巻き戻るのをふせぐのに使われるのはラチェットという仕組みだ。これは特殊な形をした歯車に爪がついたものである。ある方向に回すと爪は歯車が動くのを妨げないが、反対方向に回そうとすると爪が歯にかみ合って、歯車を止める（これがゼンマイ仕掛けのおもちゃやオルゴールのつまみを回したときに聞こえるカチカチという音の正体だ）。

巻き上げが終わると、軸が動くようになり、ゼンマイは少しずつ巻き戻りながらエネルギーを歯車機構に伝えて時計を動かす。一般的な動力ゼンマイの長さは、一度巻けば次に巻くまでは巻き上げの必要なく、40時間もつように作られていた。持ち主が毎日一度巻き上げるのが理想だが、忘れた場合でもこれなら余裕があったのだ。

レベッカの説明によると、大きな重りを動力ゼンマイに置き換えたことで、時計は小さく、さらに持ち運びできるようになり、最初の懐中時計が作成されるに至ったのだという。

ただし、１６００年代中盤にフックがバネの仕組みを解明するまでは、ゼンマイの扱いは試行錯誤だらけで、初期の動力ゼンマイによる時計も正確性ではむしろ劣っていた。なぜなら、ゼンマイはきつく巻かれた状態で最もエネルギーをたくわえ、ほどけるとエネルギーが減少するからである。これを補うために、いろいろな（「スタックフリード」とか「フュジー」とかいうもったいぶった名前のついた）仕組みが組み込まれ、動力ゼンマイと合わさることで小型で安定した新たな動力を生み出していた。

スタックフリードもフュジーも今日では必要なくなったが、それはタツノオトシゴのような尻尾を持つゼンマイのおかげだ。この形は尻尾の先が最も固く、動き始めたときは最も柔らかくなるように作られている。フックの法則に従って、最後のほうに固い部分があると、ゼンマイがほどけてエネルギーが少なくなっても、固さがそれを補ってくれるのである。これで時計に伝わるエネルギー量が一定となり、狂わなくなるのだ。

レベッカの作業台の上には、バネと並んで、豪華な19世紀の携帯時計も置いてあった。動力ゼンマイに次いで重要なバネであるひげゼンマイを見せるために彼女はその時計を慎重に分解しており、その様子に私は見入っていた。動力ゼンマイだけでも時計は小さく持ち運べるようになったが、動力ゼンマイとひげゼンマイを「一緒に」使うことで初めて、正確さと携帯性を「両立」した時計を、それまでになく精密に作成できるようになったのだ。

レベッカは極小のネジをいくつか回して蓋を取り外すと、私に時計を持たせてくれた。落とさないようにおそるおそる手のひらに包み込み、チクタク動く細かな仕掛けを一つも見逃すまいと目を少し細めて覗き込む。部品は金メッキされた真鍮製で、大小様々な歯車が鈍い黄金色の輝きを放っていた。文字盤のどの針を動かすかによって歯車の回る速さも異なるのがわかる。秒針を動かす歯車はせわしなく進んで1分間で一巡し、対照的に12時間で一巡するゆったりとした歯車もある。

そんな一般的な歯車の中に見慣れない車輪が交ざっていた。それはテンプと呼ばれるもので、時計回りから反時計回りへと機敏に行ったり来たりしている。テンプを素早く一定に振動させ続けている極細のゼンマイこそが、肝心のひげゼンマイである。

エジプトの計時法は、24時間に1回だけという、とてもゆっくりした太陽の周期運動に頼っていたため、その正確さには限界があった。大きな狂いや誤差が累積しない正確な計時のためには、頻度の高い振動、循環、反復といった動きが定期的に必要である。ひげゼンマイの発明前に、13世紀以来のあの巨大な中世の時計塔の中で用いられていたのは、脱進機と呼ばれる巧妙な技術である。脱進機にはいろいろな形式があるが、規則正しく揺れる動きを生み出して機械の動きを調整することで時間の経過を正確に刻むという原理は、いずれも同じである。24時間かかる日周運動と違って、脱進機の周期はわずか数秒であった。

脱進機の初期の例に冠型脱進機と棒テンプがあり、中世の教会の時計塔でよく使われていた。垂直に伸びる軸が回転し、そこに二つの金属の小片が取り付けられている。軸の頂

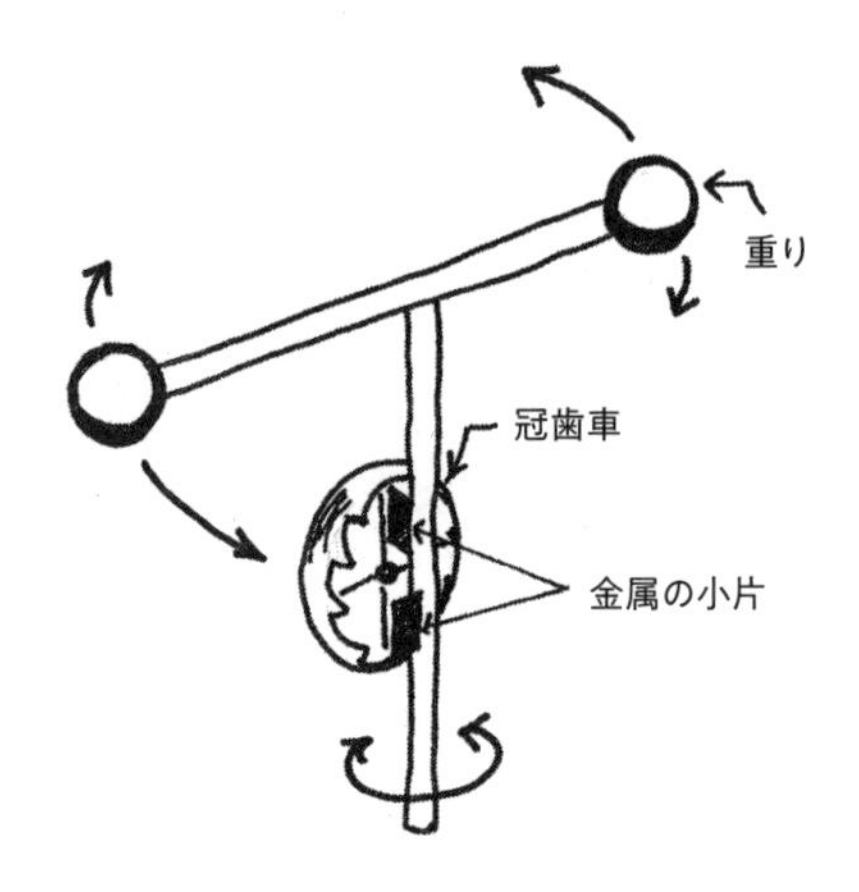

冠歯車と棒テンプ式の脱進機

部には横方向に伸びる腕がある。両方の腕に金属塊が取り付けられており、位置を変えて振動の周期を調節することができる。腕が一方向に振れるたびに小片が軸と一緒に回転し、冠歯車の歯を一つ動かす。その小片が今度は軸を反対向きに回転させて、再び冠歯車の歯を一つ動かす。この冠歯車は、前に紹介した徐々に下降する重りとつながっており、少し回転するごとに重りも少しずつ下がるのである。こうして、腕が行ったり来たりして冠歯車を少しずつ回転させ、それが重りを少しずつ下げるというサイクルができあがる。下降する重りはテコを動かす歯車にエネルギーを伝え、そのテコが時計の鐘を鳴らして時を告げた（clock（時計）という言葉の語源は鐘を意味するラテン語のcloccaである。元々は時を知るのに文字盤や針は使っていなかった）。

脱進機は重りから機械全体に伝わるエネル

ギーを調節するのに不可欠だったものの、初期のものはズレが頻繁に生じやすくて不正確だった。不正確な原因は振動する仕組みが不安定だったためである。たとえば冠型脱進機と棒テンプの場合、動作部品どうしの摩擦や温度変化、金属塊の位置の少しのずれによって振動の周期が変わった。振動の周期が影響を受けると、重りの下がる量、さらには鐘の鳴る時刻にも影響し、週に何時間もずれることにもなりかねない。こうした不正確さがいかに厄介な問題だったかは、17世紀に『アセニアン・マーキュリー』誌に投書された以下の苦情からも見て取れる。

私がコヴェント・ガーデンにいると時計が2時の鐘を打った。サマセット・ハウスに着くと、そこの時計はまだ1時45分だという。すぐ近くのセント・クレメント教会に来ると2時半になっていたけれど、セント・ダンスタン教会ではまだ1時45分、フリート街にあるニッブ氏のところの時計を見ると2時ちょうど、ラドゲートに着くと1時半、ボウ教会では1時45分、ストックス市場の近くの日時計では2時15分、そして王立取引所に着いたときには1時45分……

時計を眺めては不機嫌になっていたこの人も、当時、すでに大幅に改良された脱進機の設計が進められていたと知ったら喜んだことだろう。１６５６年、オランダの博学者クリスチャン・ホイヘンスは振り子を組み込んだ時計を設計した。この振り子は細長い棒の先

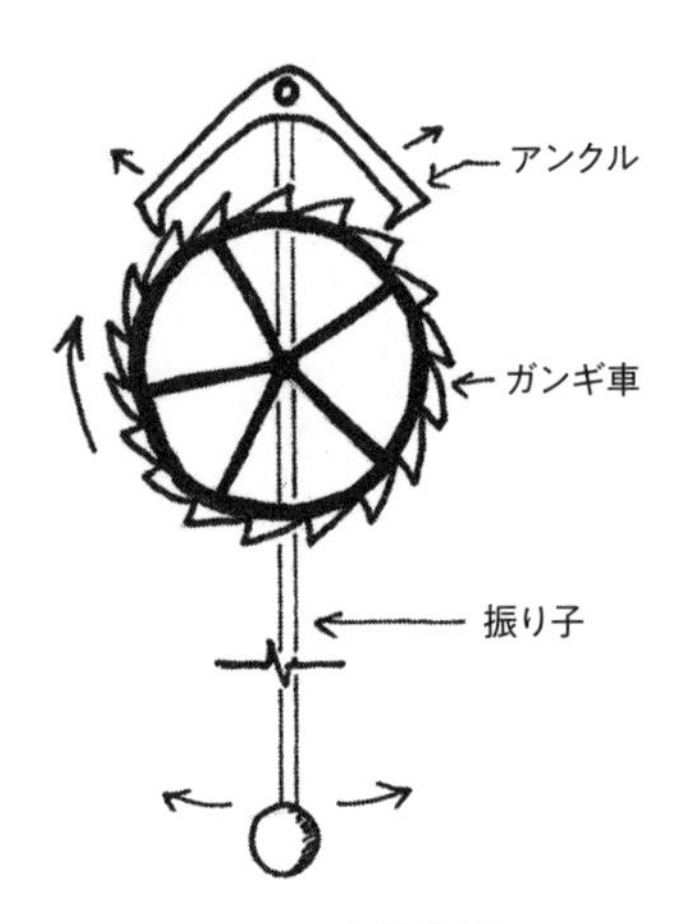

振り子式脱進機

に重りをつけたもので、非常に安定して左右に揺れる。振り子の頂部には錨の形をした脱進機がついており、振り子が揺れるたびに左右に動いて歯車の歯が一つ動き、それによって時計が動作する。ただし技術の進歩は時間そのものと違って一方向だけに流れていくことはあまりなく、振り子時計も、古い柱時計にみられるように下降する重りを動力にしたものがまだ多い一方で、動力ゼンマイを使うものもあった。

振り子によって時計の正確さは大いに向上したが、持ち運ぶことはまだできなかった。それは扱いづらさのせいもあるが、少しでも動くと振り子や脱進機の動きが乱れ、時間に狂いが生じるからでもあった。だから振り子時計は、近場の移動であれ船で大洋を横断する場合であれ、人々が周囲の世界を探検するには役立たずだった。ひげゼンマイの発明は、

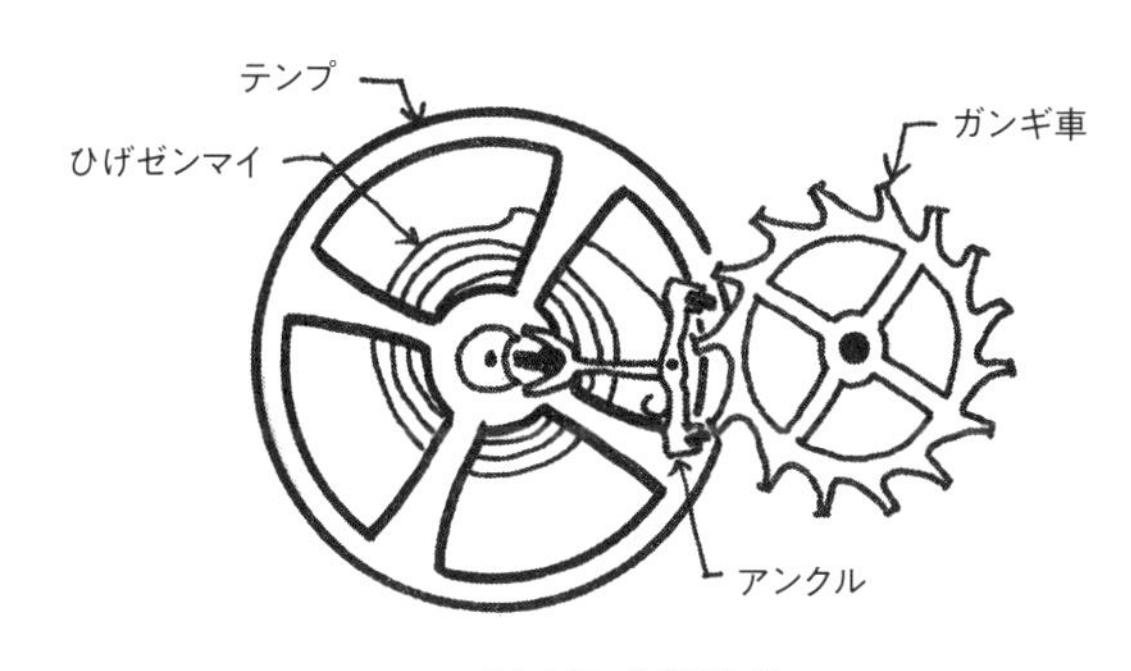

振り子式脱進機

その状況を変えてみせたのだ。
ひげゼンマイとテンプで構成されるシステムは振動数が大きく（そのため正確で狂いが少ない）、ポケットや手首、船上で激しく揺れても影響を受けない。レベッカが手に載せてくれた時計を見て、私は揺れ動くテンプのとりこになってしまった。速すぎてほとんど目に留まらないものの、テンプが回転の向きを変えるたびにアンクルという小さな部品に当たって左右に押している。アンクルには二つの爪があり、振動のたびにガンギ車という特殊な形をした歯車の歯を一つずつ動かすのである（機械式時計の心地よいチクタク音の一部は、ぶつかって往復するこの動きによるものだ）。

ひげゼンマイは、機械式時計の心臓として、まわりの機構とともに安定した鼓動を生み出している。（ひげゼンマイの英語名であるhairspringは、もともと豚の毛でできていたことに由来する。あまりしっかりした素材ではなかったためこれらは金属に取って代わられることになったが、名前だけが残ったのだ）。ひげゼンマイは実に繊細で、長さがほんの少し変わるだけで時計が示す時刻が実際よりも進んだり遅くなったりしてしまうため、完璧なバランスを実現することが優れた時計職人の証だった。時計の正確さは振動数で決まる。1秒に振動する回数が多いほど、時計を持ち運んだりしても累積誤差が少なく、より正確に時を刻める。冠型脱進機と棒テンプが数秒に1回、振り子が1秒間に1、2回しか振動できないのに対し、テンプとひげゼンマイであれば1秒間に何回も振動できる。一般的な機械式時計は1秒間に6回だが、中には1秒間に１００回以上振動するものもある。

持ち運びできて精度も高い技術がこのように登場したことで、人々の生活様式も変わった。当初は、このようなおしゃれで最新の時計は首から下げてペンダントにするか、腰ベルトに下げるか、ポケットに入れて持ち運ばれ、腕時計はしばらくの間は女性のアクセサリー扱いだった。携帯時計の登場には良い面ばかりでなく悪い面もあったと言えるだろう。今や私たちは次の予定までの時間を分刻みで際限なく追い続けるのに慣れきってしまっている。ゼンマイを使った時計が科学、運輸、社会に対して重大な影響を与えたことは確かだ。

たとえば科学者は今や、太陽や月、星といった天体を観測し、特定の時刻における位置を正確に記録して、何日間も何年間もその動きを追跡することで太陽系や外宇宙についての知見を広げることができる。身近なところでも、鉄道の登場以前は町ごとに太陽観測で現地時間を決めていたが、19世紀になると、列車同士の場所とタイミングが合わずに衝突事故が起きるのを防ぐためにも、天文学者が国全体に正確な時刻を電信で送って鉄道網全体の時計を一致させるようになった。時刻管理はさらに、商取引の法規制や、産業革命期の工場における労働時間にも影響を与えた。

正確な時刻を知ることは航海の安全にも不可欠だった。1707年のシリー諸島における海軍遭難事故でおよそ1400人の犠牲者が出たのは乗組員が船の正確な位置を算出できなかったことが大きな原因だったが、それを受けて、英国議会は遠洋航海の安全性を向上させた者に多額の報奨金を約束した。問題は、地球上の経度を割り出すという、陸に向かうのになくてはならない針路決定の手段にあった（ポリネシアの船乗りはずっと、自然を観察することで経度を計算しており、周辺の海域も知り尽くしていたが、こうしたテクニックは西洋では使われていなかった）。解決策は、少なくとも理屈の上では簡単なものだった。経度ゼロのグリニッジ標準時ぴったりに合わせた時計を用意してそれを遠洋航海に持っていけば、乗組員は太陽と星を使って自分たちが今いる場所の現地時間を算出し、グリニッジ標準時と照合することができる。時間の差から、東経または西経にして何度分を移動したかがわかるはずだ。しかしこの方法には正確な時刻が頼りだった。もし航海中に予期しない狂いが生じれば、計算がまるで違ってしまうのである。

18世紀の大工、ジョン・ハリソンは独学で時計職人となり、何十年も時計の設計に取り組んでいた。彼が生み出した時計は、すでに地上では最も正確なものだったが、船上用の時計を作るのはまた別の難問であった。温度、湿度、圧力の変化にさらされても安定して動作し、潮風による腐食にも耐えて精度を長期間保ち、絶え間ない船の揺れにも影響されないことが必要だったのだ。このすべてを満たす時計はまだ生まれていなかった。

　彼の執念は、40年にわたって作成したＨ１からＨ5という五つの時計に表れている。最初の三つは置時計だったが、１７５９年に完成したＨ４は特大の懐中時計のような見た目である。白いホーローの文字盤には黒のローマ数字が輪になって時を示し、その外側にはアラビア数字が5刻みで60まで記されている。そのさらに外側には、円を4分割した（12時、3時、6時、9時の）位置に繊細な草花の渦巻き模様が描かれ、時針の先端も大地から芽吹く植物のような手の込んだデザインとなっている。美しい一品だが、この時計の本当の美しさと複雑さは、ケースを開けて中を覗き込んだときにこそ輝くように私には思われる。一面のまばゆい黄金色の中、文字盤のものと似た渦巻き模様が刻まれ、内部の繊細な機構を防護している。すぐれた機械仕掛けというよりも、まるで手の込んだ宝飾品を見ているようだ。

　Ｈ４は動力ゼンマイとフュジーで動力を維持していた。ゼンマイからは、まる1日の間、一定の力を送ることができ、その後はカギを使って巻き上げが必要となる。ハリソンによる設計の特色として、巻き上げの最中でも歯車や脱進機が動力を得て動作し続けることが挙げられ、日々の巻き上げ作業中に生じる遅れを最小化するように工夫されていた。ハリソンはまた、ゼンマイ式ルモントワールという仕組みも発明した。動力ゼンマイの出力には変動があるので（変動はフュジーによってごくわずかに抑えられていたものの、ハリソンが目指していたのは世界で最も正確な時計なのだ）、別のゼンマイであるルモントワールで脱進機にできるだけ均一に力を伝える。ハリソンが作ったルモントワールは動力ゼンマイによって7・5秒ごとに自動的に巻き上げられる。たとえばゼンマイが完全に巻き上がった状態ではほんの少し早く進み、ゆるんだ状態では少し遅れるといった時計の場合、ルモントワールによってこのサイクルが急速かつ頻繁に繰り返されることで、長い目で見れば時計の正確さを維持できるのだ。H４のもう一つの主要な特徴は通常より大きなテンプとひげゼンマイであり、そのおかげで、物理的に揺さぶられてもあまり影響を受けずに、1秒間に5回振動することができた。イングランドからジャマイカへの航路でおこなわれたH４の試験では、事前に分かっていた定常的な日差2・66秒のずれを修正すれば、全１４７日の航海で1分54・5秒しかずれていなかったのである。

ハリソンによる航海用の時計であるマリンクロノメーターは値が張るものだったため、裕福な船主や船長しか使えず、一般に普及するまでに1世紀を要した。しかしやがて、クロノメーターのおかげで地図の精度が著しく向上し、経度計算のミスで難破が起きることも減った。世界地図の改良で西洋の海運業は栄え、貿易も増加した。ただし、他の技術革新の例にもれず、クロノメーターも良い結果ばかりを生んだわけではなかった。航海術の向上は新たな領土の侵略や大英帝国の膨張につながり、大西洋におけるアフリカ人の奴隷貿易を助長し、これらは今も世界中に影を落としている。

何世紀もの間、時計の最高峰といえばゼンマイを搭載したものだった。しかし当然のことながら、時間も技術も一か所に留まることはない。20世紀には水晶振動子が開発され、追って原子時計も登場した。１秒間に６回の振動が一般的なゼンマイ式脱進機と比べて、原子時計に使われる原子は１秒間に90億回以上も振動し、それが生み出す極めて高精度な標準時は、インターネット、株式市場、送電網、鉄道、信号、GPS、携帯電話、ラジオをはじめ世界中で使われている。原子時計は１億年に１秒ほどしかずれないと考えられている。

でもゼンマイに終わりの時を告げるのはまだ早い。機械式腕時計の大多数は相変わらずゼンマイ駆動だし、革新や改良も脈々と続けられている。そして今もまた、ひげゼンマイに新たな変革の兆しが訪れている。私は、米国でケイ素製のひげゼンマイを開発するエンジニア、キラン・シェカールに話を聞いた。彼の説明によれば、金属のひげゼンマイは温度や磁場の影響を受けて変質し、時計の精度が落ちることがあるが、金属の代わりに特殊なケイ素化合物を使えばこうした問題を大幅に減らせるのだという。まだ開発の初期段階ではあるが、古くからある機械にこの新素材を使うことで、次世代の時計のサイズや精度に多くの可能性が生まれることをキランは楽しみにしているそうだ。

皮肉なことに、かつてゼンマイによって大衆化するまでは時計を使えるのがエリートだけだった状況に似て、現在ではゼンマイ仕掛けの時計が高級（かつ高価な）市場のものになってしまった。その一方で、大衆は（私自身も）たいてい電気駆動の安価な時計を身に着けているのだ。こうして機械式時計の成立にまつわる歴史、ものづくり、科学のごく一部を学んだにすぎないが、その素晴らしい技術の結晶であることに驚くばかりである。キランが言う。「機械式時計とは、肌身離さず腕につけて持ち運べる稀有な技術だと思います。そんなものが他にあるでしょうか？」。彼の言う通り、私の設計した建物や橋は持ち運ぶことなどできない。そろそろ私も機械式時計を買ったほうがいいかもしれない（まずは節約するところからだが）。

ストラザーズ博士が工房で先の尖ったピンセットや眼窩にはめた拡大鏡を使って時計を分解していく繊細な作業を眺めながら、私は自分の構造物で使ってきたバネと、時計職人の使うゼンマイとの大きな違いに思いを馳せていた。機械式時計に使われるゼンマイは極小であり（1ミリにも満たない違いが性能に大きな差を生む）、一方で、私が構造エンジニアとして扱ってきたバネは巨大で、私の太ももがすっぽり入るぐらいだ。もし仮に私がこのバネの上で一生懸命ジャンプしても、体重計の上にハエがいるのと大差ないだろう（良いエンジニアの皆さんはマネしないで下さい）。時計のゼンマイの役割は規則正しく動かすことであり、伸び縮みを繰り返している。ところが構造物においては、バネの役割は（騒音や振動を）遮断することであり、特に用のない限りは静止して、ひっそりと隠れているのだ。

建物や橋は振動の影響を受ける。たとえばオフィスの横を通る大きなトラックや、隣の部屋の住人が絨毯に掃除機をかける音が響いてくるのを感じたことがあるだろう。こうした振動は多少の迷惑とはいえ、あまり頻繁でなければ許容できるものだが、いつもひっきりなしに破壊的な振動や騒音がある場合には、ストレスの元となるし、構造物を損傷させかねない。ここでバネを用いるのが、的を射ている。バネは振動を遮って、そのエネルギーをできるだけ吸収し、構造物本体に伝わる振動を最小限にすることで、静かで快適な環境を実現するのだ。

私がまだ10代の頃、そうとは知らずにバネの原理を使って振動を抑制する実験をしていたことがあった。大学の学生寮に住んでいると、周囲の部屋からは音楽が聞こえるだけでなく体に振動が伝わってくる。増幅された大音量のベース音がコンクリートむき出しの寮の床や柱を震わせて伝わり、疲れ切った頭で物理方程式に苦闘する私の机を揺する。音楽(だけでなくあらゆる音)は、主に空気の分子が跳ね回ることで周囲の分子にエネルギーを伝達する。つまり波ができることで伝わり、それが耳にたどり着いて鼓膜を震わせる。音は液体や固体も振動させる。つまり寮の机で頭を抱える私も震わせる。むしろ、素材の原子の並びが緻密であればあるほど、音のエネルギーや振動も効率的に伝わる。つまり一般的に、振動は固体中のほうがより遠くまで、速く届くのである。しかし、密度の異なる素材を重ねて音が直接伝播する経路を遮断すると、振動はエネルギーを失い、場合によっては消滅する(だから私の場合も、パブでもらった分厚いコースターを机の脚元にそれぞれ噛ませることで、音の振動が少しだけでも軽減されたのだ)。そして、硬いものの間に柔らかいものを挟んで振動を遮断するというこのアイデアからエンジニアたちが行き着いたのが、構造物を

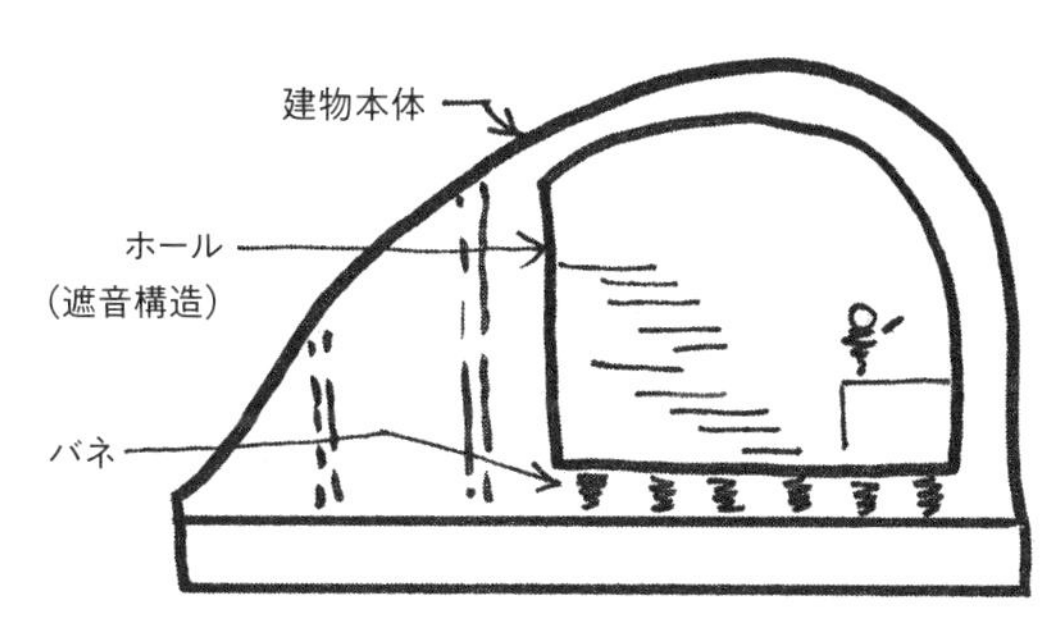

バネを使って建物本体と縁を切ったホール

守るためにバネを使うことだった。

構造物の振動に関する分野の中でも、バネの果たす役割は多岐にわたる。最も極端なものでは、巨大な鋼製のコイルばねが、地震時に超高層ビルに加わる破壊的な揺れのほとんどを吸収している。もう少し小さなものでは、強風やトラックの通行時に橋が危険な挙動をするのを止めたり、近くを通る鉄道の轟音を建物内で軽減したりしている。（私自身も2件のプロジェクトで、それぞれ異なる理由で防振支承を使ったことがある。私の最初の仕事であった英国、ニューカッスルのノーザンブリア大学歩道橋では、歩行者による振動のエネルギーを吸収し、揺れを防止するために、主桁の下に大きなバネを設置する必要があった。また後の仕事で携わったロンドンの集合住宅では、建物が地下鉄の真上に位置していた。建物の主要な柱の下に大きなゴム支承を設置することで列車の振動を吸収して、住宅への影響を食い止めた。）

最も小さなものでは（といっても時計のゼンマイよりはずっと大きくて握り拳ほどだが）、建物の血管にあたる空調機やポンプといった大型機械の摩擦や振動の下でもバネが収縮し、周囲の建物環境を極力平穏に保っている。実はこの一見小さな役割によって、バネは世界の名だたるコンサートホールにも大きな影響を及ぼしている。

デンマークの「オールボー音楽の家（Musikkens Hus）」はディストピアに棲む巨大な生物のようだ。その頭である巨大なコンクリートの箱は一つの面がガラス張りになっており、首元でうねるコンクリートのエリの上に高く掲げられている。胴体にあたる大きなコの字型のコンクリートの箱は何本もの細い丸柱で持ち上げられ、頭の部分を取り囲んでいる。いまにも歩き出しそうな建築だ。２０１４年の開館以来、世界中の音楽家や聴衆や学生たちがその素晴らしい音響に身を委ねようとやってきている。その音響を支えているのがバネである。

会場の音響設計者の説明はなんだか詩的だった。会場設計の狙いは静寂を実現することだと言うのだ。静寂は、現代においては最大級の贅沢だ。すべての音楽は静寂から生まれ、静寂にはドラマがある。静寂があるからこそ、聴衆はほんの微かなピアノの音色も、その後ろで鳴るトライアングルの音も感じ取ることができる。ネット上で無尽蔵にコンテンツが手に入る今日、他のどこでも手に入らない体験を生み出すことにはなおさら特別な意味がある。しかしコンサートホールの外部からは車や列車、街の雑踏など、そして内部からも巨大な空調機やポンプや来館者のざわめきなど、あらゆる音が周囲に鳴り響く状況でそれを実現するのは簡単なことではない。それに加えて、リハーサルや公演の音楽が隣の会場に漏れて邪魔になることも防がなくてはならない。このホールにはこうした空間がたくさんあるので、厄介な問題なのである。この「生物」の頭部には大編成のオーケストラが演奏するメインのコンサートホールがあり、シャープな輪郭を持つ外観とは対照的に曲がりくねったバルコニー席が広がる光景で知られている。U字型の胴体には、60以上もの小さなレッスン用の練習室がある。さらに地下には公演スペースが三つあり、一つはロック用、一つはジャズ用、残る一つがクラシック用で、そのほか主機械室には騒音を発する機械も詰め込まれている。こうした環境で静寂を実現するため、建物の設計者は6000個を超えるバネを使用することにした。

バッハのコンサート中に隣からクイーンのカバーバンドの音が聞こえてくるといったことを防ぐため、採用したのが「ボックス・イン・ボックス」という方式である。一つ目の外側のボックスは建物の本体構造で、コンクリートでできている。二つ目のボックスが完璧な音響を実現するためのもので、空気層をはさんで本体構造の内部に組み立てられる。この工法により、例えばギタリストが弦をかき鳴らして、楽器の発する音が部屋のどの面にぶつかっても、コンクリートと空気の密度差によって、空気層で遮断されるのだ。ボックス・イン・ボックス方式の難しいところは、遮断のための空気層にも、壁や天井や床の位置を固定するための器具によって内外がつながった部分（抜け）が、どうしてもところどころに生じてしまうことである。この固定具が固いものだと振動を伝達してしまい、仕組み全体が意味をなさなくなってしまう。ここでバネが役に立つ。内側のボックスの天井は、コイルや湾曲した金属のバネでボードを吊ったものである。壁のボードも、柔軟性のあるゴム板（特大の消しゴムのようなもの）を介して外壁とつながっている。床は浮き床と呼ばれるものだ。コンクリート製で、建物本体のスラブの上にゴムを介して浮いている。

音楽の家の浮き床を支えるバネは技術の結晶である。既存のコンクリートスラブの上に空気層を挟んで別のスラブを打設しようとしても一筋縄ではいかない（例えば、焼きあがったスポンジケーキの上に、空気層を挟んで別のスポンジが載っている状態にすることを想像してみて欲しい。たとえスポンジを浮かせるための支柱があっても、そのスポンジ用の生地を流し込むことができないので、どうしようもないだろう）。ここでは、1枚目の打設済みコンクリートスラブの上に薄いビニールシートを敷き込み、あわせてジャッキアップ式防振装置という小さな仕掛けを設置する。

この防振装置には分厚い円柱形をした黒いゴムが入っており、長期間もつように寸法が決められていて、たとえば直径150ミリ、厚さ50ミリといったところだ。ゴムのてっぺんから金属のボルトが上にとび出している。そのボルトには、ちょうど逆さまにしたジョウゴの注ぎ口にネジを切ったような形の、金属製のカップが取り付けられている。スラブ上に、この装置を約1・3メートル間隔のグリッド状に並べる。その上から2枚目のスラブ用のコンクリートを流し込む。2枚目のコンクリートが硬化したら、大きな六角レンチのような工具を使ってジャッキアップ式防振装置のボルトを回す。ボルトが回ると、金属のお椀とともにコンクリートに埋め込まれたネジ山がお椀を持ち上げ、コンクリートスラブも一緒に引っ張り上げられる。すべての防振装置を少しずつ慎重に調整しながら、浮き床が水平となり、空気層と柔軟なゴムがバネのように働いて没入感のある完璧な音響環境を実現できるよう、必要な高さぴったりに合わせていくのだ。

最先端の技術のように見えるかもしれないが、音楽の家で使われたジャッキアップ式防振装置は、実は1960年代にテレビの収録スタジオの求めに応じて開発された製品の発展形だ。当時、米国の大手放送局CBSは、ニューヨーク・シティ・スタジオのために手早く設置できて収録時の音質を向上できる浮き床工法を必要としていた（その時に収録していた場面には象がスタジオを横切るシーンもあり、それに耐えられる床が必要だった）。1962年6月27日、ある青年が解決策となるバネ式のジャッキアップ式防振装置を提出した。その図面は極めて精密に描かれていたため、コンピューターによるものとばかり思ったが、ほんの少し傾いた手書きの注釈や「NM」とサインされたイニシャルを見てそうでないことが分かった。それは超一流のエンジニアらしく、几帳面に仕上げられた作品だったのだ。「NM」の正体はノーマン・メイソンである。1925年ブロンクスに生まれてニューヨークの専門学校に通っていたが、戦争が始まると、海軍に仕えたいと両親に伝えた。学校での専門に応じて輸送船のエンジンルームに配属され、そこで蒸気機関やディーゼルエンジンの動作チェックに従事して、そうした機械の扱いに慣れていった。退役後、薄い口髭に誇らしげに海軍服をまとった小粋な青年として学校に戻ってきた彼は機械工学の学位を取得した。

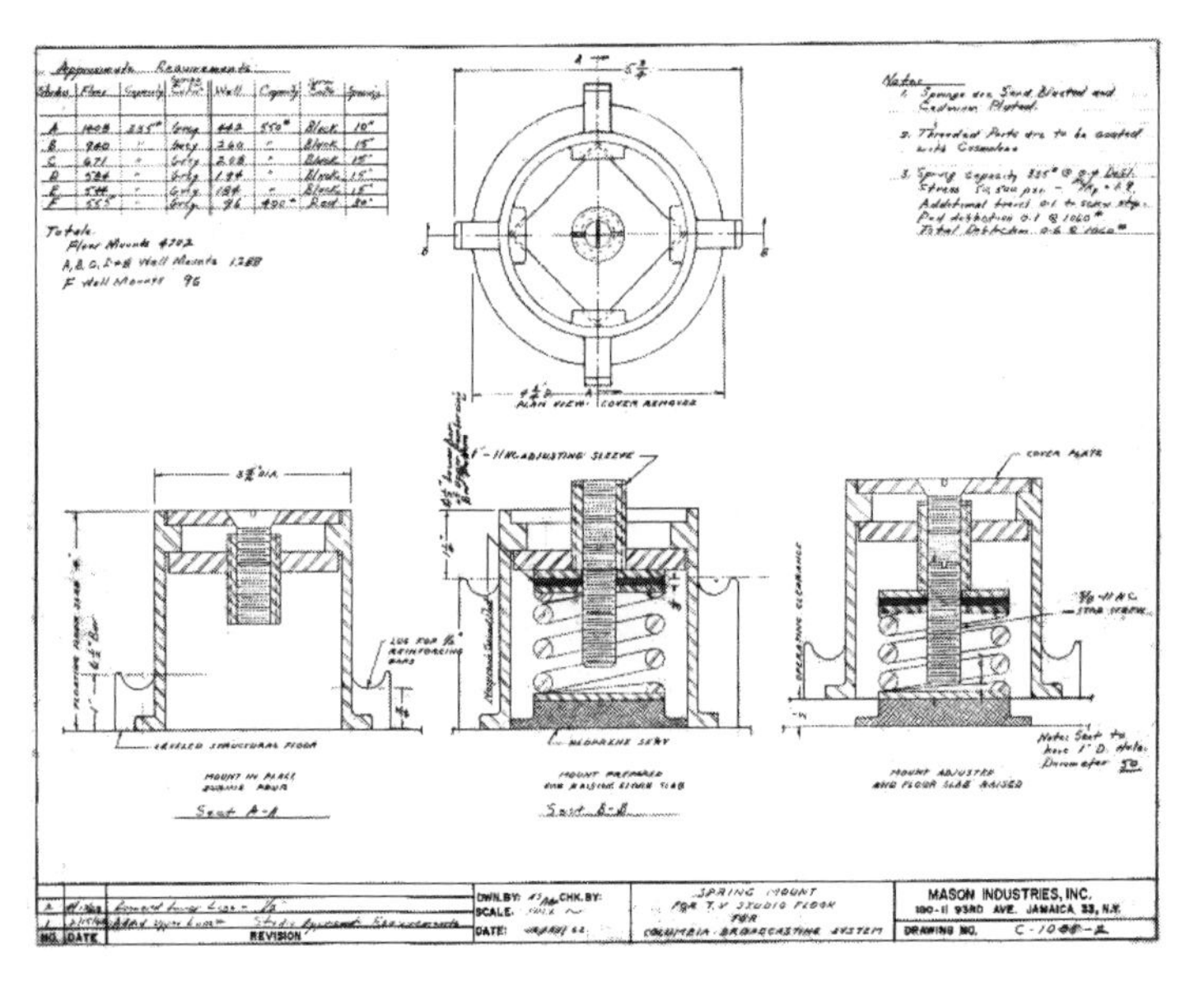

ノーマン・メイソンが描いたバネ式防振装置の図面

メイソン・インダストリーズ社提供

当時ノームと呼ばれていた彼は、1948年当時を、仕事がなかなかなくてエンジニアにとって苦難の年だったと振り返る。彼自身は幸運にも、一時しのぎとはいえ儲かる仕事だった港湾の夜間エンジニアの仕事にありつくが、もっと安定した職も探していた。「ほとんど寝ているだけで毎週85ドルももらいながら（基本的に寝ていて良かったが、緊急時にはすぐに対応する必要がある状態だった）、26ドルの仕事を探していた」のだという。26ドルは当時のエンジニアの初任給だった。ノームの父は、人材会社をあてにしたり求人広告に応募したりするのではなく、「仕事求む」の欄に広告を打つことを勧めた。父は強情な若者だったノームの反対をよそに広告を出し、それが彼の運命を決めることとなった。

フックがバネの仕組みを定式化する以前と同様に、構造物の防振も、はじめは科学ではなく試行錯誤に基づいたものだった。防振が施されたのは主に機械の下だった。建物が高層化するにつれて空気や水を循環させるのに必要な機械も大きくなり、騒音への苦情が出るようになった。そこで隣接する部屋に伝播する騒音を最小限に抑えるため、機械の下に後付けでコルクやゴムの板を敷いた（ちょうど私が机の脚元にコースターを敷いたように）。解決すべき問題があっても、建物の所有者を説得して仕組みのわからない技術にお金を払ってもらうのはなかなか難しかった。そこでコーファンドという会社（この社名はドイツ語で「コルク基礎」の略である）は別の方法を考えた。単に製品を売りつけるのではなく、問題の原因となる機械を調査し、対策品の見積もりを提示して、問題が解消しなければ費用を受け取らないことにしたのである。

ノームの父が出した広告に反応した20社の中にコーファンド社もあった。面接は散々で、ノームはまたもや若者特有の強情さのせいで危うく途中で退席するところだったが、面接官の一人が彼を引き留めてくれたのだった。机に向かって設計するだけでなく機械を扱える仕事であることが分かって、ノームはこの仕事を受けることにした。やがて経験を積むと、最高の製品を開発・製造するために独立を望むようになり、ついに1958年、キャリア10年目にして独立を果たし、愛車である大きなビュイックのトランクに自身の設計作を積み込み、真鍮の留め具で綴じた6ページのカタログを手に売り歩くようになった。こうしてささやかに、しかし確かな一歩を踏み出した彼の会社、メイソン・インダストリーズ社は、今や世界50か国近くに展開するまでになったのである。

第二次世界大戦後の数十年間は、皆で示し合わせて防振エンジニアを困らせているかのようだったとノームは語る。戦後、人々はより良い居住環境を必要とし、またそれを望むようになって、建物全体が空調されるようになった。機械類は地下に設置するのが普通だったが、地下が駐車場として利益を生むようになると、設備はどこか別の場所に移設しなければならない。さらにはコンピューターが登場して、エンジニアの手計算では困難だった計算も迅速におこなえるようになると、より軽量かつ複雑な形状の高層建築が登場するようになった。人口爆発と都市への集中で都市の環境が高密になると、建物を建てる際には、インフラにますます近接せざるを得なくなる。時には既存の建物の地下に鉄道やトンネルを新設することもあった。コルクやゴムの板を敷くだけの科学的でない（ノーム曰く

「中世の」方法は、防振という考え方を市場に導入する目的を果たしたのは確かで、それで数十年はうまくいったものの、当時の防振産業はもはや瀬戸際に立っていたという。科学的になるべき時が来たのだ。

機械の振動をよく吸収するためには、直下の床と比べて柔軟な板や支持材が必要となる。コルクや薄いゴムの板の問題点は、弾力に欠けること、つまり圧縮力に対してあまり縮まないことにある。こうした薄い板でも、地下では強固なスラブの上に載せるため、あまり問題にはならない。少しの弾力性で十分だったのだ。しかし、建物が高層化し、水や空気を建物全体に運ぶため多くの機械が必要になると、それを上層階にも配置せざるを得なくなる。上層階の床は鋼製のため、より軽く、柔軟に、そして振動に弱くなっていた。つまり、機械の重量下では防振板よりも「床のほうが」動きやすく、振動をすべて床で吸収してしまったのである。

ノームは、機械に適した支持材を選ぶだけではだめだと悟った。その下の建物との相性も確かめる必要があったのだ。バネを二つ有する系（支持材だけでなく、スラブも）と考えて定式化することで、より弾性的なバネを持つ製品の開発に成功した。１９６０年代、70年代には、（コルク板よりずっと柔軟な）金属コイルばねが、建物内の注意を要するエリアに標準的に使われるようになっていた。この頃にはすでにノームも多くのプロジェクトを成功させ、実データで理論を補強できるようになっていた。

ノームが音に関する理論を発展させている間、世の中全体でも同じ動きが起きていた。

それからの数十年は、音や動きに対する建物の挙動をより深く理解するための研究が怒濤のように続いた。今日では、オールボー音楽の家のような建築を設計するエンジニアたちは、先進的なツールをこれでもかとばかり使ったシミュレーションで、空間内の音の聞こえ方や必要な対策を予測している。周辺環境の振動の実測や、内部振動の予測を行うことで、ノームの若い頃は対症療法的だった遮音の世界は、予防的なものに変わってきた。つまり、さまざまな形式のバネが、必要に応じて最初から設計に盛り込まれるようになったのだ。これだけの進歩を経ても、ノームが1962年に開発したジャッキアップ式防振装置の派生形が今も使われ続けている。これぞ息の長いデザイン、真に偉大なエンジニアの証である。

バネを使って建物内の音を軽減することで、都市の設計・計画手法も変化した。バネがなければ、都市は次のどちらかのシナリオを辿っていただろう。一つは、今日と同じ姿で高層ビルや鉄道に近接した集合住宅が建ち並ぶものの、騒音や振動が多い状態である。反響だらけで背景に地鳴りも聞こえるコンサートホール。外科医も研究者も仕事に支障をきたす病院。ストレスにさらされて睡眠不足の人々。もう一つのシナリオは利便性については妥協した都市で、住宅はインフラから遠く、通勤時間は長く、建物の居室を機械類から遠ざけねばならないため高価なポンプがスペースを圧迫し、そのせいで建てられる高さも深さも制限された状態である。……しかしながら実際はバネのおかげで、静寂を作り出すことができる。都市の密度を高めてスプロールを抑制できる。既存のものに重大な影響を及ぼすことなく地下に新たなものを建造できる。私たちが日常的に使う数多の小さなものから大きな機械や工場までにとどまらず、都市の姿そのものにいたるまで、バネは目に見えないところで影響を与え続けてきたのだ。

MAGNET

磁石

情報が距離を超えてゆく

磁石

ある朝、電報局に一通のメッセージが届いた。私の祖父ブリジ・キショアは妻シャンドラカンタと子どもたち4人と一緒にインドのムンバイの海辺でアパートに住んでいたのだが、配達員が近づいてくるのを見て、喉が締め付けられるのを感じたという。シャンドラカンタは彼の袖を引っ張って「電報……」と思わず呟いた。１９６０年代のムンバイでは、電報の到着はたいていの場合、悪い知らせを意味した。電話を持っている家庭はほとんどなかったため、子どものこと、料理、クリケットの成績といった近況報告を遠く離れた家族へ送る場合は、普通郵便で送っていた。普通郵便は英語でスネイルメール（スネイルはカタツムリの意味）と呼ばれるように、到着までに時間がかかる。急を要する場合のみ、電報を使って知らせを送ったのである。

祖父のバブジ（私たちは彼のことをそう呼んでいた）は封筒を破り、水色の紙を取り出した。そこに糊づけされていたのは「ANXIOUS TO RETURN（トニカクカエリタクテタマラナイ）」という15文字が並んだ紙片だった。彼はあきれたという表情を妻に向けると、心配することは何もないと彼女を安心させた。

バブジの息子シェカールは大学卒業後、職探しのためにイタリアへ旅立った。どうやら、彼はそこが気に入らずに帰国したがっているようだったが、シェカールにはとにかく挑戦させようとバブジは固く決心していた。そこで彼はサンダルを引っかけて郵便局へ行き、その意を伝えるための電報をできる限り短い言葉で送った。電報は安くなく、文字数によって料金が決まるからだ。それから数週間というもの、イタリアからたくさんの電報が届いた。どれもムンバイに帰るチケットをねだるものだった。多くの電報を無視し続けたものの、最終的にはバブジが折れた。彼の息子（私の叔父にあたる）はムンバイに戻り、そこで生涯を過ごした。

それから60年近くの時が流れた。新型コロナウイルスの世界的流行によるロックダウンの最中に私は「おばあちゃんと今すぐお話ししたい！」という幼い子どもの声を毎週聞くこととなった。コロナ世代の子どもである娘には、おじいちゃんおばあちゃんと直接に会えない期間が18か月もあったのだが、このような「すぐに話をしたい」という願いはすぐに叶えられる。タッチスクリーンの上で指を動かすと、地球の裏側まで電話がかかり、私の母が応答した。母は、孫が初めてハイハイし、覚えたての言葉をしゃべる姿をスマートフォンのスクリーン上でカラーかつリアルタイムで目にすることができた。困難な時期であってもこれだけ容易に連絡を取り合えたことを改めて考えると、ここに至るまでの長い道のりに感服するだけでなく、言葉にできないほどの感謝の念を抱かずにはいられない。

私の家族3世代を見るだけでも、テクノロジーは劇的な変化を遂げてきた。その一つひとつが私たちの生活とともに社会全体を大きく変えた。愛する人たちとの連絡手段が増え、ニュースの即時性が上がり、働き方や余暇の楽しみ方も変わった。ビデオ通話は電報とかけ離れているように思えるが、近代的な通信手段はすべて、ある地点から別の離れた場所へほとんど一瞬のうちに信号を送るという技術に基づいている。そしてその中心をなすのが「磁石」である。

磁石は魔法のようだ。磁石から放たれる磁場は見えたりはしないが実在し、広範囲かつ長い距離にかけて影響力を持つことができる。その科学は複雑で何千年にもわたって解明されなかった。それどころか、磁気、特に電磁気はまだ完全には研究し尽くされてはいないと、多くの物理学者は言うだろう。しかし、ある程度の理解をすれば実務的な機構を作り出すことはできる。人類は磁石の魔法を応用し、それまでは考えられなかったほど遠く離れた他の装置に力を及ぼし、相互作用させる機械を生み出した。

これまで私たちが見てきた発明と異なり、磁石もしくは磁力を発する物体は宇宙の本質そのものに存在している。私もあなたも磁石である（とてもとても弱い磁力なので冷蔵庫に急に引っ付いてしまうことはないから心配しないでほしい）。物質における最小の構成要素である原子には磁気がある。また私たちが生きるこの惑星は巨大な磁石だ。車輪や釘やバネとは異なり、磁石は発明されたというより、人類に発見されたのだ。発明ではないものの本書で扱うに値するのは、自然が生み出した磁石をより役立つように発展させたのが人類だからだ。数千年前に私たちの身の回りで見つけた天然の磁石は弱く、手に入れにくいものだった。この磁石は磁鉄鉱からできていた。ロードストーン（天然磁石）として知られる磁鉄鉱は地球内部にある天然鉱物で、鉄と酸素とその他の不純物が混ざっている。磁性素材であるが、自然界に存在する磁鉄鉱のうち磁性があるのはほんのわずかである。なぜなら、特定の不純物の組み合わせという内部要因と、特定の条件下で熱と磁場にさらされるという外部要因の両方が必要だからだ。

この天然の磁石に関する最初の記録は、紀元前6世紀の古代ギリシャにまで遡る。その約２００年後、天然石が鉄を引き寄せる現象について中国人が記述している。さらに４００年後には、彼らはこの素材をジオマンシーと呼ばれる占いの一種に使用し始めた。またさらに１０００年が経って時代が中世へと突入すると、コンパスという形で航海に使われるようになった。宋の時代の航海士は、魚の形を模したロードストーンを水に浮かべて南を指すようにした。この知見はすぐにヨーロッパや中東に広まった。しかし、天然の磁石に関する１０００年以上にもおよぶ知識があった当時でも磁石を複製することはできず、用途も航海のみに限られていた。

磁石は永久磁石と電磁石の2種類に分かれる。永久磁石とは、学校の理科の実験で見たことのあるU字型や棒状のもの、あるいは冷蔵庫に付けて飾るような磁石のことだ。磁石にはN極とS極があり、二つの磁石のS極同士またはN極同士を近づけると、押し返したり反発したりする力が生じる。だが、磁石のN極とS極は互いにくっつく。

磁気の働きを理解するには2000年以上の時間がかかったが、それは原子物理学と材料科学の高度な知見が必要だったからである。ある素材が磁石になるには、多くの粒子がさまざまなスケールで、極めて特殊な振る舞いをしなければならない。原子核の周りを回る電子から考えてみよう。電子はマイナスの電荷を持つだけでなく、物理学者たちが呼ぶところのスピンという性質があり、これが磁気の特性を定義している。異なる方向にスピンを向けることで、いくつかの原子では電子の磁力が完全に打ち消され、非磁性となる。しかし、スピンが打ち消されるような配置の電子もそうでない電子もある場合には、正味(物体に作用するすべての力の合計)の磁力が残って磁性原子になる。

次に、電子のスケールから原子のスケールに拡大して考えてみると、結晶内の原子は当然ランダムに配置されている。つまり、各原子の磁力は互いに打ち消し合っている。しかし物質によっては、ドメインと呼ばれる小さな原子のポケットによって原子がすべて同じ方向の配列となっているため、ドメインに正味の磁性がある。しかし、まだそれらを磁石とは呼べない。というのも、ドメイン自体は通常ランダムに配置されているからだ。

ある物質に正味の磁性を持たせるためには、ドメインの大部分にある原子を強い外部磁場によって、あるいは特定の温度かつ順序で多量の熱を加えることで、強制的に磁気整列させる必要がある。ドメインが揃って同じ方を向けば、磁石が完成する。

磁鉄鉱がどのようにして磁石化するのかについては今日においても議論がおこなわれているくらいなので、人工的に磁石を複製するのは難題だった。鉄、コバルト、ニッケルといった素材は、原子が磁性を持つのに好ましい形で電子が並んでおり、同様にその原子は明確に区切られたドメインに収まっている。私たちの先祖は、そのような金属を混ぜ、色々な組み合わせで加熱したり冷却したりすることで、永久磁石を生成するための最適な方法を見つけ出そうと研究をおこなっていた。彼らは一定の成功は収めたものの、それらの磁石はやや弱く、磁力も長くは保てなかった。

永久磁石の科学的な形での発展は、17世紀にウィリアム・ギルバート博士が磁性材料の実験を概説した『磁石について』を出版したときに始まった。18世紀から19世紀にかけて、鉄や鋼鉄のより洗練された製造方法が考案され、特定の組み合わせではより強力な磁石やより長持ちする磁石ができることがわかった。そして場合によってはその両方が得られることも。しかし、どのような原理が働いているかまではわかっていなかった。19世紀には電磁気学（これについては後述する）の理解も進んだが、強力で長持ちする永久磁石を作れるようになったのは、20世紀になって量子物理学の概念が生まれて原子や電子についての定義や理解が十分に深まってからだった。

永久磁石の材料には金属、セラミック、レアアース鉱物の3種類が使われた。最初の大きな前進は金属であるアルミニウム・ニッケル・コバルトの合金の開発で、この合金を使って「アルニコ」磁石が作られた。しかし、その作り方は複雑なうえにお金がかかった。1940年代には、バリウムやストロンチウムに鉄を加えた小さな球を圧縮してセラミック磁石が作られた。セラミック磁石は費用もかからず、今日の永久磁石の生産量（重量）

の大部分を占めている。三つ目の材料はレアアース磁石で、サマリウム、セリウム、イットリウム、プラセオジムなどの元素をもとにしている。

前世紀の間に、これら3種類の永久磁石はそれまでの200倍も強い磁場を生み出すようになり、効率が上がったことで、永久磁石は現代生活の多くの場面で重要な役割を果たすようになった。例えば自動車には、30種類の機構が100個以上の磁石を使用して搭載されることもある。サーモスタット、ドア・キャッチ、スピーカー、モーター、ブレーキ、ジェネレーター、ボディ・スキャナー、電気回路といった部品のどれを分解しても、永久磁石が見つかる。

しかし、ここまで見てきたように、永久磁石と電磁石の話は絡み合っている。そして約200年前の電磁石の発見以降、人類がそれぞれの仕組みや使い方を知るにつれて、その人気は上がったり下がったりしてきた。ここ数十年における永久磁石の普及は、強度とコンパクトさの向上によるものだけでなく、永久磁石は電磁石とは異なり電源を必要としないという点にもよる。しかし、19世紀から今日にいたるまで、巨大な磁場が必要な際は、電磁石が主流である。必要に応じて磁力を調節したりスイッチを切ったり、磁場を強くしたりできるからだ。

電磁石がこの分野に登場するまでこれほど時間がかかったのは、材料、電気、光、電磁気という不思議な力の科学について理解しなければならなかったためである。材料内にある電子を動かせるようになって初めて、この力を生み出し、変化させ、技術へと応用する方法が分かったのだ。

電磁気は、重力と同じように自然界にある根源的な力の一つである。また、電子のような電荷を持つ粒子の間に起こる物理的相互作用でもある。18世紀後半から19世紀初頭にかけて、アンドレ・マリ・アンペール、マイケル・ファラデーといった科学者たちが電場と磁場についての数多くの理論を発表した。それらは最終的に数学者ジェームズ・クラーク・マクスウェルによってまとめられ、現在は「マクスウェルの方程式」として知られている。こうした研究によって得られた情報が電気モーターの発明につながり、また、これらの方程式がもととなって、電力網、ラジオ、電話、印刷機、エアコン、ハードドライブ、データ記憶装置、さらには高性能の顕微鏡が作られている。

こうした技術進歩の最大の要因は、移動する電荷が磁場を作り出すのに気づいたことである。科学的に複雑になりすぎないように説明すると、電線のコイルに電流が流れると、磁石のように振る舞うことを意味する。電流の強さを変えると、磁石の強さも変わる。逆もまた然りで電線の近くに可変磁場を作ると、電線に電流が流れる。こうした科学的発見に続いて、電子のような電荷が磁場内を（自由に、あるいは電線内を）移動するとき、押される力が発生することが実験で証明された。

電磁力について研究を続けることで、電磁波という現象の定義に辿り着く。電場と磁場の相互作用によって流れる力の波が、電磁波だと考えてほしい。光を電磁波（これについては後ほど詳しく説明する）として定量化できたことで、光に対する理解は何倍にも深まった。そして可視光に加えて、電波（波長が最も長いもの）からガンマ線（波長が最も短いもの）まで電磁波にはあらゆるスペクトルが存在し、これらの波をさまざまな方法で利用できることがわかった。長距離通信技術の基礎となっているのは電磁気と電磁波であり、この技術を使用して、世界中の数え切れない人々が愛する人たちに知らせを届けている。電報を立て続けに送っていた私の叔父のように。

◯

人類は何万年もの間、遠く離れた相手に知らせを素早く送る手段を持っていなかった。誰かとコミュニケーションを取るには、自分自身もしくは手紙を相手まで物理的に移動させる必要があった。使者を走らせるか馬で走らせるという過酷な旅を強いていたが、車輪の登場により少しだけスピードアップすることになる。やがて古代中国や古代エジプト文明では、信号をかなり遠くまで比較的速く送る方法を発見した。一定の間隔で柱を立てて煙の信号を送る、あるいは危険が差し迫ったときには大きな太鼓を叩く人を配置することで、暗号化されたメッセージを送るというのがその一例である。こうした伝達手段は、腕木通信と呼ばれる方法へと発展した。腕木通信とは、二つの望遠鏡を載せたいくつもの高い塔による通信網で、望遠鏡はそれぞれの側から最も近い塔の方を向いていた。ある塔にいるオペレーターが、旗を特定の位置や角度に掲げることで言語として発信をおこない、それが隣接する塔の望遠鏡で観測され、また次の塔へと伝えられた。緊急時には役立つとはいえ、距離、メッセージを送ることができる人の割合、また実際に送れるメッセージの内容も限られていたことから、非常に限定的なシステムであったと言える。国を超えた通信が数時間あるいは数分でできるという可能性が現実のものになったのは、電気と磁気がより深く理解されて電信の発明につながったこの200年間のことである。

電信で情報を送れるようになったことで、私たちの生活のあり方は一変した。商人たちは1時間ごとの価格を把握できるようになったので、貿易のリスクや変動が少なくなった。鉄道においては蒸気機関の運行状況をアラートで送信することで、鉄道網を安全に運用できるようになった。今日のような形でのニュース報道も可能になった。最新の情勢を知るために何日も何週間も待つ必要がなくなったのだ。今のジャーナリストは、遠距離にいる相手に速報を届けることができる。こうした通信技術は人々を結びつけ、遠く離れた家族や友人と連絡を取り合うことを可能にした。しかし、通信が容易になることで、「服従させること」も容易になった。植民地主義者たちは、自分たちの植民地により目を光らせることができるようになったのである。

叔父からの知らせを届けた電信システムは、大英帝国に起源を持つ。インドは長距離通信の方法について、地理的に大きな課題があった。ヨーロッパとは異なり、地形は山やジャングルから沼地や橋のない川までさまざまで、大きな鳥や猿がいるうえに雷雨もあり、ヨーロッパの技術者にとっては難題だった。最初は腕木通信に基づいた視覚システムが

１８１８年インド東部で、約７００キロ離れているカルカッタ（コルカタ）とチュナール間の迅速な通信のために完成した。

１８３９年には、医師でもあり、化学者、発明家でもあったウィリアム・ブルック・オショーネッシーという29歳の英国人が、カルカッタに実験的な電信線を敷設した。垂直に立てた複数の竹竿に鉄線を張り巡らせ、その一端に電信線の送信機と受信機をまとめて置くことで実験をしやすくした。過去数十年の間に電気に関する実験や電池の発明がおこなわれていたおかげで、ケーブルに電流を流すことは問題ではなかった。問題は、この電流をどのように言語に変換するかであった。

オショーネッシーは、１８３０年代に独自のシステムを設計していた英国人（ウィリアム・クックやチャールズ・ホイートストン）や米国人技術者（サミュエル・モールスなど）とは独立して活動していた。彼の初期の設計の一つに、時計のような装置を二つ使ってメッセージを送るというものがある。送信側と受信側の両方が同じ「時計」を持ち、文字盤には数字ではなく文字が書かれていた（クロノメーターを使うことも考えたが、購入して自分の実験にあわせて改造するには高価すぎると判断した）。

時計の針が特定の文字を指しているときに送信側が電流のパルスを送信し、受信側の手に物理的な刺激を与え、受信者はその瞬間に時計を見て、針が指している文字をメモするというのがその設計の要旨であった。この刺激の感覚について、オショーネッシーは１８３９年の実験記録で、「まったくもって耐え難い」といったものから「強いが不快ではない感覚」、「鈍いノコギリで手のひらを軽く引いたような感覚」まで、さまざまに表現している。オショーネッシーは、「目と耳は注意散漫になりやすい」が、「触覚は常に繊細で注意深い」と述べて、自分の仕組みの正当性を主張した。

(刺激を伴った実験を続けてきた彼の助手にとっては)幸運なことに、電磁気学の研究は次第に進んでいった。1820年にはデンマークの物理学者ハンス・クリスティアン・エルステッドが、電流の流れる電線の近くにコンパスを置くと、コンパスの磁針が少し回転し、異なる方向を指すことを理論化した。オショーネッシーはこの原理を利用し、電磁石を用いてさまざまな設計を試みた。

彼は、素材やサイズの異なるさまざまな電線を使って信号がどれだけ速く伝わるかを記録し、またコイル状にした電線のまわりのさまざまな位置に針を置いてみた。このようにして彼が辿り着いたのが、コイルに電流を流して磁場を発生させ、電流の流れる方向によって針を右または左に振らせるというシステムだった。彼はこれらの偏差を「右側のうなり(ビート)」または「左側のうなり」と呼び、アルファベットの各文字を一連のうなりで定義した。つまり、右側のうなり1回でA、右側のうなり2回でBと続き、最後のZは左側のうなり4回、右側のうなり4回である。

電気で送信されるメッセージを磁石によって解読する電信の構想を実証したことで、オショーネッシーはインドを横断するシステムという野望に近づいた。ダルハウジー総督は、彼が東インド会社の厄介な官僚主義を回避できるように手助けをして、1850年代初頭にはルートが承認された。1852年、オショーネッシーの弟子であるセブチュンダー・ナンディ（電信局の公式記録に登場する最初のインド人）の管理下で、カルカッタ、ダイヤモンド・ハーバー、フーグリー川沿岸のケッジリー間に最初の回線が完成した。ダイヤモンド・ハーバー側からナンディが送った最初の信号は、ダルハウジー総督の立ち会いのもとでオショーネッシーが受信した。その後、ナンディはこの回線の検査官に任命されている。

1853年から1856年の間に、6500キロの回線が建設された。60局を経由するこのルートは、東のカルカッタから北西のアグラに向かい、そこから南に進んで西海岸のムンバイ、さらに半島を横断して東海岸のマドラスまで続いていた。北側にはデリーとパンジャーブを結ぶ支線があった。回線は植民地時代の政治的・軍事的戦略に基づいて設置されたため、重要とされていなかったカルカッタとマドラス間の東海岸沿いの領土は除外された。同じような理由から、建設は2段階に分けて計画された。最初は、地元の反乱を警戒していた帝国軍の通信システムを迅速に確立するため、竹竿による仮設版だった。その後設置された恒久的な支柱は、下端を大きなスクリューのような形にして地面にねじ込み固定した。このシステムを利用したメッセージは政府と軍の通信が中心だったが、1855年からは一般市民も初めて電信を利用できるようになり、当時の1ルピー（現在の約2500ルピーもしくは25ポンド）の料金で最大16語のメッセージを644キロメートル先まで送れるようになった。

このシステムは、1857年に英国軍に入隊したインド人傭兵が英国に対して反乱を起こした第一次独立戦争を通じて、さまざまな混乱を経験することになる。国中の基地に警報を発しようとする英国の試みを妨害するため、革命軍は1500キロ近い回線を破壊し、電信がカバーしない地域を攻めた。しかし、英国は北と南の電信局に緊急事態の警告をギリギリで届けることに成功し、反乱を大部分において抑えて失敗に終わらせた。その後、ネットワークは拡大、改良され、入植者たちのニーズに合わせたルートになり、1万8000キロ近くを網羅するようになった。1860年代の終わりまでにこのシステムはロンドンに到達し、帝国政府による植民地の厳重な管理に役立った。

いまだイギリスの統治下にあった1939年までに、インドには約16万キロの回線が敷かれ、年間1700万通の電報が送られていた。しかし、このシステムは1947年のインド独立後から数十年が経ってピークに達することになる。1985年（私が生まれた2年後）には4万5000の電報局から6000万通の電報が送受信されたが、テクノロジーの発展がそこで止まることはなく、携帯電話技術やインターネットの発達は、やがてサービスの終了につながった。インドにおける最後の電報は2013年7月14日に送られた。

私の家族のうち少なくとも3世代は電報を使っていた。現在はほとんど時代遅れになってしまったが、長距離高速通信の物語においては転換点だった。この物語は、磁石を使って電気パルスを書き言葉に変換するという思い付きに端を発している。ここから学べるのは、権力を持つ者がその権力を保持するために、驚異的な科学の進歩を悪用して権力を持たない者たちを抑圧しうるということだ。

叔母のラタは大学で同じバンドに所属していたヴィジャイという男性と出会った。ラタはリードボーカル、ヴィジャイはタブラーを演奏していた。二人は一緒に音楽を練習することで医学部での勉強によるストレスを解消するとともに、ロマンスを育んだ。卒業後すぐに結婚した二人は医者としてのキャリアを築くために、1970年にインドからアメリカへ移住することを決意した。

ヴィジャイは外科医として修行中、救急治療室の当直で何度となく眠れない夜を過ごし、ラタは病院の消化器科で毎日遅くまで働いた。若いカップルにとって、家族や幼なじみのいない土地での生活は過酷で孤独だった。家族の中ではじめて学位を取得して見知らぬ土地で生活を始めた彼らは、愛する人々との連絡を強く望んでいた。だが、それは簡単なことではなかった。ラタは月に1度、コネチカット州ニューヘイブンの電話交換局に電話をかけ、ムンバイへの長距離通話を5ドルで予約し、オペレーターに実家の電話番号を伝えた。24時間後、ニューヘイブンの交換局からラタに日時の連絡が入った。

ラタは3分の通話時間の料金しか支払わなかった。電話を予約するのに5ドルも使ったのに加えて、さらにその3分に15ドルも払わなければならず、合計するとかなりの金額になった（現在の140ドル程度）。電話交換機のパチパチと鳴る電線を伝って彼女がかけた最初の数回は、彼女の両親と兄弟（私の父を含む）の声はわずかに聞こえるだけだった。

全員が受話器に向かって「もしもし」と大声で叫んでいた。互いの声はほとんど聞こえないまま、電話は時間になると突然に切れた。結局、彼らは「もしもし」や「元気?」といった定型的な文言を禁止し、重要な近況報告を素早くできるようにした。この世代は、より詳細な内容を家族に伝える場合は、祖父と叔母が2週間ごとに交わしていたような長く叙情的な手紙にまだ頼っていた。

手紙が機能したのは、大陸を越えて物理的に紙片を輸送する手段があったからだ。同じくらいの距離で音を転送するのは、そう簡単ではなかった。なぜなら音は振動だからだ。私たちが声を出すとき、声帯の筋肉の間を空気が通過し、筋肉を震わせる。このことにより振動の波を作り出し、それが空気中を通って鼓膜まで届く。そして今度は鼓膜が振動し、脳がその信号を解釈することで、私たちはその声を聞くことができる。しかし、振動は伝播するにつれてエネルギーを失っていくため(池に投げ込まれた小石の波紋がやがては消えていくように)、私たちの声はある程度の距離までしか届かない。

この距離を延ばすには、二つの空き缶を糸でつないで簡易的な電話を作るといい。二人がそれぞれ空き缶を手に取り、糸の長さ分だけ遠ざかれば、お互いの声が空き缶を伝わって聞こえるようになる。話し手が缶に振動を与えると、この振動がぴんと張った糸を通って二つ目の缶に伝わり、缶が振動して音を発する。糸はかなり効率的に、振動のエネルギーをあまり失うことなく伝えるが、このような装置は距離や実用性において限界がある。

電信はこうした制約を突破していたが、声を直接届けることはできず、何らかの記号を用いて行われた。通信を次のレベルに引き上げるためには、糸電話と電信の技術を融合させる必要があった。

磁石を使って電流のパルスを針の動きに変換する電信機は、エンジニアたちに大いに刺激を与えた。1870年代には、もしも電流が磁石に動きを作り出せたとして、そして当時の電信機と違ってこの動きを1秒間に何百回、何千回も起こすことができれば、振動が生まれるだろうという仮説が立てられた。この動き、つまり振動によって音を生み出すことができるのだ。

初期の電話にはさまざまなデザインがあったが、一つ共通点があった。磁石と電線のコイルを一緒に使って相互作用を生み出していたことである。電流と磁場は互いに深く関係しており、電流が変化すると磁場が変化し、磁場が変化すると電流も変化する。最初に電話の特許を取得した（その数時間後には他の発明家が特許を申請していたが）アメリカの発明家アレクサンダー・グラハム・ベルは、磁石とコイルのさまざまな配置を実験して電話機を作り上げた。

母も妻も耳が聞こえなかったベルの生涯にわたる目標は、耳の聞こえない人々に話し方を教えることだった。ケイティ・ブースは著書『奇跡の発明』の中で、ベルは当初、電話ではなく、音声の振動をろう者にも見える視覚的なものに変換する機械を作ろうとしていたと説明している。だが、彼の業績に対するろう者のコミュニティの評価はまちまちである。というのも、彼は手話を排除した学校教育の実現のために奮闘し、「優生学」という言葉が生まれたその年に、ろう者同士の結婚に反対する手記を発表したからだ。彼は、ろう者がろう者の子どもを持つことに危惧の念を抱いており、その結果、人類全員がろう者になってしまうかもしれないと考えていた。ブースによれば、これは非常に複雑な話だという。というのも、ベルは自分が正しい行いをしていると信じていたものの、ろう者に話すことを教え、手話を根絶するという彼の表裏一体の目標は、今日でもろう者教育に悪影響を及ぼしているからだ。

皮肉なことだが、結局のところベルが作った装置は、ろう者が使えないものだった。彼が初期に設計したものには、長い棒状の永久磁石を、木のブロック上に据えた2本の木の脚で支えたものがあった。磁石の端には細い電線でできたコイルを取り付けた。そのすぐ先には、コイルとの間にわずかな隙間を空けて薄い鉄の円盤が垂直に、別の木の脚に固定された。鉄の円盤は磁性材料でできているため、鉄の円盤と棒磁石の間には磁場が形成された。鉄の円盤（振動板）の近くにある受話器が音波を前後に伝達した。そして全く同じ構造の装置がもう一つあり、電線でその二つを接続していた。

ベルが作った電話は、受話器（この場合は送話口、「話す側」の役割）の前で話した声が振動となって振動板へ送られ、声の高さと大きさが再現されるという仕組みだった。振動板が前後に動いて振動することで、棒磁石との間の磁場を急激に変化させた。この磁場の急速な変化が、コイルに急激な電流の変化を発生させ、それが電線を通って二つ目の装置に流れる。こちらの装置では逆のことが起きた。つまり、最初の装置と同じ可変電流がコイ

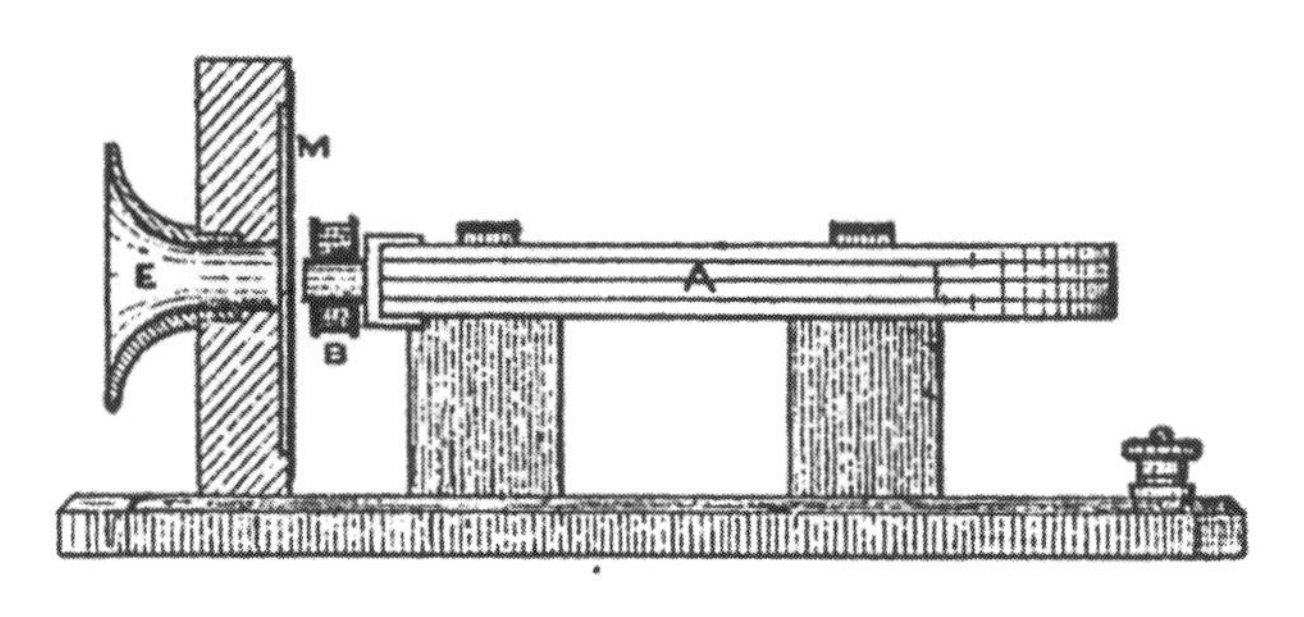

アレクサンダー・グラハム・ベルの電話の一例

A：棒状の永久磁石、B：小さなコイル、M：薄い鉄の円盤、E：受話器

参照：『電話マニュアル』ウィリアム・ヘンリー・プリース FRS、アーサー・J・スタッブス、ウィッテイカー出版（1893年発行）

ルで再現され、それが変化する磁界を発生させ、振動板を前後に動かし、送話口で声を拾ったのと全く同じように振動させた（振動のエネルギーが自然に失われる分、少しだけ弱い）。二つ目の装置側にいる人は、受話器（ここでは受話口、「聞く側」の役割）に耳を当て、振動板からの弱くなった振動を聞く。このようにして、相手の言っていることを（ほぼ）聞き取ることができた。

1877年2月12日、米国マサチューセッツ州セイラムにあるライシーアム・ホールで、ベルはこの装置の改良版を使って、約26キロ離れたボストンにいる助手のトーマス・ワトソンに電話をかけた。ベルは、ワトソンに準備ができたことを知らせるために、この装置の振動板を叩く小型のサンパー（ワトソンが考案した呼び鈴）を鳴らし、助手もそれに応じた。そしてベルは電話機に近づき、「ワトソンさん、聞こえますか？」と言った。

しばらくの間、回線からはパチパチという音しか聞こえなかったが、やがて「はい、聞こえます」というワトソンの返答が聴衆に聞こえた。回線の音割れが再びあったが、その後、ワトソンはセイラムにいる聴衆のために一曲歌わせてほしいと申し出た。

実演が終わると、セイラム側にいた記者は電話を使ってボストンの同僚にその夜の出来事を口述して伝えた。こうして、史上初めて行われた長距離通話の様子は、電話を使って新聞社に届けられ、「電話を通じて『声』で届いた初の新聞記事」という見出しで翌朝に掲載された。

これは通信技術の飛躍的な向上だったが、電話機にはまだ改善点があった。ベルが開発した装置は、受話器が送信機と受信機の両方を兼ねていたため、話しかけた後は相手の返答を聞くために耳を当てなければならず、不便だった。受信機で音を電流に変換するのも課題で、解決するには装置に電力供給する巨大なバッテリーが必要だった。この問題が解決されたのは、約50年後の1926年、アメリカのベル研究所のジェームス・ウェストとゲルハルト・セスラーが、エレクトレットマイクと呼ばれる物を発明してからである（人種差別がはびこって黒人男性の活躍の場が非常に限られていたにもかかわらず、根気強いウェストは幸運なことに科学者になる夢を追求することができた）。

装置自体の問題に加えて、異なる装置の接続に関しても課題があった。電話機は2台1組で動作し（たとえば自宅とオフィスのように）、それぞれお互いにしか電話できなかった。仮に、自宅からの電話を他の3か所に接続しようとすれば、それぞれ目的の場所に1台ずつ、合計3回線を用意する必要がある。これは当然の帰結だが、もし誰もが3か所の通話先を、ましてやそれ以上を望んだとしたら、回線が複雑に絡み合ってしまうことは想像に難くない。これを解決するためには、別の仕組みが必要だった。

私の叔母がムンバイまでの電話をかけていたニューヘイブンは、電話回線の集合地点としての役割を果たす、商業用の電話交換局が世界で初めて設置された場所だった（1970年代にその場所は取り壊されたので、彼女が使っていたのはそれ以降に建てられた交換局だった）。当初、ニューヘイブンにあった交換所では、21人の契約加入者がそれぞれの会社や家から交換所まで回線を引き、そこに設置された交換台（キャリッジボルト、ティーポットの蓋の取っ手、ワイヤーで組み立てられたそうだ）により、互いに接続できるようになっていた。月額1・5ドルで、電話をかける人は電話機のクランク（磁石を電線のコイルに対して回転させて電流を発生させる機構）を回して電話をかける意思を交換局に知らせ、交換手に番号を告げる。交換手はジャック（ヘッドホンの端に付いているような部分）を実際に差し込んで二つの回線を物理的につないで回路を完成させる。通話が終わると、クランクで再びベルを鳴らして交換手に知らせた。叔母の場合はムンバイに電話をかけるために、複数の交換台に接続してもらう必要があった。叔母の回線と祖父母の回線の両方を直接つなぐ交換台がインドにはなかったので、叔母はニューヘイブンに、私の祖父母はムンバイにまずつないだ。そして、その間にはニューヨークとロンドンの交換台を経由する必要があった。だからこそ、電話をかける日時を決めるのに24時間もかかったのだ。通話ができるのは、一連の回線（トランクと呼ばれることもある）すべての準備が整ってからであった。

電話の所有者が比較的少なかった頃は、交換台に手動でジャックを抜き差しする交換手（たいていは女性で、「ハロー・ガールズ」と呼ばれていた）を雇えば、実務的には十分だった。しかし、電話を使う人の数が爆発的に増えるにつれて、彼女たちの負担は大きくなっていった。彼女たちの手際の良さや優れた対応力をもってしても、枠が空くのを電話口で待つ人が後を絶たなかった。

電話交換の自動化は、実は腹いせから生まれた発明であり、その物語はある葬儀屋から始まる。1880年代、アルモン・ストローガーは米国カンザス州エルドラドで唯一の葬儀屋だったと言われている。しかし、間もなく別の業者がやってくると、ストローガーは自分の仕事が激減したことに気づいた。後に判明したのだが、新しくやってきた葬儀屋の妻が電話交換局で働いており、彼女はストローガーへ電話をかけようとしている人々を、自分の夫の事務所へつなげていたのだった。苛立った彼は、どうすれば「交換手も嘘つきもいない、故障も待ち時間も無い」交換機を作れるか考えた。

1892年、ストローガーは自動交換機の特許を取得し、不正を働きかねない交換手を磁石に取り替えた。同時に、彼はダイヤル式電話機を作った。各番号の上に穴の開いたダイヤルが付いた、あのレトロで魅力的な電話機である。例えば電話番号38を呼び出す場合は、電話機の3の穴に指を入れてダイヤルを回す。ダイヤルが回転して元の位置に戻ると同時に（ありがとう、バネ）、三つの電気パルスが回線に送られた。8のダイヤルを回すと、

(No Model.) 3 Sheets—Sheet 3.

A. B. STROWGER.

AUTOMATIC TELEPHONE EXCHANGE.

No. 447,918. Patented Mar. 10, 1891.

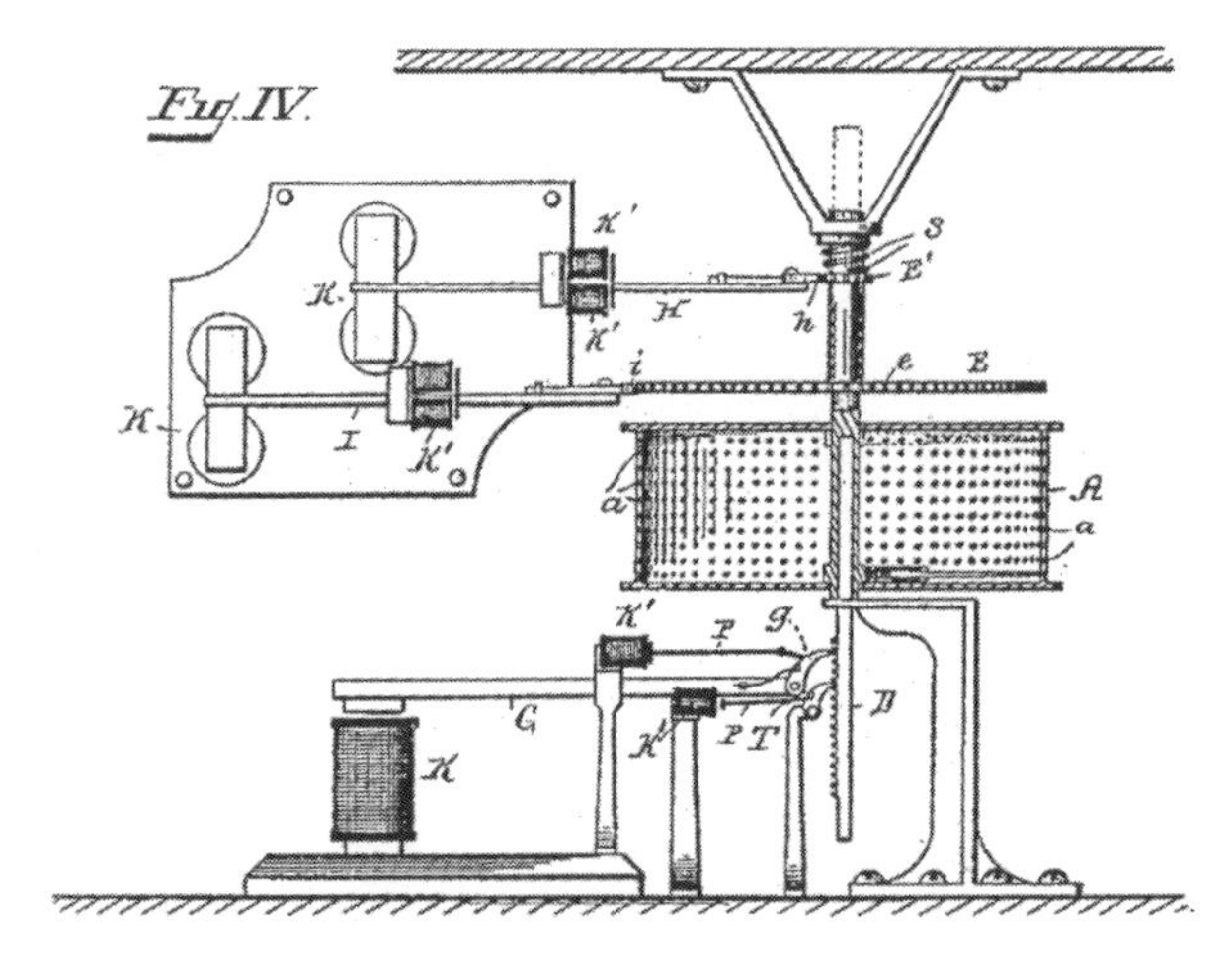

A.B. ストローガー

自動電話交換機　No. 447, 918.　特許取得日1891年3月10日

K及びK'の電磁石を示す図（ストローガーの特許より）

八つのパルスが送られた。

ストローガーの自動交換機は円筒形で、非磁性材料のケースの中に金属製のリングが10個並んで収められていた。各リングの内側には電線が取り付けられた10個の突起部があり、これらはそれぞれ誰かの電話回線を表していた。円筒の中心には棒があり、その下部には歯、上部には歯車、そしてアームが付いていた。一組の電磁石とつながるレバーが、歯と噛み合うことで棒自体を下部で垂直に固定し、別の2本のレバー（これもそれぞれ一組の磁石とつながっている）が上部の歯車と噛み合っていた。

電話機から最初の三つのパルスが届くと、下部の電磁石がこれらのパルスを振動に変え、レバーが棒を3段押し上げ、アームが3つ目のリングに接触する。次に送られた八つのパルスは、最上部の磁石に信号を送り、円筒を回転させ、アームがリングの8番目の突起部に接触するようにした。これで接続が完了し、ようやく「もともと電話をかけようとしていた葬儀屋」と話をすることができる。

操作する人間を必要とする電話交換機は大規模な女性雇用を生み出した初期の仕事であったが、ひとたび自動化されると交換手の女性たちは他の選択肢を探すことを迫られて、専業主婦に戻る者もいた。そして皮肉なことに、ストローガーも職業を変えることとなった。葬儀屋としての生業を守るために努力した結果、彼は葬儀屋を辞めて新しい発明品を大量生産することにした。家族や友人とともにストローガー自動電話交換機会社を設立し、1892年にインディアナ州ラポートに最初の実用システムを設置した。

ストローガーの設計は円筒の数を増やすことで拡張し、接続可能な回線を増やすことができたものの、このシステムには可動部品が多くて広いスペースが必要だった。1940年代にトランジスタの登場によって電子機器の新しい世界が広がると、ストローガーの交換機はデジタルシステムに取って代わられ、それがさらに携帯電話への道を開いた。今でこそ叔母のラタとヴィジャイはこの新しいテクノロジーを使っているが、結婚当初は、音を電気に、また電気を音に変換する磁石を頼りに家族の声を聞いていたのである。

◯

私の母親であるリネットはいろいろな場所で生活したことがある。ロンドンで生まれ、インドのジャールカンド州ギリーディーに移り住んだ。10代で大学進学のためにムンバイに出ると、そこでニューヨーク州北部で働くエンジニアのヘムを紹介され、結婚後の1978年にニューヨークへ移住した。ポップ・カルチャーを熱心に追いかけていた彼女は、ムンバイの学生寮に白黒テレビしかないことが分かったときにはひどく落胆したほどだ。アメリカでは到着するとすぐに自宅用にカラーテレビを購入してゲーム番組『ホイール・オブ・フォーチュン』（男性ナレーターが出場者のための賞品を声高に列挙し、それに続いて観客が一斉に番組名を叫ぶオープニングがあった）のエピソードをいくつも観た。

このオープニングと、『ジェシカおばさんの事件簿』シリーズの冒頭を飾る陽気なピアノの音楽で、就寝直前にリビングの隅に立っていた幼い頃の記憶が蘇る。母は、私をベッドに連れて行く前にこうしたイントロ部分だけは聴かせてくれたのだ。昼間は、マドンナが踊る80年代のヒット曲やシャミ・カプールが庭で跳ねながら新しい恋の相手にセレナーデを送るビデオを観ていた。

昔のテレビは、私の肩幅ほどの大きさだった。スイッチを入れると水平な線が点滅して1秒ほどかかって起動した後、画面に映像が映し出された。テレビにかなり近寄ると（本当はしない方が良いことなのだが）、赤、緑、青の点がたくさん見えた。曲面ガラスのスクリーンがあり、その背面は出っ張っており、細長い通気口のついた黒いプラスチックの筐体に包まれていた。幼い私は知らなかったが、この黒いプラスチックの裏側には強力な電磁石が仕込まれていたのだ。

テレビは世界中の日常生活をすっかり変えてしまった。その進化には、世界中の多くの国と人々によって開発されたたくさんの技術が関わっている。最も初期のテレビは、この複雑なイノベーションの連鎖なしには存在し得なかったが、ここではある一人の先駆者に絞って話をしよう。彼があまり知られていないのは、初期の設計で特許を取らなかったこと、欧米の発明家たちとはほとんど関わりなく仕事をしたこと、そして彼の研究や記録の多くが第二次世界大戦で焼失したからである。しかし、母国の日本では彼は「テレビの父」と考えられている。

高柳健次郎は１８９９年に浜松市で生まれた。91歳でこの世を去るまでに彼は文化勲章た。

を受章した。これほどの偉業を成し遂げた人物であるが、実は危うく進学を逃しかけていた。

高柳の父親は事業に失敗し、息子を中学校に進学させる余裕がなかった。そのため、「未来のテレビの父」は働かざるを得なかった。しかし、家族の家の障子窓を美しい書をしたためた習字の紙で補修したところ、それがある学校の校長の目に留まった。この校長と、子どものいない伯母が甥の面倒を見ることを決めてくれたおかげで、彼は学校、そして工業大学に行くことができ、1924年には浜松高等工業学校（現在の静岡大学工学部）の教員となり、電気技師や技術者となる生徒を育成した。

高柳は情熱家だった。ラジオに夢中だった彼は、色々なホテルの入り口に立って外国人観光客を呼び止めてはラジオ開発に関する最新の情報について尋ねることで知られていた。彼が1924年に思い描いたのは、家族が一台の機械の前に集まり、つまみを調節すると目の前のスクリーンに帝国劇場での華麗なダンスが現れるというものだった。高柳はこの彼が呼ぶところの「無線遠視法」の実現を目指した。

高柳は、校長を説得してわずかながらも研究費を工面し、それが尽きると妻の持参金を使ったようだ。高柳は、ほとんど一人で研究を進め、1926年12月25日、ある部屋のカメラから別の部屋のスクリーンにカタカナの「イ」の画像を転送することに成功した。ブラウン管を使用した世界初の電子式テレビだったが、彼は特許を申請しなかった。（これは、テレビの発明者だとよく考えられているフィロ・ファーンズワースがカリフォルニア州サンフランシスコでテレビシステムの特許を申請する約2週間前のことであった。)

初期のテレビは主に送信機と受信機で構成されていた。送信機の役割はビデオカメラのように一連の画像を撮影し、それらを送信可能な信号に変換することだった。受信機はこの信号を受信し、刻々と変わる一連の画像に変換して映像を作り出した。高柳はこの両方の構成要素を電子化することを目指していたが、1926年に開発したテレビでは実現できなかった。受信機は電子式だったが、送信機が機械式だったのである。彼はこれらの開発を進めて両方に磁石を組み込むことで、当時において最高のテレビ映像を作り出すことに成功した。

機械式送信機の品質には限界があり、その理由について考えると、私はディワリ(インドのお祭り)に花火で遊んでいた頃のことを思い出す。好きだったことの一つは、腕を素早く動かして花火で空中に円を描くことだった。そこには一点の光があるだけなのに円が見えるのは、目と脳は高速で動く光の点を処理するのが苦手で、代わりにその軌跡を私たちに見せているからだ。テレビはこの原理に基づいて設計されたが、技術者たちは円を描くように光を素早く動かす代わりに、ラスターと呼ばれるパターンを使った。

このパターンはたとえば光の点が長方形の右上隅から始まり、左側へ一直線に、長方形を素早く横切って左端へ移動し、そこから右端(しかし今回は一段下)にジャンプして戻るときに作られる(90年代以前に子ども時代を過ごした方であれば、初期のプリンターが同じようなことをしていたのを思い出すだろう)。これを素早く繰り返し、光が長方形の高さを完全にカバーしたら、再び右上から始めると、長方形が光でいっぱいになったような錯覚を作り出すことができる。さらに、画面上を行ったり来たりする光の強さを変えれば、明暗のパターンを作り出すことができる。やり方を工夫すれば、これらが合体して一つの画像、もしくは瞬間ごとに微妙に異なる画像群を作り出すことができる。こうして映像ができあがる。

高柳が最初のテレビに使った機械式の機構はニプコー円板だった。この円板は、中心に向かって螺旋状に開けられた一連の小さな穴によってラスターパターンを作り出した。彼は円板を垂直に置き、その後ろにトランスミッターを配置し、明るい可変光を放った。円板が回転すると、高速で回っている穴から光のパルスが現れた。円板の端に近い穴に光が差し込むと、スクリーン上部に線を「描き」、穴が円板の中心に近づくにつれてスクリーン下部に徐々に移動した。こうして、彼は40本の線（走査線という）からなるラスターパターンを作り上げた。1927年までに、彼は解像度を走査線数100本まで向上させ、これは1931年まで他の追随を許さなかった。

私が80年代に見ていたようなテレビの走査線数は通常480本で、1秒間に30〜60回リフレッシュ（更新）していた。高柳による初期のテレビと私の子ども時代のテレビの違いは、磁石だった。ちらつきのない鮮明な画像を作るには、より高速で高密度のラスターパターン、つまり非常に高い周波数によって生まれるより多くの光の線が必要だった。しかし、円板の1秒間当たりの回転数には限界があり、大きくすると扱いにくくて維持も難しかった。

1929年、高柳はブラウン管（または陰極線管）の装置に大幅な改良を施した。幅が均一だったガラス管を漏斗型に変え、先端が広がった方をスクリーンとして使用した。このスクリーンは薬品でコーティングされており、電子（光と同じく他の力が作用しなければ直線的に進む）が当たると光るようになっていた。狭い方の端には電子銃と呼ばれる、電子流を放出する電線が配置された。

この仕組みではスクリーン中央に光の点が見えるだけで、その明るさは、電子の持つエネルギーと電子がガラス管の中を他の力の干渉を受けずに移動できるかどうかに左右された。高柳はスクリーンに当たる電子のエネルギーを10倍に増やすことに成功した。他の空気やガスの粒子が電子ビームに干渉するのを防ぐため、管内の空気をできる限り取り除いた。さらに重要なことは、彼はそこに電磁石を加え、磁場が電子ビームに力を及ぼし、ビームを高速で移動させてラスターパターンを作り出すように配置した。こうすることで、円板の回転速度に縛られることなく、コイルに流れる電流を変化させるだけで磁場を瞬時に変化させることができた。こうして、彼は明るく鮮明な画像を作ることに成功し、1936年に全電子式テレビシステムを完成させた。1939年5月には、走査線441本、1秒間に25フレームの映像を実現し、日本初のテレビ放送を整備した。

80年代に私が使っていたようなブラウン管のカラーテレビは、3本の電子ビームが蛍光スクリーンに当たると、赤、緑、青の3色を作り出した（子どもの頃の私がテレビに近寄って見ていたものだ）。3色の電子ビームが同じ強さで重ね合わさると、白い点になった。それ

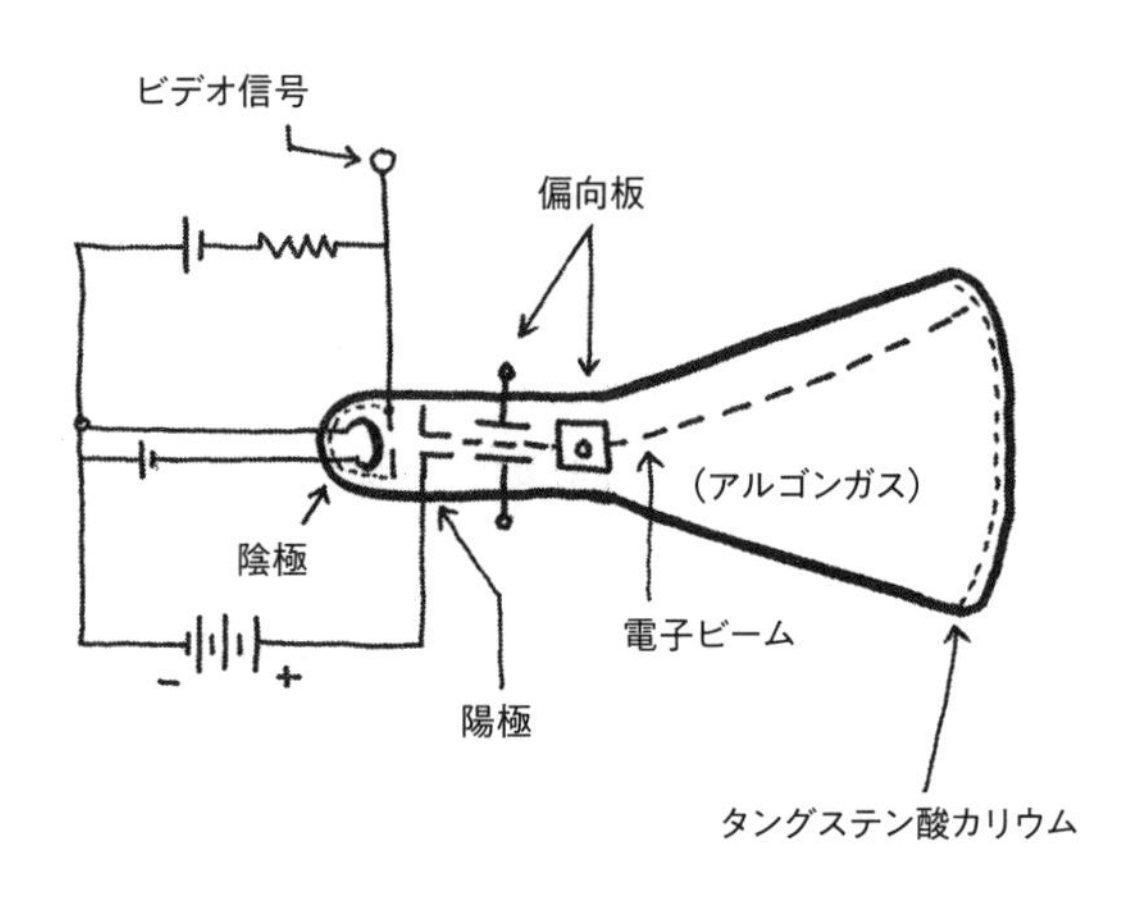

高柳が採用してテレビ開発に使用したブラウン管

ぞれのビームの強さを変化させると、パレット上で絵の具を混ぜるように、スクリーン上に異なる色が現れた。このタイプのテレビは、重量の関係からスクリーンのサイズに限界があった。スクリーンを大きくしようとすればするほど、ブラウン管は大きくなり、内部の真空の圧力に耐えるためにガラスを厚くする必要があった。そのため、今日の私たちが見ている大型のスクリーンには、別の技術が必要だった。

私たちが普段使っている薄型テレビは、映像を生み出すのに直接は磁石を必要としないが、その開発には磁石が不可欠だった。LED（発光ダイオード）テレビには何千個もの小さな発光体があり、原子内を電子が僅かにジャンプをすることで少しのエネルギーで動作する。赤と緑のLEDは1960年代から存在していたが、白い画素を作るには青も必要だった。技術者たちが苦労したのは、青色発光を実現するために、電子をさらに微小にジャンプさせることだった。1990年代、日本の物理学者チームが材料の特殊な結晶を作ることに成功し、この偉大な技術を発明した。

しかし、青色LEDの大量生産は依然として難題であった。というのも、この材料は不具合が非常に生じやすかったからである。そしてこの欠陥を見つけるには、磁石により0・1ナノメートル（100億分の1メートル）まで拡大できる最先端の電子顕微鏡を使う必要があった。この研究により、明るくエネルギー効率の高い新世代の白色電球とカラースクリーンが実現した。LED電球は地域的な太陽光発電で十分に効率的かつ安価に動作するため、電力網を利用できない15億人以上の人々の役に立つ可能性を秘めており、世界を変える効果が期待されている。

私が最初にメールアドレスを作ったのは1998年頃のことである。roma_millenium@hotmail.comというアドレスで、そう、「millennium」のスペルを間違えていた。15歳だった私は、CPUに電話線を差し込んでダイヤルアップ接続でインターネットにアクセスし、ブラウン管のディスプレイ画面でウェブページを見ていた。家庭用インターネットの黎明期で、メールが読み込まれるまで27分も待たされたこともあった（結局すべてスパムメールだった）。

今日、私たちが生きている高速グローバルコミュニケーションの世界は、（すでに説明した技術に加えて）大容量データストレージユニット、光速でデータ転送する光ケーブル、地上から上空の衛星まで飛び交う無線信号などに依存している。

無線技術は、電磁波の一種である電波に依存している。私たちの目には見えないが、電波は私たちの身の回りにあり、スマートフォンやＷｉ－Ｆｉ、人工衛星にデータのパケットを送っている。この技術における初期の先駆者のひとりが、インドの科学者ジャガディッシュ・チャンドラ・ボースである。

ボースの研究は一つの分野、あるいは一つの学問にとどまることはなかった。ＳＦの執筆や植物学の研究（彼は植物の成長を測定するクレスコグラフを発明した）に加え、無線マイクロ波光学の研究もおこなった。早くも１８９５年には、電磁波が遠くまで効果的に伝わることを実証している。彼が開いた公開講演会には州の副知事も参加し、送信機のスイッチを入れて電磁波を発生させた。電磁波は講演会場から隣の部屋と通路を通り抜け、22メートほど離れた三番目の部屋まで届いたのだ。波動は3枚の壁と副知事の体を通り抜け、設置してあった受信機に届いた。受信と同時にベルが鳴り、ピストルが発射され、少量の爆薬が爆発した（怪我人はいなかった）。ボースの送信機と受信機は、いずれも6メートルのポールの先端にある金属の円板に取り付けられており、そのポールがアンテナの役割を果たしていた。

物理学者のパトリック・ゲデスが自身の伝記の中で書いたことによると、ボースはヒンズー教の礼拝に供えられる白い花に影響を受けており、自分の人生において何かを捧げる際には個人的な利益を考慮しないと決めていたそうだ。彼は「コヒーラ」と呼ばれる装置を発明し、電磁信号を受信して解釈するという難題を解決したが、設計を秘密にせず、特許も取らなかった。その装置がなければ、グリエルモ・マルコーニが長距離無線システムを発明することはなかった。マルコーニはその研究成果によってよく知られた存在であるが、ボースも同等の評価に値するはずである。なぜなら電磁波を使って情報を移動させるという彼の研究がなければ、今日、私たちがデータを送受信するのに使用している電話はなかったのだから。

世界を変えたもう一つの通信技術、インターネットを利用する際に接続するワールド・ワイド・ウェブが発明されたのは、欧州原子核研究機構（CERN）のオフィスだ。この組織では世界中の科学者が働いているため、ティム・バーナーズ＝リー卿は、チーム全員が簡単かつ迅速にアクセスできる、より効果的なデータ共有方法を作りたいと考えていた。なお、私も10代の物理オタク時代からCERNに魅了されてきたが、その理由は別のものだった。私が虜になっていたのは、大型ハドロン衝突型加速器（LHC）だった。

世界最大の粒子加速器であるLHCは、フランスとスイスの地下にリング状に広がる外周27キロの巨大なトンネルである。科学者たちは、原子を構成する微粒子を研究し、これらの微粒子のビーム同士を強力に衝突させることで、物質と宇宙の起源を調査している。

これらの粒子は電荷を持っているため、磁場からの力を受ける。9593個の電磁石を使い、荷電粒子を2本のビームにしてトンネルの周囲をそれぞれ逆方向に移動させる。磁石の強度を段階的に上げることで、粒子は光速に極めて近い速度に達する。それから、衝突を起こすために軌道の微調整が行われる。このような高速かつ高エネルギーの粒子間相互作用が私たちの起源に関する根源的な問いに答えてくれることを、研究者たちは期待している。

この粒子の軌道のように、私たちは磁性の理解について一巡したようだ。地球上に存在する磁気を発見し、それを自分たちでも作り出し、そして電磁石を発明して、私たちの存在についてより深く知るために利用する。その原理を解明するのに時間がかかったものの、今ではディスク、メモリーチップ、インターネットポート、洗濯機、電話、ラジオ、時計、メーターなど、磁石は私たちの家庭に何百個も存在するようになった。しかし、新しい磁石の研究や開発は終わってはいない。2022年、佐川眞人博士は、世界最強の永久磁石の発見、開発、商業化により、エリザベス女王工学賞を受賞した。

焼結（レアアース材料を組み合わせて加熱し、緻密化すること）と呼ばれる特殊な製造技術を、鉄とネオジウムにホウ素を加えたもの（Nd-Fe-B）に用いることで、佐川博士は、一般的に手に入る従来の磁石の最高性能をほぼ倍増させることに成功した。佐川博士の研究により永久磁石のサイズと磁力がさらに一段階引き上げられ、ロボット工学、家庭用電化製品、携帯電話のスピーカー、電気モーター（電気自動車を含む）、風力タービン用発電機などですでに利用されている。磁石の魔法は、環境により優しい未来へと私たちを導いてくれる希望である。

5

LENS

レンズ

小さな生命への
まなざし

レンズ

親愛なるザリアへ

　ある意味、私はラッキーだった。あなたが私の体に入ってくる前にその姿を見ることができたから。たった150個の細胞からできたグレーの小さな粒ほどの大きさで、お医者さんが印刷してくれた拡大画像には、粗いけれどしっかり映っていた。本当に、生まれてきてくれてありがとう。私の体にはうまく機能していない部分があって、現代の医学に頼らないとあなたを産むことができなかった。だから不運だとも感じているわ、とても。そもそも、そんな不具合がどうして私にあったの？　あなたを授かることが、なぜ、あんなにも難しいことだったの？

　何か月も夫婦でトライしてみたけどダメで、何か問題がないかどうかをお医者さんに診てもらった。血液、尿、無痛スキャンというシンプルなものから始まった検査の結果は、すべて異常なし。もっと時間をかけて調べてみたけれど、何もわからなかった。結局、病院で腹部の臓器検査をすることになって、異常な子宮組織がないかどうか、そして卵子が卵巣から卵管を通って適切に移動できるかを調べた。

　麻酔が効いて意識を失っている間に、外科医は私のへその内側と左腹部の2箇所に切れ込みを入れて、そこから細い黒のチューブを慎重に挿入した。光ファイバーケーブルという光信号の伝達に使用する特別なケーブルの束で、先端にある小型カメラとライトで体内をスクリーンに映し出す。私の体を手術で大きく切らなくてもこのカメラを使うことで、体内の様子を見ることができたわけ。次に、外科医はプラスチックのチューブを私の膣に通し入れて、そこに液体を送り込みながらX線装置に映る子宮の画像を見ていた。幸いなことに、私の臓器はいたって健康できれいだった。異常な組織や子宮内膜症は見つからなかった。でも、膣から送り込んだ液体は子宮の中で詰まっていた。卵管は塞がっていたの。麻酔のせいでまだほんやりしながら外科医の話を聞いていたら、淡々と「体外受精を紹介しますね」だって。息ができなかった。

　それからパパと二人で数えきれないくらいの診察を受けに行き、スキャンや検査をしてもらった。そして私の最初の本が出版されてから約1週間後のある日、最初の治療サイクルがついに始まった。2週間ほど錠剤をのんだ後、今のあなたの部屋にパパと二人で座って、注射器とホルモンの入った小瓶をじっと見つめていた。「この針で自分の体を刺すなんて、どうやって喜んで受け入れろというの？」ってことしか考えられなかった。でもやったわ、何百回も。卵巣内で複数の卵子を同時に成熟させるために。ホルモンレベルを調節して子宮の内膜を厚くするために。そして、血液をサラサラにするために——妊娠の確率を上げるといわれてるから。

数週間が経って、またクリニックに行った。長い針とカメラとスクリーンを使って採卵をするために。卵巣の中のいくつかの卵胞から卵胞液を吸引するの。卵胞はブドウ一粒ほどの大きさで、この中に卵子が育っていることを願う。パパの精液も採取して、この日は家に帰った。あとは私たちにできるのは待つことだけ。

私が家で(少なくとも身体的な負担からは)回復している間、科学者たちはラボの中で命の芽吹きのために細心の注意を払って働いていた。医療用の青い作業着に身を包み頭にはキャップをした胚培養士が、高性能な顕微鏡を覗き込みながら私たちの細胞を観察して授精させる。二つの細胞からできた小さな受精卵を、子宮を模したゼリーのなかで保管して栄養を与えながら分割を進める。それぞれの細胞がきちんと育っているか、あるいは育っていないかを毎日、毎日、確かめながら。ラボでは10個の受精卵が作られて、そのうち8個がうまく成長した。ザリア、あなたはこのなかにいたのよ。でも、私は治療の影響で体調を崩してしまったから、胚移植をするにはそこから1か月かかった。クリニックでは最も状態の良い受精卵(つまりあなたのお兄ちゃんかお姉ちゃん候補)を選んでくれて、私の体の中に戻したけれど、うまくいかなかった。

あの小さな細胞のかたまりがどんな子どもになったのかはわからないし、これからもそれは同じ。でも、あなたは離れなかった。私の子宮内膜にしっかりくっついて育ってくれた。そのうち小さな心臓もできて、超音波検査を繰り返していたある日、白黒スクリーンにあなたの鼓動を見つけたの。お医者さんがあなたの画像を撮ろうとしているときに、もぞもぞと動いているのも見たわ。ずっと不安で仕方なかった9か月を経て、ようやくあなたはこの世界に生まれてきてくれた。パパはその瞬間を逃さずに写真を撮ってくれたのよ。へその緒で私とつながったままで血が滴り、苦しげにぎゅっと目をつぶったあなたは、大きな声で泣いていた。たったいま引きずり込まれたこの騒々しくて眩しい世界に。そして今、人生はあっという間ね。記憶は曖昧で薄れていくから、大切な瞬間をいつも写真に収めようとしてる。あなたといると、まるで時間が歪んでいるみたいに感じるの。

ザリア、生まれてきてくれてありがとう。あなたと対面できるまでの道のりは困難続きだった。生まれてからも、特に世界的なパンデミックのせいで、とても、とても大変だった。でも、こうした困難の中にあっても私は希望やインスピレーションや感動を感じることができた。あなたと、そして、あなたをこの世に送り出してくれたすべての人たちのおかげで。パパやママ、おじいちゃんやおばあちゃんたちのことだけじゃない。あなたの受精卵を作った胚培養士さんや、その胚を私の体に移植したお医者さん。あなたがお腹の中で安全に健康に育っているかを診てくれた助産師や看護師や医療アドバイザーのひとたちだけでもない。私が言ってるのは、あなたの物語に関わるすべての科学と工学にこれまで携わってきた、数え切れないほどの人たちのこと。そして何ということでしょう、あなたの誕生の背景にある科学と工学はとても複雑なの。ザリア、あなたのママは物理学を勉強したエンジニア。だから、こうしたことをあなたに伝えるのは必然ね（あなたがこういう話を好きなのも知ってる)。大切なことを教えるわ。あなたの誕生には、一見シンプルな、「レンズ」と呼ばれている小さな曲面のガラス片が欠かせなかった。このお話をあなたに贈ります。

心より愛を込めて
ママ

◯

ワンダーウーマンには真実の投げ縄、オコエにはヴィブラニウム製の槍、シーラには加護の剣……。こうした秘密兵器がスーパーヒーローに特別な能力を与えるように、レンズは私たち人間にとてつもない力をもたらす。曲面ガラス(もしくは光を通す他の素材)により、私たちは光を操り、本来の視力を超えて物を見ることができる。レンズのおかげで多くの人の視力が矯正され、はっきりと物を見ることができる。しかし、レンズにできることはそれだけではない。レンズのおかげで、微細な一つひとつの細胞の中、深海のように簡単にはアクセスできない場所、遠く離れた巨大な銀河といったところまで見ることができる。宇宙の起源を調査したり胚を作ったりといった、信じられないようなことも可能になった。ただ、レンズの詳細を説明する前にまずは物理オタク的な話をさせてもらおう。

レンズと光は切っても切れない関係にあるからだ。

長い間、光という存在は謎に包まれていた。古代エジプト人は、太陽神ラーが目を開けると光が放たれ、その目が閉じた時に暗くなると信じていた。古代インド人は、光は超高速で移動する微小な粒子からなり、それが放射状に広がっていくと仮定した。古代ギリシャ人は人間の視覚についていくつもの説を唱えた。物体が見えるのは、対象と私たちの目の間にある空気中に、その対象のイメージが刻まれているからとか、物体から私たちの目に粒子が流れ込んでくるから（他の粒子が空間を埋めるので物体は収縮しない）とか、私たちの目から発する光線が物体に触れているからなど。最後の説は、もちろん間違っているにもかかわらず、千年もの間支持され続けた。

光に対する認識は間違っていたものの、私たちの祖先は曲面ガラスの持つ可能性に気づいていた。現在のイラク北部にあたるアッシリアのとある宮殿で、ヴィクトリア時代の考古学者が小さな円形の水晶を発見した。片面は平らで、もう一方がわずかに湾曲するように丁寧に磨かれていた。紀元前7世紀のものでアッシリアの水晶レンズ（ニムルドのレンズ）として知られており、初期の拡大鏡であったとする説もある。紀元前424年に古代ギリシャのアリストパネスが書いた戯曲『雲』には、太陽の光を一点に集めて熱源にする「バーニンググラス」についての記載があり、その数百年後にはローマ帝国の大プリニウスもこの装置について言及している。

古代ギリシャ人たちは、光がどのように鏡で反射し、レンズで曲がるのかという基本的な法則については理解していた。しかし、そもそも光とは何か、私たちの目はどのように機能しているかを科学的に完璧に把握していなければ、触れられそうなくらい近くに月面を見ることも、赤ちゃんができることを願って細胞を注入することも想像すらできなかったであろう。それから約千年、光学（光のふるまいを研究する学問）の分野においては、的を射ない間違った理論が信じられていた。しかし11世紀になると、世界最高の知性を持ち、光学の父と呼ばれるアラブの博学者イブン・アル＝ハイサム（西洋ではアルハーゼン）が画期的な成果を挙げる。

イブン・アル＝ハイサムはイラク南部のバスラで965年に生まれた。良質な教育を受けた彼は、数学と科学の分野で優れた才能を示し、その天才ぶりが知れ渡るようになった。洪水と干ばつに悩まされるエジプトにおいてナイル川の治水のため大規模ダムの設計図を作成すると、この構想がカリフ（最高権威者）であったアル・ハーキム（985〜1021年）の目に留まり、アスワンでのダム建設に招かれた。しかし、ほどなくしてこの大事業の重圧に耐えられなくなった彼は、カリフの期待を裏切る結果に命の危険を感じたのか、狂気を装うようになった。その結果、彼は精神病棟に入れられ、アル・ハーキムが謎の失踪の末に死亡したとされるまでの10年間、そこに留まることとなった。

しかしながら、長い幽閉により十分な時間を研究に充てることができたため、解放されるとすぐに多くの成果を発表した。古代ギリシャの学説に反論するために、彼は単純な理論を用いて視覚のしくみを正しく説明することについに成功した。仮に物を見るために目から光線が発せられているとしたら、その物体から光線が目に返ってこなければならない。しかしもしそうであれば、そもそも光線は目から生み出される必要があるだろうか？　彼は光源からの光が物体を照らし、それが目に届くことを証明した。暗い部屋で行った彼の実験では、部屋の外から二つのランタンの光を小さな穴から投射し、室内に二つの光の点を作った。片方の光を隠すと、対応する光の点は消えてしまう。この実験を通じ、彼はカメラ・オブスクラのしくみを説明し、さらにその像がなぜ反転しているのか（後述する）を数学的に説明してみせた。

イブン・アル＝ハイサムの光学に関する研究は、さまざまな理由で画期的なものだった。彼は初めて、光は視覚から「独立した」存在であることを正しく指摘した。私たちにとっては当たり前のことに思えるが、当時の人々は目があるからこそ目の前の視界が瞬時に生まれると信じており、自然界に光が独立して存在すると考えるのは異様なことだった。イブン・アル＝ハイサムは、光には有限の速度があり、その速度は光が通過する物質ごとに異なるとした。ご存じのとおり、レンズを通る光が曲がるのはそのためである（ただし、この現象が起きる「理由」についての彼の解釈は誤っていた）。また、光は光線となって直線上を進み、他の光線と交差しても経路が変化することはないとも述べている。またレンズの結像に関する科学的な研究も初めて行った。像は大抵の場合ぼけており、後述するように、顕微鏡には不向きである。つまり、イブン・アル＝ハイサムは、光線という存在を「見る」という生理学的な行為から切り離し、光とレンズのしくみを数学的、科学的に説明するモデルを作ることに成功したのだ。彼が築いた基礎をもとに、700年後に著作を発表したニュートンをはじめとする後の科学者たちが、光の研究をさらに押し進め、さらには眼鏡や顕微鏡、望遠鏡やカメラなどを開発することとなる。（もう一つ興味深いつながりがある。物理学者のジム・アル＝カリーリによると、14世紀にイタリア語に翻訳されたイブン・アル＝ハイサムの遠近法に関する議論がもととなり、ルネサンスの芸術家たちは作品に3次元的な奥行きを生み出すことができたという。）

1017年に完成した全7巻もの『光学の書』には、イブン・アル＝ハイサムの光学理論の多くが収められている。この本は光学的見地にとどまらない極めて重要な著作でもある。自然現象を観察して仮説を立て、実験を通じて実証し、批判的に過去の研究を検証し、結果を分析するという、今日の科学的アプローチの基礎を築いた。彼が信仰するイスラム教では知識の探求を説いており、その教えにあるイフティバル（実験）とムフタビル（実験者）という深い意味を持つ言葉を礎に、彼は世界に対する理解を深めていった。この後世まで影響を与える著作が生まれたのは、先人が作り上げたあらゆる理論に疑問を投げかけ、実験で検証し続けたからである。彼はこう書き残している。「科学的文書を検証する者の務めは、もし真実に辿り着くことが目的であれば、読む物すべての敵となることである」

その後の何世紀にもわたって、科学者たちの研究はイブン・アル＝ハイサムの築いた基礎の上に発展した。現在、光の存在については複雑な理論がある。光は波からできているという説、光は光子と呼ばれる小さな粒子からできているという説、そしてその両方という説。ここでは便宜上、光は波であるという説を使って説明していく。これは、電場や磁場が振動することで光の波が空間を移動し、エネルギーを運ぶという考えである（前章で触れたように、この二つの場は関連している）。

障害物のない真空中を光が進むとき、外部の電場や磁場から影響を受けることは（ほとんど）ない。しかし、物質を通過するときには光の電場は物質内の電場から影響を受けブレーキがかかる。そして光の速度が低下して進行方向が変わるのだが、この光の曲がり方を屈折と呼ぶ。

長方形のガラスブロックに細いビームライトを当てると、光はガラスに入るときに減速して曲がる。そして再び空気中に出るときに加速して元の角度に戻る。曲面のあるレンズの場合には、光はもっとおもしろい動きになる。ビームライトにも幅があり、隣合う光線であっても曲面の異なる場所に当たるため、入射角や屈折の仕方がそれぞれ異なる。長方形のブロックのように入射時と平行な光線が反対側から出てくるのではなく、曲率が変化することでビームの形も変化する。凸レンズは両面が外に膨らんでいるので、ビームは一点に集中する。凹レンズの場合は内側に湾曲しているため、ビームは広がって出ていく。つまりレンズ面は、光を操ることで見たいものを見ることができるように設計されているのだ。

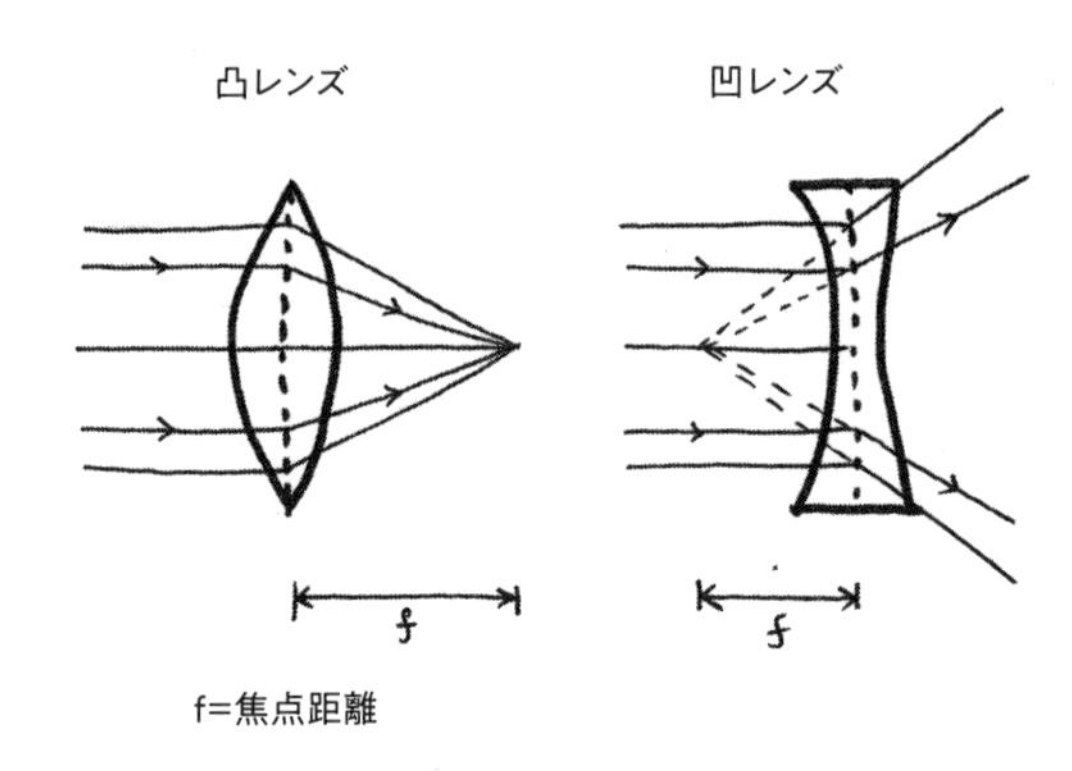

凸レンズと凹レンズを通る光線

レンズを通じて見え方が変わるのは、私たちの目（と脳）が画像をどのように解釈しているのかということに関係している。虫眼鏡でアリを見ると、地面からの光とアリは平行な光線としてレンズに届き、そこで屈折、収束し、私たちの目に映る。しかしそこで私たちの目と脳は光学的な錯覚を起こす。収束した光線をあたかも曲がっていないかのように、実際のアリよりも遠くに、大きく見える虚像を作り出すのだ。光線が目の奥の一点に収束していないとアリがぼやけて見えるので、ピントが合うように虫眼鏡を前後に動かすことになる。

つまり、特定の目的に合わせてレンズを作るには、レンズを通して光線がどのように曲がるかを把握していなければならない。眼鏡屋で段々と小さくなる文字を読み上げながらさまざまなレンズを試すように、それぞれの目の形状に応じて、目の奥つまり網膜に光が焦点を結ぶように曲がるレ

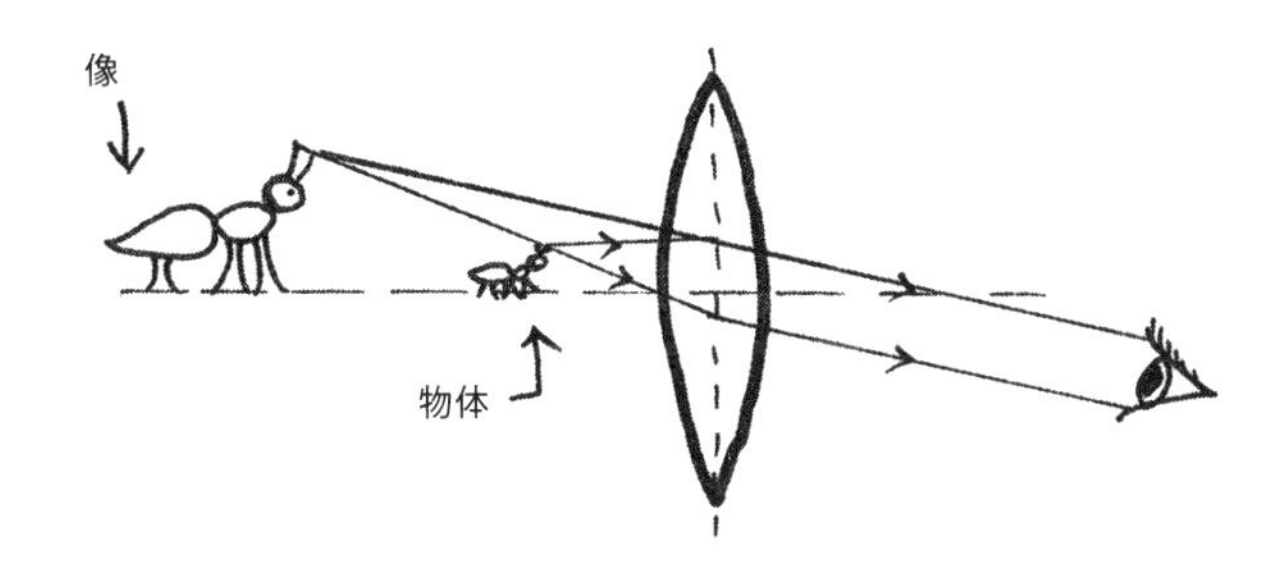

虫眼鏡が像を作り出す様子

ンズを探し出しているのだ。レンズの中での光の振る舞いは入射角と素材自体の特性に関係している。イスラム黄金時代における科学分野には、イブン・アル＝ハイサム以前に活躍したイブン・サールという科学者がいた。彼は984年頃に著した『発火のための道具』という本で、鏡やレンズで太陽の光を一点に集め、熱を生み出す方法について述べている。この現象はアリストファネスや大プリニウスによって観察されていたが、レンズをこのように使用する本格的な数学的研究としてはこれが初めてのことだった。磁石や多くの発見と同様に、レンズの振る舞いに関する知識や使い方は、その理論的な解明よりもはるかに先を行っていた。それから600年以上経った1621年に、オランダの天文学者ヴィレブロルト・スネルが媒質間における光の屈折率の公式（スネルの法則としても知られる）を導き出すことになる。だがイブン・サールは、任意の入射角と物質中において、光の屈折を正しく予測する幾何学的な公式をすでに考案していた。しかし、彼の研究が注目を浴びるのは、1990

年代にエジプトの歴史家ロシュディ・ラシェッドが、ダマスカスとテヘランでそれぞれ発見された彼の手記をつなぎ合わせてからである。

イスラム帝国において、光学は科学的には大きく発展をしたが、その実用化については集光レンズや単純な拡大鏡にとどまった。それから数世紀後にはイスラム科学の黄金時代が中近東で勢いを失いはじめ、西洋では暗黒時代にようやく光が差し始めていた。ヨーロッパのルネサンス思想家たちは、中世の研究を基に、レンズの持つ力を真に活用するようになった。

その時代の顕微鏡と聞いて思い浮かべるのは、調整可能なアームに取り付けられた金色のチューブを覗き込むカツラ姿の男たちや、細いシリンダー、入り組んだネジ、土台に固定された観察用プレートを備えたピカピカの真鍮製の装置だろう。しかし実際には、もっと粗末な装置によって新しい世界が明らかになったのである。

ロバート・フックは、バネの章で紹介した博学者である。彼は1665年に著書『顕微鏡図譜：微小体の顕微鏡図譜とその学問的記述について』を出版したことで知られる。フックは身近な物体を拡大して丹念に描き込むことに没頭した。美しい陰影のついたノミの白黒スケッチは有名である。この本の序文には、彼が使用していた単純な形状の顕微鏡（コンパクトで、手に持つことができ、手で研磨したレンズがついている）についての記述がある。彼の本に影響を受け、自らも観察を志した人物がいる。オランダに店を構えていたその人物は教育をほとんど受けていなかったが、のちに人間がそれまで見たことのなかった多くのものを見ることとなる。

1654年、22歳のときに織物商として開業したアントニ・レーウェンフックがその人物である。ひとりでいることを好んで物事に没頭するタイプであり、自然界に魅せられていたものの、生地の取引や政府関連の仕事のためにデルフトにとどまっていた。彼の教養は高いとは言えなかった。とはいえ、当時の他の科学者や哲学者と比べるという話だが、彼はラテン語も話すことができなかったのだ。レーウェンフックは、あるときシンプルな拡大鏡を作った。糸の本数を調べて布の品質を確認するためである。その後、レンズを使って何かをすることはほとんどなかったが、40歳になって自然研究のために顕微鏡を自ら作り始める。彼はその後50年間で500近くの単式顕微鏡を製作したが、レンズの成形方法についてはとても秘密主義だった。

私は彼の顕微鏡を見たことがある。ロンドン科学博物館に保存されているそれは、精巧に作られ装飾を施されたルネサンス時代の顕微鏡とは似ても似つかなかった。平らな長方形の真鍮板をリベットで固定し、その上に長いネジを取り付けてあり、一見しただけでは顕微鏡というより、鍵の機構のようなものにしか見えない。しかし、薄い板の間には一つ穴が開いており、そこにレンズが収まっている。レーウェンフックの顕微鏡は小型で、ガラス球を研磨したレンズの幅はわずか1ミリ、金属板は4〜5センチほどだった。垂直プレートの下端（写真の右側）にはL字型ブラケットがついており、その水平（写真内の向きでは垂直）な脚の部分を通って長いネジが伸びており、上部（写真の左側）は金属ブロック

レーウェンフックの顕微鏡

で固定されている。レーウェンフックは観察物を小さなガラス瓶に入れ、接着剤や蠟を使って大きなネジ上部に取り付けると、さらに数本のネジで位置を微調整した。顕微鏡を持って目に近づけると、手作りのレンズの中を覗き込むことができた。彼が作ったレンズには驚くことに２６６倍の拡大率のものもあった。16世紀後半にオランダのハンス・ヤンセンとサハリヤス・ヤンセン父子によって発明された二つのレンズを用いた複式顕微鏡は、最大でも10倍までしか拡大できなかったことを踏まえるとその違いがわかるだろう。これは、レンズの品質的な限界と、レンズの効果が引き起こすぼやけ（イブン・アル＝ハイサムが最初に研究しはじめた）によるものである。

レーウェンフックはこの顕微鏡により、17世紀で最も驚くべき発見のいくつかをなしとげた。１６７４年、彼は螺旋状に巻かれた美しい緑色の筋、小さな緑色の球体、様々な色にきらめく小さな鱗を持つ「微小生物」を観察したことを感嘆の思いで書き残している。今日では原生動物、繊毛虫、藻類と呼ばれる微生物である。また、彼は針で指を刺し、赤血球を観察することに初めて成功した。その後には細菌も発見している。前年の冬に病気にかかったせいで一時的に味覚を失っていたレーウェンフックは、検査によって、舌に毛羽立った層を見つけた。このことをきっかけに、彼は顕微鏡で牛の舌を見ることにし、現在は味蕾として知られる部分を観察した。そして、この小さな突起がコショウやショウガのような強力な味とどのように相互作用するのかを不思議に思い、スパイスの抽出液を調べた。彼は何千もの小さなウナギのような生物を見て衝撃を受けたに違いない。それが実は細菌だったのである。これは人類にとって偉大な発見だった。こうした細菌によって多くの病気が引き起こされることを科学者たちが解明するまでに約200年かかったわけだが、彼の研究がなければ、抗生物質で複数の疾患を治療して多くの命を救うことはできなかったのだ。レーウェンフックが（私の娘である）ザリアの誕生にも関わる発見をしたのは、彼が自身の体からの分泌物を研究したときだった。レーウェンフックがロンドン王立学会に宛てた数十通の手紙はいつも色彩豊かで描写力に富んでいたが、1677年の報告はいつになくまごついたものだった。有識者に不快感や不信感を与えることを懸念したからだろう。その手紙において、自分たちの夫婦の営み後に自然と残されたものから検体を採取しており、自分に罪深い汚点はないことを明確にした。採取した検体、そして多数の動物からの検体の中に、彼は小さな生き物を見つけた。その大きさは、百万匹いても砂粒に満たないほど小さかった。丸みのある形状で、頭部は角張っていないが、後部は尖ってウナギのように動くための細い尾があった。彼は精子を発見していたのである。

すべてのメスの動物には卵子があるという1670年代半ばに登場した説と合わせても、赤ちゃんができる仕組みを人類がようやく理解するまでは、驚くことにさらに200年も要した。私にとってどうも納得できないのは、19世紀までにあらゆる科学と工学は大きな進歩をしたにもかかわらず、新しい生命を生み出すのは卵子（卵子派）か精子（精子派）のどちらかだけによるものと信じられていたことである（精子と卵子が何らかの形で関わる必要があることは受け入れられていたが）。そして1875年、ドイツの生物学者オスカー・ヘルトヴィッヒは、何時間にも及ぶ顕微鏡での観察を重ねた末、ウニの1個の精子が卵子の中に入り、細胞分裂を起こすのを目撃した。受精の瞬間である。赤ちゃんができる仕組みはこのとき完全に理解され、解明されたのである。

しかし1900年代初頭になっても、医師たちは排卵周期の詳細についてはよく知らなかった。私たちにもなじみがあるモノクロ画像で胎児を映し出す近代的な超音波スキャン装置がなかったこの時代、医師たちはいつ卵巣から卵子が排出されるか予測できなかった。卵子と精子が受精するのはどこか、細胞分裂を繰り返して胚になるまでにどれくらいの時間がかかるのか、その胚がどこに着床するかについてもほとんどわかっていなかった。臨床医ジョン・ロックとハーバード大学の病理学者アーサー・ハーティグは、1930年代から20年近く米国で共同研究を行い、ヒト胚の初期段階における成長を追跡する画期的な研究成果を上げた。同時にロックは、体外もしくは人工的な環境でヒト胚を作る研究に取り組むために、科学者ミリアム・メンキンを雇った。こういった研究は、1878年にサミュエル・レオポルト・シェンクが行ったウサギとモルモットの卵子の人工的な受精に関する報告や、1890年にウォルター・ヒープがある品種のウサギから別品種のウサギへ胚を移植することに成功した事例など、長年の先行研究のもとに築かれたものである。

メンキンは生物学の博士号を取得することを望んでいたが、結局は夫の医学部の学費を経済的に支えなければならず、また二人の子どもの面倒も見なければならなかった。彼女は自分の研究を進める代わりに、他の研究者のサポートに回り、ウサギの体外受精に関する経験を活かして、自身の知識と緻密な科学的技術をロックのラボに持ち込んだ。彼女は自分のことをロックの「卵子追跡者」と呼んでいた。というのも、毎週、研究ボランティアの一人が手術を受けている間、彼女は研究室の地下にある手術室の外に立って待ち、卵巣組織が摘出されたとわかると、その中から卵子を探すために階段3階分を駆け上がっていたからだ。それはうんざりするほどに冗長な仕事だった。千人近くの女性から研究に参加する同意を得たが、メンキンが卵子を発見できたのはそのうちわずか47人の検体からだった。しかも、卵子を見つけるのは最初のステップに過ぎなかった。次に彼女を待っていたのは、それを使って受精を行うことである。

こうした骨の折れる作業を6年間毎週欠かさず続けた後、顕微鏡を見ているうちに居眠りをしていたメンキンが目を覚ますと、そこには細胞が二つあった。1944年2月6日のことだった。歯が生えはじめた子どもの世話で前夜遅くまで起きていた彼女は、疲れていたため精子洗浄をいつものように丁寧に行わなかった。また、彼女はより高い濃度の精液を使っており、時間の経過を追い切れなくなったため皿の中の卵子と精子はいつもより長く放置されていたのだ。興奮のうちに同僚へ作業を報告し、受精卵のベストな保存方法について熱く議論しているうちに、彼女はその写真を撮るのを忘れてしまった。しかし、彼女はその年、さらに3個の卵子を受精させることに成功した（そして、今度は慎重に写真に収められた）。

メンキンが使っていた顕微鏡は特に性能が優れているわけではなく、人体の中で最も小さな細胞である精子を35倍に拡大できる程度のものであったが、精子の観察と、人体の中で最も大きな細胞である卵子との相互作用を見るには十分であった。この倍率は、細胞が分裂し、胚の成長が順調に進んでいることを確認するのにも事足りた。彼女の顕微鏡は一般的なものと変わらず、細胞の入った皿を置く台と、それを見下ろす接眼レンズと光源がある。細胞に反射した光は、まず対物レンズに入り、そこから接眼レンズを通して彼女の目に届く。ラボの環境でヒト胚を作ることができると証明した彼女の研究は不妊治療の発展に貢献した。しかし実際の不妊治療では、胚を体外で数日間成長させ、子宮内に戻し、着床を成功させ、流産しないようにしなければならない。このように複雑な科学的プロセスを経る必要があるため、最初の体外受精児であるルイーズ・ブラウンが誕生するまでにさらに34年を要した。

現在、胚を作るために使用されている顕微鏡はメンキンのものよりかなり高性能で複雑なものだ。私たちの妊娠が成功する可能性を最大限に高めるために、胚培養士が提案したのはＩＣＳＩ（卵細胞質内精子注入法）という複雑な方法だった。顕微授精とも呼ばれるこの方法では、たくさんの精子を卵子にふりかけるのではなく、精子細胞1個を卵子に針で注入する。マイクロマニピュレーション（微小の針がついた小さなアームを動かすシステム）という技術により、卵子の入ったチューブと精子を注入する針を人間の手で操作することが可能になった。人間の指ではチューブと針を直接に持つことは到底できない。何しろチューブと針はガラス製で、注射針の太さはわずか０・００５ミリ（卵子を入れるチューブはそれよりわずかに太い）しかないのだから。胚培養士のクリスティアナ・アントニアドゥ・スティリアヌから、彼女がこの仕事を始めてから最初の5年間は息を止めて顕微授精を行なっていたという話を聞いたが、要はそれくらい繊細な作業ということだ。

高い技術力が必要なのはもちろんだが、クリスティアナの作業はまず見ることから始まる。この方法が非常に現代的なのは、卵子を転がしながら立体的に観察する点だ。これは分裂する細胞内で染色体が正しく配置されるように卵子内の小さな構造部分を確認するためである。この構造に針が刺さってしまうと、卵子は死んでしまい、胚も生まれない。これの構造を見るには、卵子を約４００倍に拡大する必要がある。メンキンの顕微鏡の10倍以上の拡大率である。今日の胚培養士が使用しているのは倒立顕微鏡と呼ばれる顕微鏡だ。従来のものでは、反射する光をレンズを通して集めていたため光量が減り、細胞を含む培養液の異なる層を区別することができない。倒立顕微鏡は、観察台の培養液を通過する光がレンズに届くように設計されているため、胚培養士はより鮮明な視界とともにレンズの

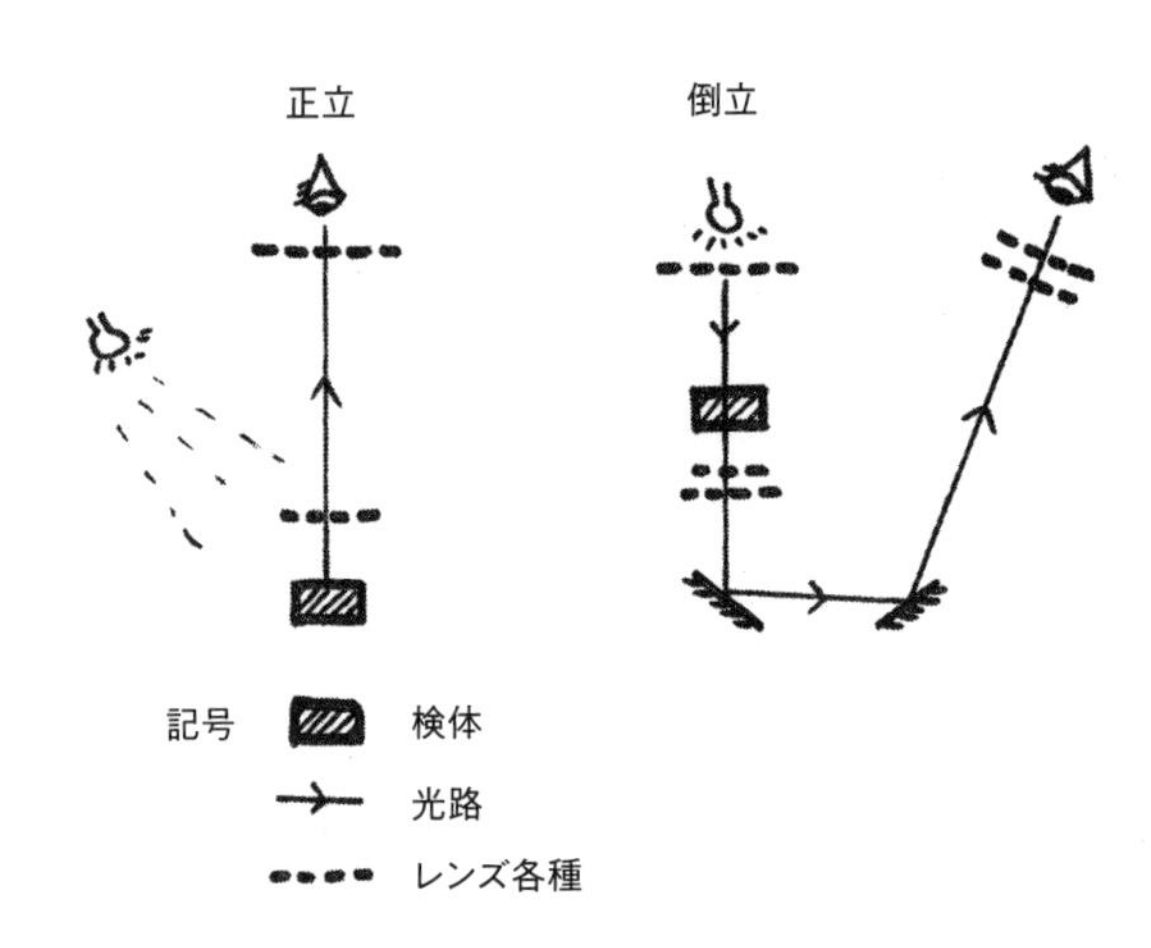

正立顕微鏡と倒立顕微鏡における光の進み方を単純化したスケッチ

焦点距離を変えることができる。したがって、培養液の層を観察できるだけでなく、卵子を球体として捉えられる。顕微授精を実現するための技術（顕微鏡、操作システム、針、顕微授精による胎児の健康を確実なものにする研究）は、1992年に最初の赤ちゃんが生まれてから、ようやく最近になってひと通り揃ったのだ。

私の娘にもつながっている科学と工学の物語は、千年以上の長さに感じると同時に、恐ろしく短くも感じる。治療法や技術の飛躍的な進歩が起きたのは、私が生まれてからのことで、体外受精によって生まれた最高齢者は私よりたった5歳年上の人である。つまり彼らが熟年にさしかかったときに何が起きるかは分かっていない。もしかしたら突然変異して、スーパーヒーローのような力を手に入れるかもしれないし、そうでないかもしれない。

しかし、一つ確かなことがある。光とレンズと精液を科学する複雑な道のりなくしては、ザリアはここにいなかったということだ。

○

レンズは目で見るには小さすぎるミクロの世界を明らかにし、私のような人々に妊娠の可能性を与えてくれた。もちろん、これはほんの一例に過ぎない。顕微鏡は細菌やウイルスの研究を可能にし、それは未来の命を救うことを意味した。一方、望遠鏡のレンズは目で見るには遠すぎるものに焦点を合わせることで、私たちの視界を広げた。地球が平らだと信じていた時代から、地球は想像もつかないほどの空間に広がる何十億もの点の一つに過ぎないと気付くまで、宇宙における自分たちの位置を理解するために人類は長い道のりを歩んできた。

レーウェンフックは、小さな生物をレンズを通して観察するという不朽の功績を残した。新型コロナウイルスによるパンデミックが起きたとき、科学者たちはウイルスの構造をすぐさま解明し、待ち望まれたワクチンの開発に奔走した。これはレンズ無しには成し得なかったことだ。もう一つの深刻な病気であり、私たちの多くが患うがんと闘うためには、とめどなく増殖を続けるがん細胞をできるだけ細かに調べる必要がある。しかし今日では、がん細胞を高倍率で静的に観察するだけでなく、その内部で起こっていることをリアルタイムで追跡できる。ここで細胞に当てる特殊な光こそが、レーザーである。

レーザーとは、Light Amplification by Stimulated Emission of Radiation（放射線の誘導放出による光増）の頭文字をとった名前であり、人工的に作られた純度が極めて高い光線である。とても強力で、金属を切断したり、ダイヤモンドを貫通したりすることができる。

レーザー光線は、より身近な電球や懐中電灯の光とはまったく異なる。これらの光源は白色光（あらゆる色や波長が混ざった光波）を放つが、レーザーの場合は単一波長もしくはごく狭い範囲の波長からなる。懐中電灯からの光は円錐状に広がって消えていくが、レーザーの光線は指向性や収束性に優れ、はるかに長い距離を安定して進む。懐中電灯の光はさまざまな波長が混ざり合っているが（不規則に道を歩く人々のように）、レーザーの波長は同期しているか、一定である（歩みを揃えて行進する兵士のように）。レーザーのもう一つ特殊な点は、懐中電灯から発せられる光の連続波とは対照的に、レーザーは極めて短いパルスを発振できることだ。

レーザーを生み出すのにレンズが必ずしも必要というわけではない。しかし、プリズムやミラーと同様、レーザー放出のための伝送や調節には不可欠であり、装置から出てくる光線の幅、強度、同期レベルが目的に合っていると確認することで、レーザー発光を実用的な道具に仕上げるのだ。

世界で最も高度で強力なレーザーの中には、レンズとミラーを組み合わせた機構によってレーザー放射するものさえある。チタンサファイアレーザーは、高出力の超短レーザーパルスを発生させる。このパルスを発生させるには、チタンサファイア結晶に緑色レーザーを照射し、原子を励起させる。励起された原子は、波長が長く（赤）、エネルギーが強い光のパルスを放出する。ミラー／レンズ装置のペアは、レーザーからの緑色光がそこを通過し、レンズのような効果で結晶上に高密度に集光されるように配置されている。しかし、結晶から放たれる赤色光は、十分に強力な光線になるまでミラー間を往復反射し、その後、主装置に届く。

スタンリー・ボッチウェイ教授は、このようなレーザーの中でも6フェムト秒（1000兆分の6秒）という短いパルスを発生させるものを、顕微鏡に利用して研究を行っている。彼は、細胞内のDNAがさまざまな種類の放射線にさらされたときの損傷具合を調べている。現在、一般的ながんの放射線治療では、がん細胞を殺すため病巣部に高エネルギーのX線を照射する。しかし、問題なのは病巣周囲の正常な細胞も影響を受けるため、ひどい副作用を引き起こすことだ。

彼の研究には、薬剤と一緒にレーザーを用いる光線力学的療法と呼ばれる方法についてのプロジェクトがある。薬物分子は未活性の状態で患者に投与され、がん細胞を探し出す。というのもその分子は酸素の少ない環境を好むように設計されているからだ（病巣部の急速な成長には血管が追いつく間もないため、結果としてその場所には酸素が少なくなる）。薬剤が標的とするのは細胞をつなぎとめるがん細胞の骨格である。そしてチタンサファイアレーザーを慎重に病巣部に当てる。パルスをフェムト秒照射すると、薬剤が活性化し、がん細胞を死滅させる。

周りの正常細胞が薬剤に反応することはほとんどなく、そしてレーザーは病巣部を正確に狙えるため、正常細胞への影響は最低限に抑えられる。これらレーザーの赤色光は、X線よりも深く組織に届く。つまり、この方法は副作用を減らすとともに、深層部の病巣に対してもより効果的なのだ。

覚えておきたいのは、がんやその他の数多くの疾患に関する研究に使用されるＨｅＬａ細胞についてだ。これは、１９５１年に31歳で亡くなった米国の黒人女性、ヘンリエッタ・ラックスから研究のために本人の同意なしに取り出されたがん細胞である。それ以来、培養し複製し続け、今では医学研究に欠かせない細胞株の一つとなった。ジョンズ・ホプキンス病院は50年以上後になってこのことを謝罪したが、彼女の家族が受け取ったのは最低限の補償だった。

科学者たちは、この超短パルスのレーザーを使って、細胞内で起きる生物学的な経過観察も行なっている。疾患により細胞内で起きる相互作用や変化はとても速いため（健康な細胞についても同様であるが）、通常の顕微鏡では見逃してしまう。限りなく短いパルスを細胞に送り、毎秒数十万枚の画像を撮影することで、生命の構造が変化していく様子を見ることができる。

レンズが私たちに新鮮な視点をもたらす方法は他にもある。写真というメディアを通じてだ。写真が収める光景は理論的に言えば私たちの目が捉えられるものだが、実際はそうではない。カメラの本質とはレンズである。もちろん、技術的にはレンズを必要としないカメラもある。画像はレンズ無しのピンホールカメラでも作ることができる。しかし、ここで私がレンズ付きカメラを選んだのは、レンズというものが写真を変えたからだ。そして結果としては社会をも。さまざまな環境下において、シャープで鮮明な写真を追求することで、レンズの設計に大きなイノベーションが起きた。微細なものから巨大なものまで、静止したものから速く動くものまで、近くのものから遠くのものまで、レンズなしでは鮮明に写すことはできない。20世紀に活躍したポートレート写真家の一人である、アルメニア系カナダ人のユーサフ・カーシュは「シャッターを切る前に見て、考えるんだ。心と精神が真のカメラのレンズだ」と言った。写真家の心と精神をカメラのレンズに見立てるというこの素晴らしい比較を通じて、彼はレンズがカメラの魂であると認識していたのだ。

カメラのおかげで、消えゆく歴史的瞬間も保存され、今日の私たちも見ることができる。カメラはこの地球上で手の届かない場所や会うことのできない人々の決定的な写真を私たちに届けてきた。これらの多くによって、社会変動が起き、広がっていった。ジャスティン・ホフマンが撮影した小さなタツノオトシゴの尻尾には水に沈むプラスチックの綿棒が巻き付いており、それは一気に世界を駆け巡るとともに、私たちのゴミが自然に与える壊滅的な影響を明るみにさらけ出した。１９６０年代のベトナムにおけるフォトジャーナリズム、とりわけ有名なニック・ウトが撮ったファン・ティー・キムフック（「ナパーム・ガール」と呼ばれることも多い）の写真は、普通のアメリカ人が生きていた偽りの現実を打ち砕いた。写真は戦争の本当の姿を米国内へと伝え、後の反戦運動へ続く役割を果たした。インド初の女性報道写真家であるホマイ・ヴィアラワラは市井の人々と政治的指導者との間の感動的な瞬間を捉え、1930年代から1940年代にかけての独立運動中にそれらを広く伝えた。彼女の作品は当時を知る貴重な記録となっている。（当初、女性で無名だったことから、彼女は夫の名前で写真を発表しなければならなかった。これは不本意なことだったが、ヴィアラワラはそれを逆手に取った。人々が彼女をジャーナリストとして真剣に見ていなかったため、彼女は「デリケートな場所」で他の人が撮れないような写真を撮ることができたのだ。）さらに言えば、社会変動を起こしたのはレンズの後ろにいた人たちだけではない。元奴隷から奴隷制廃止論者となったフレデリック・ダグラスは、その熱を帯びた演説で知られているが、写真という「芸術の民主性」を意識的に活用して、当時は一般的だった黒人を蔑むという下劣な風刺画に対抗し、代わりに黒人の真の人間性と多様性を伝えた。19世紀中に最も写真に収められたアメリカ人は、アブラハム・リンカーンではなく、ダグラスである。

写真は、人々を啓発し、精神を変える力を持つ民主的な芸術であるかもしれない。だが、その歴史はつねに両義性に満ち溢れてきた。最初の頃、全ての人がレンズの前で平等だったわけではない。ダグラスの肖像写真を正しく撮るには調整が必要だった。初期のカメラは、明るい肌の人々のために、明るい肌の人々が設計したため、黒人の人々はフラットでディティールに欠いて写った。多様な肌の色で構成されるあらゆる人々を実物どおりに表現するには、より多くの光量がレンズを通過し、フィルムに届く必要があった。さらには、カメラは多くの国で使用されたが、それは植民地支配者が被植民者に権力を行使し、自国の人々に彼らが自分たちより劣っている、あるいは未発達だというイメージを共有するためだった。これらの写真を見るととても不快な気持ちになる。例えば、アンダマン諸島の辺境にいる部族の写真では、人々は裸で、彼らを監視する「キーパー」と呼ばれる白人にポーズを取らされている。宗教上あるいはスピリチュアルな理由から顔を覆っている女性や男性は、記録を作成するために、本人の意思に反して顔を晒すことを強制された。レンズは想像以上に多くのものを見る力を私たちに与えた。しかしスーパーヒーローのスパイダーマンも警告されたように、「大いなる力には、大いなる責任が伴う」のである。

カメラ技術と私たちが写真を撮る方法は20世紀に飛躍的な進化をした。今世紀に入ってもその進化はさらに続いている。私が撮ってきた何千枚ものザリアの写真は0と1の情報で構成されるデジタルデータになってどこかのクラウドに保存されている。その数はすでに私が子どもだったときの写真よりも多い。私の写真はフィルムのネガから印画紙に焼き付けられたもので、いま見るとレトロな雰囲気があり、縁が少し擦れていたりやや色あせたりしている。子どもの頃に過ごした家に帰って、当時の写真を見返すのが好きだ。青と赤のチェックのズボンとセーターに赤いサスペンダーを合わせていたりして、昔の自分の服装には目を疑うが……。大学時代の思い出のほとんども印刷物として保存されている。

20代前半にようやくデジカメを買ったが、今はそれよりはるかに高性能なカメラ付きのスマートフォンを持ち歩き、一日に何枚も写真を撮っている。いまや一年間に全世界で1兆4000億枚以上の写真が撮られているという。

カメラの前身である、カメラ・オブスクラには16世紀になるまでレンズは付いていなかった。カメラ・オブスクラがラテン語で意味する通り、まさに「暗い部屋」そのものだった。暗い部屋に入ると、そこには外の景色が像となって現れた。上下左右に反転した像は、壁にある小さな穴を光が通過することで作られる。（イブン・アル＝ハイサムが二つのランプを使った実験もこの方法で行った。）両腕を前に出して手首のところで交差してみて欲しい。この場合、（肩から手首までの）腕と（手首から先の）手が光線であり、手首の位置がピンホールである。腕を交差しているため、右手の指先が左側に、左手の指先は右側になっているだろう。そのままの状態で右肘が左肘の真上に来るように体をひねれば、垂直方向での像の反転も同様で、右手の指先は左手の下に来るのがわかるだろう。

カメラ・オブスクラの難点は、像が暗くて不鮮明なところだ。像を明るくするためには、穴を大きくして光を取り込む必要がある。しかしそうすると、光線は大きくなった穴の周りを自由に交差できてしまうので、鋭い入射点がないと、像はさらにぼやけてしまう。レンズ成形が発達した16世紀のヨーロッパでは、カメラ・オブスクラの開口部にレンズが導入され、さらなる光量を獲得するために穴をもっと大きく作ることができるようになった。というのも、レンズが光線を曲げ、特定の点に届けることで鮮明な像を作ることができるからだ。しかしこうした装置の場合には、人は物理的に部屋の中に入らなければ、外にある何らかの物体の像を見ることはできなかった。目新しくも新たな地平を切り拓くものではないため、娯楽目的のために広く使われた。像を記録するには、ペンなどを使ってなぞっていく以外に方法はなかった。芸術家はカメラ・オブスクラを使って3次元の風景や物体を投影し、それを平面上に描いた（芸術家のデイヴィッド・ホックニーによる『秘密の知識──巨匠も用いた知られざる技術の解明』は、15世紀以降の西洋美術における洗練度合いの向上は、カメラ・オブスクラやその他の光学装置を使用したことに要因があるという考えを提唱し、大きな議論を巻き起こした。ホックニーはその後も、物理学者チャールズ・M・ファルコと一緒にこの考えをさらに深め、現在では「ホックニー・ファルコ・テーゼ」として知られている。ファルコはまた、イブン・アル＝ハイサムの『光学の書』こそが、この芸術的発展の最初のインスピレーションになったと主張している）。

カメラ技術がまだ黎明期の頃、レンズの品質は顕微鏡や望遠鏡のためにどんどん向上していった。16〜17世紀頃、科学者たちはレンズによる像に関して苦労していた。収差と呼ばれる問題についてである。虹によって分かるのは、光はさまざまな色が混ざってできているということだ。それぞれの色には異なる波長があり、それは波のピーク間の距離によって決まる。色収差と呼ばれる問題が起きるのは、レンズを通した光の屈折率が波長により異なるためであり、例えば赤色光と青色光では曲がる量がわずかに違う。もう一つの問題は、凸レンズを通過する光線は理論上は1点に集まり、焦点を結ぶはずだが、実際には

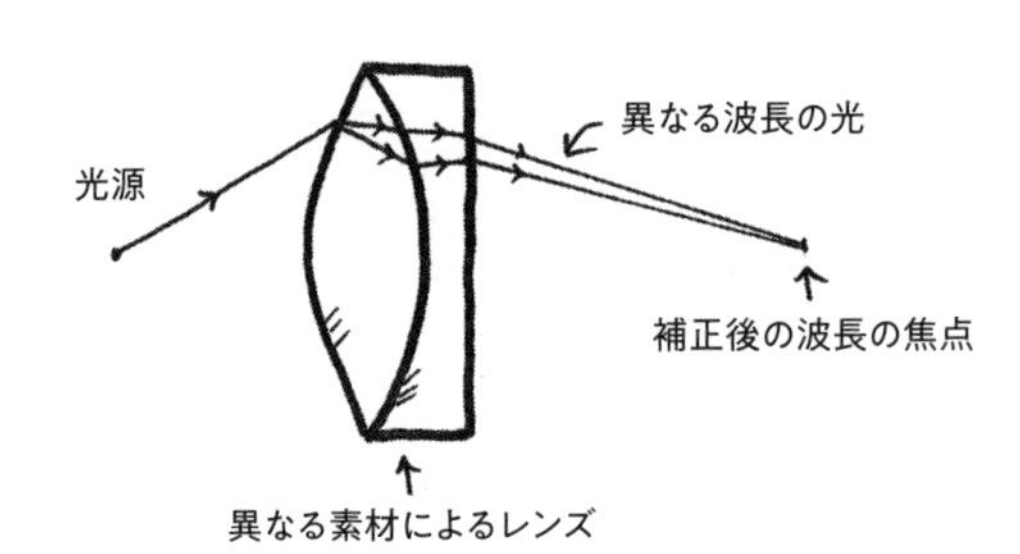

収差を減らすための、異なる素材からできたレンズ

レンズの中心部に近い光線とそこから遠い光線とでは、曲がり方にわずかな違いがある。この現象を球面収差と呼ぶ(イブン・アル=ハイサムはこの問題に関する詳細な研究をしていた)。こうした収差に加え、レンズを作るには手作業でガラスの塊を削り、磨いていたという事実も押さえておかなければならない。高い技術力を持つ機器製作者であっても、理論的に完璧な形状のレンズを作ることはできなかった。これら一つひとつの要因により像の鮮明さが失われた結果として、物体の拡大率には限界があり、ある時点を迎えると像はぼやけて何も見えなくなる。

収差の問題は18世紀に望遠鏡の設計者によって解決された。彼らは2種類のガラスを用いて異なる形のレンズを作り、それらをはめ合わせていわゆるアクロマティックレンズや複レンズと呼ばれるものを生み出した。素材や形の特性により、こうしたレンズに起きる収差は違っていた。しかし、組み合わせることで収差を相殺し、鮮明でより良い像を作り出したのだ。これにより科学者は小さいものや、とても遠い場所にある物体を今まで以上に拡大できるようになった。

レンズの設計は大きく進歩したものの、写真術にいたる化学反応はまだ起きていなかった。光を恒久的に転写する方法が解明されていなかったのである。19世紀の初め、写真におけるレンズの本当の力が解き放たれたのは、化学薬品でコーティングされたプレートがレンズの後ろに置かれるようになってからだった。ついに、私たちはカメラから像を写し撮ることができるようになったのだ。これが今日の私たちが知る写真術の誕生である。

それからというもの、カメラの物語はレンズとフィルムそれぞれの技術による繊細な均衡についての話となり、それはつまり私たちがどのような写真を撮ることができるのかということだった。100～200年前の写真を見ると、なぜ人々はあんなにもこわばって笑顔がないのかと不思議に思ったことはないだろうか。理由は、頭を固定するために拷問器具のような椅子に何時間も座らなければならなかったからだ。商業的な成功を収めた初期の写真術に、発明者のルイ・ジャック・マンデ・ダゲールから名付けられたダゲレオタイプがある。この写真家は、銀でコーティングした銅板をヨウ素蒸気に晒し、スタンドで固定した大型のカメラに取り付けた。像を転写させるには、金属板を30分ほど感光させる必要があった（改良版では1分程度に短縮された）。その後、水銀蒸気に晒すことで像を浮き上がらせ、食塩水で金属板を洗い流すことで像を定着させた。ダゲレオタイプに使う化学薬品の中には、極めて危険なものもあった（水銀中毒は神経系を損傷し、せん妄、性格の変化、記憶喪失を引き起こす可能性がある。こうした症状は、フェルトの水銀処理が広く行われていた帽子職人によく見られたため、「おかしな帽子屋症候群」とも呼ばれる)。そのため、写真術は20世紀まで専門家の手に委ねられていた。

肖像写真に使われていたレンズは、狭い範囲を見るために設計されていた。レンズのすぐ近くにいる一人の被写体を鮮明に写すことを目的にしていたからだ。一方で、風景写真を撮るためにフォーカスよりも大事なのは広い視野角を作り出すことで、そのためには異なる形のレンズが必要だった。中空の球体に水を満たして作ったレンズもあり、パノラマ写真を撮るために、(歪んではいたものの)広い視野が得られるように設計されていた。当時は露出時間が長く、カメラ自体も比較的大きかったため、撮られていた写真のほとんどは肖像写真か風景写真だった。

1890年代には、新たな種類のガラスが市場に登場した。一つはバリウムガラスと呼ばれるもので、その分子の構成上、光の屈折率が高めである。もう一方は、いわゆるフリントガラスの改良版で、バリウムガラスとは対照的に屈折率が低かった。同時に、レンズ職人は試行錯誤に頼るのではなく、レンズの曲率に基づいてその振る舞いを予測する数式を開発した。こうした素材と科学的知見によって形作られた複レンズは、多くの光量をカメラに届け、高品質で大きなレンズとなって露光時間の短縮に役立った。

19世紀以降、カメラのレンズは著しく複雑になった。複レンズはトリプレットレンズ(3枚構成)になり、レンズが、3枚、4枚、あるいはそれ以上の配列で配置され、可能な限り収差を打ち消すよう丹念に設計された。レンズは透明の素材から作られており、理論上は最も光を通過させるわけだが、いくらかは反射してしまう。1930年代に科学者のキャサリン・ブロジェットが開発したのは、いくつかの分子ほどの厚さのガラス用コーティングで、これによりレンズを通過する光量を最大化した。いま私たちが使っているメガネの反射防止膜の先駆けである。

レンズの改良が進み、取り込める光量が増加すると同時に、フィルム技術も向上し、露光時間は数分、数秒からコンマ数秒にまで短縮された。今日、画像の標準的な露光時間は約1／200秒だが、1／8000秒まで短くすることも可能である。写真家は最初のころ、単純にレンズの覆いを取って撮影し、露光時間が過ぎたらまたかぶせていたが、新しいカメラは手動でコントロールすると露出オーバーになる危険性があった。そこで、レンズに機械式シャッターを導入し、カメラに取り込む光量を少なくした。さらに機械的な機構が搭載され、1組のレンズをもう1組のレンズに対して自由に動かすことができるようになり、写真家はレンズを通じて被写体に寄ったり引いたりできるようになった。

レンズやフィルムの設計が進歩したおかげで、カメラは小型化し、使いやすく、安価に、そして危険性も少なくなった。1888年、コダック№1というカメラが市場に登場した。このカメラはシャッタースピードと焦点距離が固定で、簡易的なファインダーとあらかじめ装填されたフィルムが付いていた。1ロール（100枚分）がいっぱいになると、カメラ本体ごと米国にあるロチェスターの工場に送られ、フィルムを現像している間は、本体

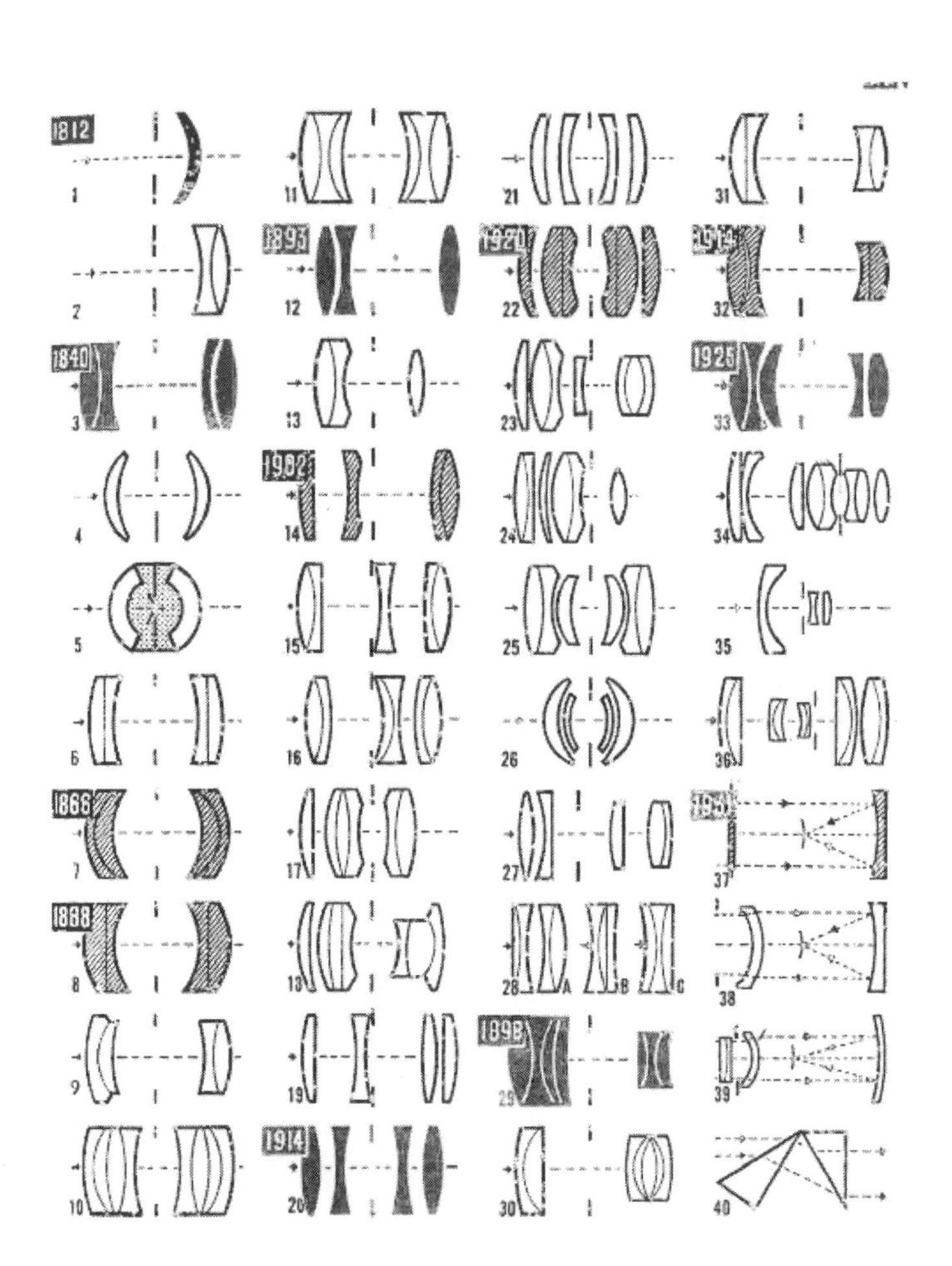

レンズ開発年表

フォーカル写真百科事典、 卓上版

ロンドン:フォーカルプレス

に別のフィルムを再装填して送り返していた。ついに、カメラが一般の人々にも届いたのだ。かつてはかしこまった肖像写真でいっぱいだった家族写真アルバムは、一瞬を切り取った記録集へと変わった。短い露光時間により、賑やかな街並みや動く人や物の一瞬をとらえることができ、いきいきとした写真が生まれるようになった。カメラを海外旅行に持っていくことで、人々は初めて他の国や文化を自分の家でも体験できるようになった。

前述したように、私が生きている間に起きた写真における最大級の変化はフィルムからデジタルへの移行である。これは当初、レンズの設計に大きな影響を与えることはなかった。なぜなら、デジタル画像を記録する電子センサーのサイズはフィルムと同じに設計されているからだ。つまり、フィルムカメラとデジタルカメラのレンズ部品は交換可能だったのだ。

しかし、スマートフォンはより多くをレンズに要求する。大きなレンズを取り付ける場所や、レンズとフィルムまたはレンズとセンサーの間に十分な余裕がある手持ちのカメラとは違い、スマートフォン内蔵のカメラのレンズはセンサーとの距離がかなり短い。つまり、画像を撮影するために、より限られた領域に集光させている。

初期の携帯電話には焦点距離（撮影される物体が鮮明になる距離）が固定のレンズが一つ付いていた。そして、オートフォーカスを搭載したカメラが登場し、微細な機構が物理的にレンズを少しずつ前後させピントの合う範囲を広げた。最近では、レンズが二つ、あるいは三つ付いたスマートフォンを見るようになった。一つは遠くのものを撮影するために非常に長い焦点距離を持つレンズであり、一方で、広角撮影が可能な短焦点のレンズと、中間的な撮影ができるレンズもある。検知した光を電気信号に変換して画像化するセンサーはデジタルカメラのものよりはるかに小さく、スマートフォンの重量と厚みを抑えている。このような小型カメラを改良する新たな展開は、潜望鏡の仕組みを活用することでもたらされる。プリズムや角度をつけたガラス部品を使ってカメラレンズからの光を直角に曲げ、調整可能な複数のレンズを通してスマートフォンの背面に沿ってその光線を送るのだ。

レンズを作る素材の開発は今後数十年の間にさらに進み、より軽く、鮮明で、安価になっていくだろう。初期のレンズ職人のように手作業で配置を検証するのではなく、ソフトウェアのおかげで、コンピューター上で煩雑なレンズ配列の設計が可能になり続けるだろう。世の中にはすでに、白内障になったときに生体レンズの代わりとなる人工レンズも存在する。

この20年間で、エンジニアたちが開発した人工眼「バイオニックアイ」により、加齢黄斑変性症（世界中で数百万人が患っており、物が歪んで見えたり、視力を失ったりする病気）の影響を受けた人々の視覚を再生させることが可能となった。わずか2ミリ幅の電子チップが視力を失った目に埋め込まれる。患者が着用するビデオカメラ付きメガネは、腰回りのべルトに取り付けられた小型コンピューターと接続している。カメラからコンピューターにデータが送信され、処理されたデータがメガネに送り返される。そして、メガネは眼の奥のチップに赤外線の光線を投射し、チップが電気信号を脳に送り、そして脳がそれを認識することで患者の目が見えるようになるという仕組みだ。中国の科学者たちは、人工眼球で自然な対光反射（暗くなると拡大し、明るくなると収縮する）を再現するために、人間の瞳孔と同じように光に反応する素材を研究している。

見えなかったものを見えるようにするというスーパーヒーローのような力は、刺激的であるとともに教育の面でも大きな意義があるし、人類にとって価値がある。しかし私が感銘を受けるのは、テクノロジーの発展は私たち一人ひとりの経験を豊かにするためでもあるという点だ。カメラによって過去を振り返ったり、大切な思い出を見返して再び体験できるようになったのと同じく、私たちの目のレンズがかすんだり不具合が出始めても、未来のレンズ技術があればいま目の前にある世界を再び見ることができるかもしれない。

6

STRING

ひも

巨大な構造から楽器まで

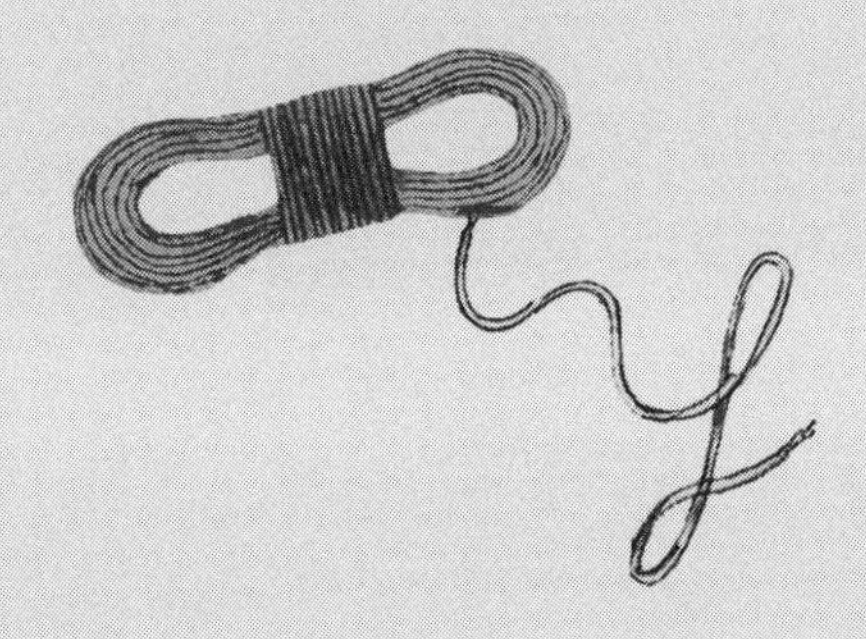

ひも

私のエンジニア人生で一番むくわれた日、しかし同時に不安だった日といえば、ノーザンブリア大学歩道橋の堅固な鋼製のデッキに初めて立ったときだ。その1年半前、フルタイムで働き始めたばかりの私に渡されたのが、この美しい構造体の設計図だった。概念にすぎなかったものがやがて形をまとった現実の立体になる、という事実に驚嘆した。いざその日が来ると、私はニューカッスルへ行き、(計算がすべて合っていることを祈りながら)それまで紙の上でしか見たことのなかった鋼板に身を預けたのだった。

どのような技術プロジェクトにも、してよいこと、してはいけないことを規定するパラメータが存在する。たとえば電線であれば、電流を通しつつも、触ったときに感電してはいけない。洗濯機は、標準的な扉の幅を通る大きさにおさめつつ、水漏れしてはならない。そしてこの高速道路をまたぐ歩道橋プロジェクトの場合には、構造チームはトラックやバスが通れるように高速道路の上に安全な高さを確保しつつ、歩道橋の両端では既存の歩行者通路に接続しなければならなかった(もちろん揺れたり崩壊したりしてもいけない)。そのため、歩道橋の構造体が占めることのできる空間は限られている。考えうる限り最もシンプルなものは、水平な鋼製桁を両端のみで支持する形状だ。この歩道橋の長さは40メートルと比較的短い部類だが、歩行時に過度なたわみが生じないように十分な強度を確保すると、桁のせいが高くなりすぎ、車両交通の頭上クリアランスに抵触するおそれがあった。考えられる解決策の一つは歩道橋を下から支える脚を追加することだが、その橋脚は高速道路上に設置しなければならないし、仮に中央分離帯におさまったとしても、車が衝突すれば橋の安全性を損なうおそれがある。したがって、より安全で洗練された別の案を考える必要があった。

そこで考えたのが橋を上から吊るす方法だ。完成した橋を渡りながら、私はつい天を仰いで、頭上に伸びる6対のケーブルに見入ってしまった。橋そのものと、そこを歩くたくさんの人々の途方もない荷重がこのケーブルに伝わり、しっかりと安定した橋を実現しているのだ。

世界最長クラスの橋も、私がかかわった短い橋も、それを支える強靭な鋼製ケーブルは、単純におもえる技術を発展させたものだ。すなわち「ひも」である。我々の祖先はひもを使ってさまざまな発明を生み出し、それがいまや私たちの生活に大きな影響を与えている。たとえば人間は動物の皮をひもで縫い合わせ、やがてさまざまな布地を作るようになった。自然の脅威から身を守る衣服を仕立て、素肌のみでは耐えられない寒冷地や灼熱の地でも居住できるようになったのだ。弦楽器の奏でる調べにのせて、何世代にもわたり物語を受け継いできた。世界中を探検して植民地化してきた船にも、縄などのひもを編んだ素材や帆が必要だ。繊維からキャンバスという平面を作り、そこに体験を描いて記録してきた。今もなお、傷を縫い合わせ、谷に橋をかけ、身体を保護する、そのすべてを静かに支えるのがひもの力なのだ。そしてこれこそ、ひもの決定的な特徴でもある。つまり、あらゆる用途に合わせて強度を増すことができ、それでいて柔軟なままだということである。

自然界には、強靭な糸状の物質をつくりだすことのできる動物もたくさんいる。クモやカイコがその例だ。人間もここから発想を得て糸をつくるようになったのかもしれない。しかし、ひもを最初に発明したのは人間ではなく、ネアンデルタール人である。フランス南東部、アルデーシュ川付近の渓谷にはアブリ・デュ・マラと呼ばれる洞穴群があり、そこには旧石器時代中期（約30万〜3万年前）の長期間にわたってネアンデルタール人が生息していたことが知られている。2020年の報告によれば、地表面下3メートル、4万1000年から5万2000年前の地層を探索していた考古学者たちが発見した石器には、長さわずか6・2ミリ、太さ0・5ミリという小さなひもの破片が付着していたという。

この発見のすごいところは、これまで知られていた最古のひもの事例（わずか1万9000年前のもの）よりもかなり古いものであること、そしてこれまでのネアンデルタール人に対する「私たちより知能の劣った親戚」というステレオタイプを突き崩すものだったことである。こうしたひもを作れたということは、袋や敷物、かご、さらには布地まで作り出すことができたかもしれない。ひも作りは多くの時間と労力を要する作業であるため、その存在は彼らの日常生活や時間の過ごしかたにも大きな影響をおよぼしていた可能性があるのだ。

さらに、彼らの認知機能についても推測することができる。というのも、発見されたひもの作成方法は、多少なりともメカニズムを理解していなければできないものだったからである。ひもは繊維からできているが、単一の繊維だけでは弱いし有用ともいえない。有用なものにするためには、複数の繊維を互いにこすり合わせるようにして一体化する必要がある。これによって生まれる繊維間の摩擦力こそがひもの強さの源だ。アブリ・デュ・マラ洞穴で見つかったサンプルでも、ネアンデルタール人は木の皮から採った繊維を撚り合わせて撚糸にしていた。彼らの使用した撚り方向は、（現在も一般的に使われている）S撚りと呼ばれるやりかたで、ひもの長さ方向に沿って、繊維がSの字の中間部のように左上から右下に巻かれている。さらにその撚糸を3本使って、今度は反対向き、つまり右上から左下（Z撚りと呼ばれる）に巻いて、1本のひもを形成している。

このように層ごとに異なる方向に撚り合わせる編み込みかたが、ひもの強さの秘訣だ。もし、ある方向に繊維を撚り合わせて撚糸にしたあと、複数の撚糸をまた同じ方向に撚り合わせて強くしようとしても、うまくいかないだろう。なぜなら、少し引いただけで巻きがほどけてしまい、ひもは伸びてほぐれてしまうからだ。ところが層ごとに逆方向に撚ってあれば、ほぐすためにはそれぞれ逆方向にねじらなければならず、撚糸の層同士の摩擦がそれを防いでくれるのだ。

ネアンデルタール人は、知らず知らずのうちに生物も模倣していた。現在の私たちにとって最も重要な繊維である羊毛はケラチン（人間の爪や髪と同じ成分）が複雑に何層も重なったものであり、その一番内側の層にも同じく、互い違いにねじれた構造がみられる。

読者の疑問を解消するため、私もこの章の下調べのついでに、毛糸を買って編み物を試してみた。はじめに手に取った毛糸玉は単なる太い糸で、ゆるいS撚りになっている。もちろんこれ単体では簡単にほどけてしまうが、たとえば編んで室内履きにしてみると、重なりやループになった部分が複雑な摩擦力を生み、しっかりしたものができた。次に試したのはウーステッドやアラン・ウールと呼ばれるもので、基本的にネアンデルタール人の糸と同じく、S撚りにした3本の繊維をさらにZ字に撚り合わせて太くほどけにくくしたものだ（この時点で、私はかなり成長していて、より意欲的なセーター編みに手を出すくらいになっていた。下調べとして始めた編み物はもはや執筆のよい気晴らしにもなっているのだと、自分にも言い聞かせていた）。

古代人がひも状の素材を必死になって作ったのも、それがあらゆる面で私たちの生活に不可欠で重要なものだったからだろう。橋を支え、転落を防止し、人体を保護したりさらには形を整えたり、そして美しい音を奏でたり。ひもが「歴史的発明」の一つに数えられることはあまりないが、ぜひ加えるべきだろう。その証人として喚問したいのが、ほかでもない古代ローマのエンジニアにして建築家、ウィトルウィウスである。彼は（ルネサンス建築に多大な影響を与えた）『建築について』の中で、すぐれたデザインの3原則を挙げている。すなわちフィルミタス（強）、ウティリタス（用）、ウェヌスタス（美）である。ひもはこの3本の糸を一つに、巧みに撚りまとめているのだ。

フィルミタス（強）

実用的で洗練されていて、それでいて目立たない構造を設計することはエンジニアにとって永遠の課題である。建物に伝統的に使われてきたのは、最も手近な材料、すなわち石やレンガ、さらに製法が編み出されて以降はコンクリートなどであった。こうした材料は圧縮や押しつぶす力に対しては強く、実用的で役に立った一方、昔の橋はそのせいで重くかさばり、自重を支えるために多くの橋脚が必要だった。幅の広い水面や深い谷に橋を架けるのは不可能か、もし仮にうまくできたとしても高価で手間のかかることだったのだ。

そこで異なるタイプの橋が出てきた。困難な地形の上に長い縄を投げわたし、それをもとにして橋をかけるのだ。撚り合わされた縄は、引っ張りに対して優れた構造材となる。多数の繊維でできているため、その一部が伸びたり切れたりしても、縄全体が前触れもなく大きく破損することはない。崩壊の兆候であるほつれが現れれば、補修や交換が必要なのだとわかる。こうした縄による構造の端部は岩や基礎にしっかりと固定され、引張力を端部に効率的に伝えることができる（このことは私自身も、吊り橋を渡るときに自分に言い聞かせなければならない。エンジニアであっても怖いものは怖いのだ）。労力をかけて石を固定したりコンクリートが硬化するまで保持したりするよりも、縄をなって設置するほうがずっと簡単な場合もある。

なかでも現存する稀有な例がペルーにあるケスワチャカ橋である。歩行面、手すり、それに支持材がすべて天然の繊維で編まれており、さながら橋全体が最高に意欲的なマクラメ編みのようである。500年以上も前のインカ帝国時代に造られたこの橋は、インカ道として知られる、帝国内をつなぐ道路網の一部であった。長い間、アプリマック川両岸の村をつなぐ経路はこの全長30メートルの橋だけだったのだ。毎年春になると、谷の両岸の集落が一堂に会し、更新の儀式を行う。ケチュア族の女性たちが峡谷のてっぺんに腰を下ろし、イチュという草を撚って長いひもにしていく。次に男たちがひもを組み合わせて、太ももぐらいもの太さがある巨大な6本の縄をなう。この縄が橋の構造体となるのだ。4本は谷を越えて平行に配置して歩行面に、残る2本は両側の肩の高さに設置して手すりにする。仕上げに、男たちが4本の縄にまたがり、2、3人の男がその背後に立って細めの縄を渡すと、6本の主縄をつなぐように丁寧に編み込んで固定するとともに、足元に広がる峡谷に人が落ちないよう歩行面を形作るのだ。最後に古い橋が切断されて真下の谷に落とされる。

このように、ケチュア族の人々も最初はほかの太古のエンジニアとおなじく、手近で最も強く実用的な材料を使用していた。ところがやがて他の材料も手に入るようになり、新たな技術的手段によって障害を克服できるようになった。採掘や金属加工の技術が発展すると、おもに錬鉄でできた鎖による吊り橋が作られるようになる。我々が思い浮かべる典型的な鎖、すなわちリング同士をつないで長くしたものを使う例もあったが、多くは、平らな金属板を、ピンと呼ばれる丸い金属片（第1章でみたリベットのようなもの）で接合して作った鎖を用いた。英国でいえばメナイ橋やクリフトン吊橋がその例だ。

こうした鎖はもちろんイチュ草よりずっと強度があるのだが、一方で設計・施工に難をきたすことにもなった。一つひとつの鎖素子を鋳造あるいは鍛造せねばならず、そのためには多くの材料とエネルギーを使って鉄を溶かす必要がある。そうしてできた板状の鎖素子は重くて取り扱いが難しく、一つずつつないで鎖を作る作業員のためには、最終的な橋の位置に合わせて仮設の足場を組まなければならない。鎖が重いので橋のスパンにも限界があり、それを超えると吊り下げた橋の重さはおろか、鎖そのものの重さすら支えられなくなる。さらには、一つの金属片が壊れるだけで鎖全体が破壊されるおそれもあった。ひもと違って冗長性に乏しく、一つの破壊が大惨事につながりかねないのだ。

鎖をワイヤーに置き換えることで、こうした欠点は改善されることとなった。産業革命期に鋼鉄の安価な生産法が確立されると、大工場でワイヤーを生産し、それをケーブル製造業者まで輸送することができるようになった。ケーブル工場では機械を使ってワイヤーを引き延ばし、鋼鉄を熱することなく細くする（これを冷間伸線という）。冷間伸線された鋼製ワイヤーは重さに対する強度が以前の錬鉄と比べて格段に優れており、この新素材でできたケーブルは鉄製の鎖より圧倒的に軽かった。

ワイヤーの直径が通常数ミリメートルまで細くなったところで、長さの異なる複数の撚糸を撚ってひもにするのと同様に、ストランドと呼ばれる束を作る。ただし鋼鉄の場合にはいくつかの方法があり、撚糸と同様に何層にも撚り合わせるほか、直線状に平行に並べて圧着する方法もある。どの方法を用いるかは最終的な用途による。

実物のケーブルを見るため、シェフィールド近郊を拠点としてさまざまな構造向けに棒材やケーブルを生産するマッカロイ社のエンジニアを訪ねた。私が初めて担当したノーザンブリア大学歩道橋に使われている棒材も実はこの工場が供給元だったのだが、今回見たいのは「ひねり」のある部材だ。鳴り響く金属音に噴き出す蒸気、それに油の匂いに包まれながら向かった工場の奥では、ドラムに巻かれたケーブルがあたかも巨大なボビンに巻かれた糸のように、大きな棚にいくつも積みあがっていた。

ケーブルの1本を手に取り、その端部の断面がどうなっているのかを観察してみた。外側からでもはっきりとZ撚りを見て取ることができる。ケーブルを構成しているのは7本の細いストランドで、細いワイヤーを撚り合わせたものである。7本のストランドのうち1本を慎重に外してみると、19本のワイヤーでできていることがわかる。中心にまっすぐ1本、その周りを、6本が六角形を描いてZ撚りで包み込み、その外側の層にはS撚りの12本のワイヤーがやはり六角形に配置されている。一番外側の層がS撚りなので、このストランドが今度は互いにZ撚りで最終的なケーブルを形成していることにも納得がいく。撚り方向を検分して目が疲れたところで、今度は一息ついて、このケーブルの使い道を見ていくことにする。

安定性と柔軟性は、撚りケーブルの大きな利点である。要求仕様どおりに撚ってあれば、バラバラになることなく曲げたり動かしたりできる。そのため、ドラムに巻いて簡便かつコンパクトに運搬できるし、基本的にはいくらでも長くできる（ドラムが持ち上がらないほど重くしないように気を付ける必要はあるのだが）。撚りケーブルは比較的小さな構造に向いていて、美術館の天井から重い美術品を吊り下げたり、布を広げた屋外の庇や階段を支えたり、建物の外装のガラスを保持したりといったことに適している。小規模な橋にも使われている。マッカロイ社で私が聞いたなかでも一風変わった用途は、アブダビのフェラーリ・ワールドにあるジェットコースターの間をすり抜けてものすごい速さで飛んでいく、全長400メートルのジップラインだ。

撚りケーブルの難点は、柔軟性を持たせるためにちょっとした遊びや可動性がそもそもあるせいで、大きな力で引っ張ると少し伸びてたるんでしまうことである。また、同じワイヤーを平行に配置した場合と比べると強度も劣る。そのため、床版や通行車両の荷重が莫大となる世界最長クラスの橋の場合、平行線ケーブルを用いることが多い。

この技術を用いたなかでも最初の例の一つが、ニューヨークのブルックリン橋だ（私がこの橋を好きなのには理由があって、原設計者のジョン・ローブリングが亡くなり、その息子の健康状態も悪化する中、エミリー・ウォーレン・ローブリングが指揮をとって建設を続行したのだ。特に、女性は家事しかできないと思われていた時代にこれは特筆すべきことだ。これについては私の最初の著作『世界を変えた建築構造の物語』に詳しい)。ジョン・ローブリングは橋の設計だけでなくスチールワイヤー製造業も営んでおり、ブルックリン橋のためのワイヤーもここで製造された。約350人の労働者を抱え、5か所の工場で、当時アメリカ全土で使われるワイヤーロープの4分の3を生産していたのである。工場を訪れた人はこう記している。「それは見るも稀なる光景で、工員たちが忙しく立ち働き、白熱の溶鉱炉から赤熱したスチールの塊をトングではさみ出し圧延機へと送り出せば、伸びたスチールは珍妙な姿態の蛇がもつれあうがごとく鉄の床に広がり、それをまた別の工員が焼なまし炉へと運ぶ。伸線ダイスを通ってついに完成したワイヤーは繊細なハンドメイドのジュエリーから、数百万の住民を抱えるニューヨークとブルックリンの両市まで、あらゆるものを結び付けるのである」

ブルックリン橋は吊り橋なので、床版が2本の主ケーブルから吊られている。この2本のケーブルを支えるのが川の両岸に立つ2本の主塔である。ケーブルの始点は橋の端部の基礎にしっかりと固定されており、そこから上って、一つ目の主塔を超え、川を渡っても う一方の主塔へと続く。そしてその主塔の向こうにある基礎に再度固定される。2本の主塔の間ではケーブルの自重で垂れ下がり、カテナリーと呼ばれる曲線を描く。最後に、この2本の主ケーブルから細いケーブルが垂直に吊られ、そこに床版が取り付けられる。

ケーブルの取り付け自体もちょっとした芸当だった。完成した状態で現場に到着するのではなく、空中で細いワイヤーを何本も合わせて組み立てる必要がある。はじめにホーリング・ロープと呼ばれる仮設の鋼製ロープを主塔間にかけ渡す。これを使って、基礎から両岸の主塔を超えて、細いワイヤーを連続的に繰り出しながら往復させる。これを278回繰り返したのち、278本のワイヤーをまとめて、いわゆるストランドにする。そしてまたこの作業を繰り返す。19本のストランド（おのおの278本のワイヤーでできている）が完成したところで、それをまとめて最終的なケーブルにする。ケーブルは軟鉄のワイヤーでできた外皮できつく巻いて保護される。それぞれのケーブルに含まれるワイヤーの長さは5656キロメートル強にのぼった。

これ以降、1本ずつのワイヤー強度は着実に増してきたが、設計はほぼ同じままである。すなわち、127本といった多数のワイヤーを六角形にまとめてストランドにし、さらにそのストランドも六角形に束ねていく方法である。緊密に圧着することで摩擦力を生み出しており、錆を防止するために一方の端からケーブル内に乾燥した空気を送り込んでワイヤー間の空隙を除湿している。ケーブルが垂れ下がった部分では、たまった水はすぐに排出されるようになっている。こうしたケーブルは鎖と違い、あちこちでワイヤーが破断してもまったく問題ない。というのも、ほかに数百とはいわずとも数十ものワイヤーが代わりに役目を果たしているからなのである。

しかし、いくら時代とともにワイヤーの強度が（直径1ミリのワイヤーだけでオスのゴリラを吊り下げることができるほど）増したとはいえ、ケーブルの長さにはいまだ限界がある。ある時点で、ケーブル自体が鋼鉄の重さに耐えられなくなるのだ。そこでエンジニアたちが可能性を見出しつつあるのがカーボン製の繊維だ。この驚異的な素材は鋼鉄と同じくらいの強度がありながら、ずっと軽量である。開発はまだ試験段階で、研究者たちが効率的な生産手法を模索している。カーボンは鋼製ワイヤーと比べると曲げにくく、現時点では運搬に難がある。もしこの試練を乗り越えることができれば、いや、きっと乗り越えられるその時にこそ、今なお不可能な長さの橋を架けることができるだろう。

ウティリタス（用）

金属製で強度を最大化するように組み合わされた構造用ケーブルが強いのは直感的に理解できる。しかし、金属製ではないひもが、まったく別の意味で発揮する強さは想像を超える。ひもの柔軟性のすごいところで、スチール製ならば橋をも持ち上げ、樹脂製ならば弾丸さえも防げるのだ。

この素材を発明したのも、エミリー・ウォーレン・ローブリングと同じく、伝統的に男社会とされる領域で働く女性であった。ステファニー・クオレクはポーランドからアメリカへの移民のもとに生まれた。博物学者であった父の影響で自然科学を学んで化学を専攻し、将来は医師を目指していた。しかし医学の道は学位取得に時間がかかるためその費用をまかなうことは難しい。そこで彼女は現実的な選択をした。戦後、まだ多くの男性が海外に残っていたため、産業界には女性にも新たな活躍の場が用意されていたのだ。

１９４６年、彼女は医師の道をあきらめて化学メーカーのデュポンで働き始めたが、結果としては医師になるよりも多くの命を救うこととなった。

当時デュポン社では、車両のタイヤ軽量化のために内部のスチールワイヤーを代替する研究が進められており、クオレクに与えられた任務は試験用の繊維づくりであった。彼女がおこなっていたのはポリ－ｐ－フェニレンテレフタレートやポリベンズアミドと呼ばれる高分子の実験である。高分子とは、ちょうど鉄の鎖が同じ素子の繰り返しでできているように、小さな単位が多数繰り返してできた巨大な分子である。繊維を作るのに必要な長鎖状分子の生成には、まず高分子を溶媒に溶かす。次に、できた溶液をスピナレットと呼ばれる機械で紡糸する。これはわたがし機と似たような仕組みで、繊維と、それが混ざっていた余剰液とを分離するものである。こうした実験でできる高分子と溶媒の混合液は通常は透明で粘性があるが、クオレクの作った組み合わせは意外なほど粘性が低く懸濁していた。失敗作の疑いはあったものの、彼女は実験を続けることにした。その結果、この懸濁液からできあがった繊維は予想に反して強靭で固く、ナイロン（１９３０年代に発明された最初の合成繊維）と違って簡単には切れないものだった。

この新しい繊維、ポリパラフェニレンテレフタラミドの実用可能性に気付いたデュポン社は、これをケブラーと名付けた。ケブラーは強度のわりにごく軽量であり、測定強度を密度で割った値はスチールの場合より5倍も大きい。つまりケブラーのほうが同じ強度をはるかに軽量で実現できるのだ。最初に商品化されたのは１９７０年代で、まずは当初の研究目的どおりレーシングカーのタイヤに用いられたが、強度と軽量性を両立したケブラーは極めて有用であった。スポーツウェア、テニスラケットのストリング、自動車のブレーキ、橋のケーブルからスマートフォン用のケースや接続ケーブル、楽器のスネアドラム、光ケーブルまで実に多岐にわたって使われてきた。また、防弾チョッキに使われているこ とからこの素材を知っているひともいるだろう。もちろん、武器からの防護に使われた素材はケブラーが初めてではない。中世の騎士は金属板で身を覆っていたが、作製には時間がかかり、重くかさばるため動きづらかった。何らかの金属板に依存した防具は第一次、第二次世界大戦まで使い続けられた。第二次世界大戦ではナイロン製の防弾チョッキもテストされたが、扱いづらいうえ、とりたてて効果が高いわけではなかった。ケブラーは防護服に革命を起こしたが、それは異常なまでの(金属の弾丸すら通さない)強度だけが理由ではない。むしろ軽量性、柔軟性、耐熱性といった使い勝手のよさゆえに、ケブラーは防護用途に最適の素材だったのだ。

クオレクによるケブラーの発見とその後の展開でさらに特筆すべきは、その舞台となった当時の業界が極端に男性優位で、女性の活躍の場が限られていた点である。そうした環境で働くことを彼女自身がどう思っていたのか知りたかったのだが、あるインタビューで以下のように答えているのを見つけて腑に落ちた。「私にとって幸運だったのは、男性の上司たちが発見や発明に夢中だったことです。自分たちの仕事に気を取られるあまり私のことは放っておいてくれました。おかげで私は自分の実験に打ち込めたし、そこにすごく触発されました。自分の中の創造性がかきたてられる環境だったのです」

もちろん防弾ジャケットはシャネルのジャケットとは異なり、ファッションアイテムにはほど遠い（バイカースタイルがお好みなら別だが）。自然の脅威から身を守るための衣服という側面だけを見ても、「ひも」をはじめとする紡績素材が果たしてきた役割の大きさが改めて感じられる。地中に残されたごくわずかなサンプルだけでは、ひもから作った衣服を人間が身に着けるようになった時期を正確に言い当てることは難しい。我々の祖先が最初に身を包んだのは、織った布ではなく動物の皮や毛皮、草や葉だったが、それでもこうした素材の一部を縫い合わせてはいたようで、約4万年前の原初の縫い針が見つかっている。ところが、衣服の歴史はそれよりずっと遡るかもしれないことを示す、意外で少し気味悪い証拠がある。それはコロモジラミである。アタマジラミが頭皮のみを餌にするのに対し、コロモジラミはそれ以外の表皮を餌にして、衣類に棲みつく。そこで研究者たちは、コロモジラミの発生時期がわかれば、人間がごく一般的に衣服を身に着けるようになった時期を推定できるのではないかという仮説を立てた。そこから得られた答えは、約7万2000年前であり、その前後4万2000年の間だという。

自然の素材から衣服を仕立てるには大きく5工程が必要となる。植物を育て収穫する、繊維を作る、繊維をつむいで撚糸にする、撚糸を織って布地にする、最後に布地を組み立てて衣服にするのである。織って作られた布地の最初の確かな例は、紀元前6000年頃に遡る。考古学者たちは、アナトリア地方のチャタルヒュユク遺跡で、亜麻布に包まれた遺骨を発見した。紀元前5000年から3000年の間には、亜麻や木綿から長く丈夫な糸をつむぐ技術がエジプトやインドで発展した。

さらに人類はそこから、羊を家畜化して羊毛を生産したり、絹を生産したりするようになる。絹、羊毛、木綿、麻で作られた布は、シルクロードが活躍した2000年の期間において、その主力となる交易品であった。しかしここまでは、すべてにおいて手作業で規模も比較的小さく、技術も世代ごとの伝承により受け継がれていた。

16世紀終盤に靴下編み機という機械式の編機が発明されたことで、産業革命の種がまかれた。こうした機械は18世紀の西欧で爆発的な発展を見せた。飛び杼によって機織りの技術が向上し、より速く布を織れるようになった。複数のボビンがあるジェニー紡績機の登場で高速かつ大量の紡糸も可能になり、精紡機によって撚糸用のより強い糸が生産できるようになった。ほかにも様々な発明によって織り工程をより細かく制御できるようになり、木綿繊維の洗浄が自動化され、織機で複雑な模様を織れるようになった。

この時代、機械によって英国の織物生産量が大幅に増え、その影響は植民地で長く尾を引くこととなった。どんな技術革新にも社会の権力構造は重大な影響を与えるものだが、私たちが身に着ける衣服用にひもを織る技術はその好例といえる。イギリス東インド会社は、植民地、特にインドを工業生産された織物の市場として利用した。インドの手作りの輸出品に高い関税を押し付けながら綿花などの原材料は不当な安値で買い付け、植民地を痛めつける一方で英国の経済に利益を誘導していた。この本の第2章にも登場したチャルカという糸車がインド独立運動の永遠のシンボルとなった所以もここにある。チャルカは、民衆に英国製品の拒否と国産品の使用を奨励し、個人の経済的自由を作り出して非暴力の抵抗をおこなう、一つの手段だったのだ。

このようにひもは経済的な面で、国の繁栄や貧困、権力に影響を与え続けてきたが、それとは別に性別による社会「規範」にも作用してきた。性別による子どもたちの進路選択にこの規範がどのような効果をおよぼしてきたのか、そしてたとえばエンジニアの世界に大きなジェンダーギャップが見られるように、実際の仕事におけるバイアスにどう影を落としているのかに、私はエンジニアのひとりとして関心を持っている。何を着るかというだけのことに、どこかの時点で、性別や人種、宗教、階級、カーストなどにまつわる考え方や先入観が強固に埋め込まれてしまったことは、興味深くもあり恐ろしくもある。

ジェンダーノンコンフォーミング（社会的に期待されている「ジェンダー規範」に異議を唱える立場）のアーティスト、パフォーマー、詩人で、『性別二元論を超えて』の著者であるアロック・ヴァイド＝メノンはこう述べている。「好きな服や色、体の特徴、愛する人が『自分にとって』どんな意味を持つのかは自分で決めることができるべきです。『男の子の服』も『女の子の服』もなく、あるべきなのはただの『服』だけです」。またアロックはこうも主張する。「ファッションは可能性を広げるべきものであって制限すべきものではありません」。しかし歴史的には、衣服はいわゆる男女の違いを創り出して性差を固定するのに使われてきた。極端な例がコルセットで、西洋の女性は女らしさを強調するために、体を決められた形にまさに押し込んでいたのだ。完璧なシルエットを実現するために、コルセットの背面にかけ渡された編み上げひもを暴力的に締め上げる描写は、ポップカルチャーの中でも目にすることがある。もちろんこの「完璧」の形も、はじめはハイウエスト、次に三角形のシルエット、そしてヴィクトリア時代に模範とされた腰からヒップにかけて丸みのあるラインといったように、コルセットが使用されていた400年近くの間に変化した。この例では、ひもは抑圧のために、窮屈な社会の基準を強化するために使われていたのである。

男女の衣服の歴然とした差異を目にするにつけ（私は娘にショベルカーやトラック柄の服を買うためにいつも男児服の売り場に行かなければならない）、忘れてはならないのは、それが不変のものではないということだ。「規範」は形を変える。何千年も前のヒンドゥー教の神話では、女性や女神はしばしば胸をはだけた姿で描かれ、男も女も同じ腰巻やクルタパジャマ、アングラカ（長いドレス風のローブ）を着ている。近年のインドでは多くのデザイナーがこの伝統を再評価して取りいれ、ジェンダーフルイドな（ジェンダーをはっきりと定義せずにその時々でさまざまな性別を行き来する）コレクションを生み出そうとしている。

西洋に目を移せば、つい2、3世紀前まで、男児も女児と同様に長いドレスを身に着けており、特に性別で色分けされてもいなかった。むしろ、ピンクは軍装の色である赤と似た色味のため男児に使われることが多く、女児には聖母マリアの着衣の色である青が使われることが多かった。ピンクの布は高価な舶来の染料を必要とし、16世紀には男性が経済力やときには肉体的勇猛さを見せつけるために着用した。子供服には多少の融通がきいたとはいえ、アメリカでは誰が何を着るかを定めた法律が多く存在し、たとえば女性のズボン着用を禁止した法律があった（これが司法長官によって廃止されたのは実に1923年になってからのことである）。こうした影響は根強く、今でも結婚式や舞踏会で女性が身に着けるにふさわしい服装はドレスやスカートだとされている。その反面、かつて男性のものと考えられていたズボンなどの衣服を女性が身に着けることはほぼ一般的となったにもかかわらず、ドレスやスカートの着用、化粧などはいまだに主に女性のものと考えられ、男性がおこなうのは「受け入れにくい」こととされている。ピンクと青の断絶は（今では反対の性別において）子供服やおもちゃに刻み付けられたままだ。

衣服に使われる「ひも」の持つもう一つの大きな社会的影響が、環境問題である。織物生産は、国際航空輸送と海上輸送を合わせたよりも多くの温室効果ガスを排出し、毎年9200万トンの繊維くずを生み出し、1兆5000億リットルの水を消費している。この大問題に対処するため、消費者の行動を見直すだけではなく、製造プロセスからリサイクルにいたるまでの技術に着目した解決が試みられている。繊維そのものについても、パイナップルの葉、リンゴの皮、ブドウの皮や茎、木質パルプといったものを使って、動物由来素材を含まないレザーを作り出す技術革新が進められている。ほかにも、布の材料となる撚糸を作るのに海洋プラスチックやペットボトルを再利用する試みもおこなわれている。麻への移行も、木綿と比べて水の使用量を50パーセント削減でき、強い殺虫剤も必要としない天然の繊維であることから有効だ。

布は健康にも重要な役割を果たしている。新型コロナウイルスが流行した時には、科学者やエンジニアたちが広範な試験をおこなってさまざまな素材がウイルスの吸入をどの程度防護できるかを確かめた。医療用や外科用のマスクは一般的に、「不織布」という樹脂由来の素材を3層に重ねてできている。衣類や家具に使用する従来の素材が、織り・編み構造といった規則的なパターンを形成するのに対し、不織素材は皿の上のスパゲッティのような不規則な繊維配置を有している。ウイルスのような小さな粒子をとらえるのに圧倒的に有利なのはこの不規則さのおかげだ。こうした素材の一つであるスパンボンド・ポリプロピレンは不規則な繊維を圧縮して溶融したもので、家具の裏面によく使われている。洗って再利用できるし、医療器具の供給網にもあまり組み込まれていなかったことから、一部地域では布マスクの防護性を高めるために挟み込むフィルターとして推奨されるようになった。

私たちの健康、生活、そして世界全体をよりよくするにあたって、人間生活のあらゆる場面で利便性を発揮する繊維に注目するのは実に理にかなっている。また私自身も、これから服を買いに行くときには、値段や似合うかどうかだけではなく、社会構造における衣服の役割や体に対する制約、環境への影響を考慮するのはもちろん、私たちが無意識のうちに閉じこもっている殻から解放してくれる可能性にも思いを巡らせたい。

ウェヌスタス（美）

私の（と言いたくなるくらい愛着がある）歩道橋の上に立つよりも数年前、人生を変える出来事をもう一つ経験している。それは1999年8月、3000年間も受け継がれてきたインドの古典舞踊バラタナティヤムを習い始めて9年目のことであった。私はその日、踊り手として一人前になった証しの儀式であるアランゲトラムを執りおこなっていた。20年以上経った今でも、200名を超える友人や家族が観客とともに固唾をのんで見守る中、舞台袖に立って出番を待っていた時のことを覚えている。私は直立したまま手を腰に当て、背筋を伸ばし、笑顔を無理やり作っていた。演奏家たちが低音の弦楽器タンプーラを爪弾き青銅のシンバルを叩くと、美しい音の渦が会場を満たした。両面太鼓のドーラクの速いビートが出番のサインだ。深呼吸して、ステージに力強くリズミカルなステップを繰り出した。

アランゲトラムに決して欠かせない役割を果たしていた音楽は、ひもが主体となったものだった。4弦タンプーラの持続的な低音やひもで締めたドーラクが刻むビートに加えて、馬の尻尾の毛を張った弓でバイオリンが旋律を奏でていた。2枚の重い青銅のシンバル（これも白いひもでつながれている）が打ち鳴らされ、私の足首に結ばれた無数の小さな鈴からなるガングルーの音色に加わる。

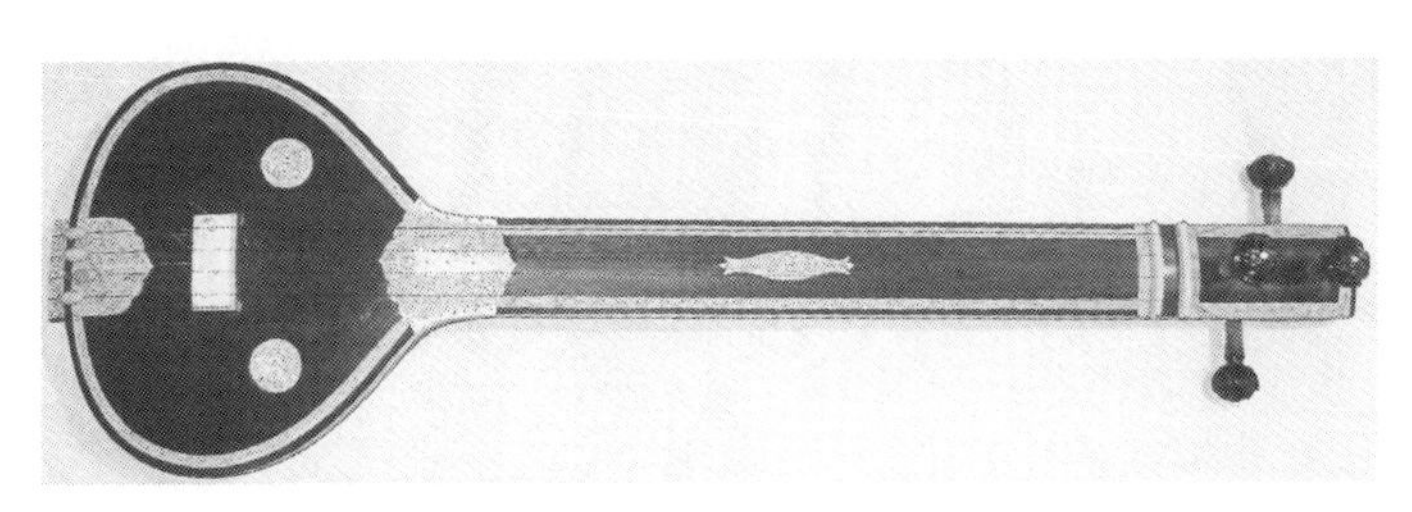

タンプーラ（Allauddinによる、クリエイティブ・コモンズ）

張られた「ひも」はその柔軟さや強靭さから、衣服だけでなく音楽にも最適である。バイオリン、シタール、チェロ、サロード、ピアノといった楽器においては、ぴんと張られた弦を叩いたり、はじいたり、こすったりして音を出す。その音の性質（高低、音色、大きさ、長さ）の裏にあるのは波という物理現象だ。

2点間にひもを張ってつまむと振動する。振動するひもは周囲の空気や楽器本体を振動させて波を発生させる。振動するひもから伝わるこうした空気の波が、私たちの鼓膜で音と認識されるのだ。

私はいつも踊りのほうに興味があったので残念ながら楽器を演奏できるようにはならなかったが、それでもアランゲトラムでの合奏にタンプーラが不可欠だということはわかっていた。この楽器にはいろいろなサイズがあって、一般的なものは1メートルから1・5メートルだ。丸みを帯びた本体は乾燥させたウリやカボチャから作られており、そこから長く伸びる木のネックの上端に四つのペグ（糸巻き）がついている。4本の長い弦がこのペグに巻かれ、ネックに沿って本体へと伸びている。弦は途中で幅広のブリッジに支えられ、さらにカボチャの曲面に巻きつくように伸びていく。各弦の終端付近には装飾を施したビーズがついていて、そのビーズは楽器本体に触れている。このビーズを曲面に沿って上げ下げすることで弦の張り具合を調節できる。

タンプーラには音の高さを調節するためのフレットがなく、ギターやバイオリンのように旋律を奏でるのには用いられない。響きで背景音を作り出すという、インド古典音楽に独特のものなのだ。その連続的な低音の層が、他の奏者の演奏を触発する。あの妙なる響きがどうやって生み出されるのかずっと不思議に思っていたのでもっと調べてみた。わかったことは、あの音は奏者の技巧だけではなく、繊細かつ独特なひも（弦）の使い方から生み出されているということだ。

ちょうどヒンドゥー教の光の祭典ディワリの日、私はロンドンのサウソールに出かけた。ここはインド北西部のパンジャブ地方の人々が多い地域として知られ、民族服のサルワール・カミーズやサリーに身を包んだ人々が通りを埋め尽くしている。屋台の食事やお菓子を手にしておしゃべりに興じる人々のすぐ横では、店先のスピーカーから花火を売り込む声が流れるその光景に、私は胸が躍った。

私もパニプリの皿を手に目当ての場所へと向かった。ＪＡＳミュージカルズはインドの楽器販売と修理を行う店で、サウソールの目抜き通りに店を構えて何十年にもなる。店内で迎えてくれたのはオーナーのハルジット・シャーだ。小柄な私とさほど変わらない背丈の彼は、頭には濃紺のターバンを巻いており灰色の濃いひげをたくわえていた。彼の周りの棚にはシタール、ヴィーナ、タブラー、ハーモニウム、タンプーラなどの楽器が所狭しと並べられている。狭い階段を慌ただしく降りて地下の手狭な工房に入って腰をおろすと、ハルジットは身の上を語り始めた。

彼はもともとインドでエンジニアとして研鑽を積んでいたが、父とともに1984年に英国に渡った。この渡航が彼の人生を大きく変えることになる。というのも、その直後にインドではインディラ・ガンディー首相の暗殺があり、安全に帰国することができなくなったからである。2人は家族の勧めもあって、不安定な政治情勢の渦中に舞い戻るよりもロンドンにとどまって暮らしていくことを選んだのだ。

ハルジットは食い扶持を稼ぐため、ミルク配達からタクシーの運転手まで何でもやった。あるとき、父が僧侶をしていたグルドワラ（シク教寺院）からの依頼で、インドからハーモニウム4台を調達することになった。しかし、届いたハーモニウムは暑くて乾燥した気候向けに作られており、寒くて霧深いロンドンでは鍵盤が動かなくなってしまった。そこでハルジットはインド楽器の販売事業を立ち上げることを思いついた。借家のガレージで始めた彼の仕事は、エンジニアのスキルをいかして、楽器がヨーロッパの気候でもしっかりと機能するように手を加えることだった。

「音楽を聴くとき、私は旋律ではなく楽器の音響特性を耳で追っています。奏者が素晴らしい音楽を披露していても、私の耳と体と脳は別の世界にいるのです。奏者が弦をどのようにつまみ、それに対して弦がどう反応しているか、どれくらいの頻度でチューニングされていて、どの程度安定しているか、スチール弦か真鍮弦かガット弦かなど、楽器に意識を集中しているのです」

地上の店に戻ると、ハルジットは梯子を登って一番上の棚から大きなタンプーラを取り出した。3本のスチール弦と、最低音を担う1本の真鍮弦が張られている。テーブルの上に楽器を横たえると、彼は弦を1本ずつ弾きながら、上部のペグを順番に締めはじめた。音の高さが変化していった。彼は弦のちょうどよい張り具合を経験で身に付けているが、これはまだ第一段階にすぎない。

ハルジットは弦を弾き続けながら、その下端についているビーズを少しずつ前後させてチューニングを微調整していく。ここまでは、私のような音楽にうとい者の目にも見慣れた光景だ。ようやく調整が終わると、彼は私のほうを向いて言った。「さあ、これからタンプーラの本当の魅力をお見せしましょう」

ハルジットはミシンに使うような糸巻きにまかれた綿糸を取り出して、人差し指ぐらいの長さの4本の糸を切り出した。彼は最初のスチール弦を弾いてみせる。彼の指が弦を離れて音色が鳴り、すぐに消え去って無音に戻ってしまう。「正確ですが、平坦で生命のない音です」と彼は言った。

次に彼は1本の綿糸を手に取り、その真ん中をスチール弦の下に差し込んだ。糸の両端を持ち上げてスチール弦のまわりを一周させて、人差し指と親指の間にはさむと、それをブリッジに向かってゆっくりと引き下げていく。そして、弦とブリッジに挟まれる形になった綿糸をゆっくりと引きながら、弦を弾いてみせた。その途端、あの平坦だった音が打って変わってブーンと響いた。これを4本の弦すべてにおこなって、順番に弾いてみせた。そうすると、それぞれの弦のブーンという音が、弾いたずっと後まで尾を引くようになった。音色が重なり合う。ただ一つだけではなくて、多くの音だ。多様で、豊かで、この世のものとは思えぬ音。もはや崇高ですらある。私は思わず目を閉じた。表通りの喧騒が消えていくようだ。私自身のアランゲトラムの日に心が引き戻される。こめかみが震え、それが腕へ、背中へ、脚へと伝わっていくのを感じた。ようやくわかってきた。どうしてこの音が音楽家の心を動かすのか、どうして20年以上も前のあの日に私が舞台で踊りきる集中力を与えてくれたのか。私はすっかりタンプーラの音に陶酔していた。たった1本の糸のひとひねりの魔法から生み出された、この贅沢な揺らめく音に。

タンプーラと似た楽器は東欧、トルコ、北アフリカ全域、中東、インドで見られ、その歴史をたどるのは容易ではない。インド固有の楽器から派生したのだとか、何世紀も前にアラブ＝ペルシャ系の音楽家たちが類似の楽器を使い始めたのだという説もある。ハルジットの説明によれば、3000年以上も昔のヒンドゥー教の聖典の一つ『サーマ・ヴェーダ』には、神や女神たちが瞑想中の体験をもとにこうした楽器の形を作り出したようにも解釈できる部分があるのだという。でも彼はすぐに前言を翻した。「神霊の世界に深入りするのはよして、技術に徹しましょう」

ハルジットは、インドの楽器職人たちが正当な評価を得られず、低水準の生活や教育に甘んじて読み書きができないまま一生を終えることも多い現状を憂えている。技術の喪失や、タンプーラの進歩に科学が活用されていないことを危惧しているのだ。多くの世代を経てここまで磨かれてきた楽器のはずなのに、ここにきて進歩が止まってしまったように見えるという。「タンプーラのチューニング法や音色、鳴らし方についての研究はあるのに、物理面、技術面での研究はほとんどないのです」と彼は言う。自分以外の技術者に楽器を説明できる機会が嬉しくてたまらないというように、彼はさらにタンプーラがあの重層的な響きを生み出す仕組みを説明してくれた。

カギを握るのはブリッジという、金属弦の一方の端が乗る固い部品である。西洋の楽器では、ブリッジは非常に細くて平らなことが多く、音高の変動幅をできるだけ狭くするために弦がブリッジの角からしっかりと離れるようになっている。一方タンプーラのブリッジは幅広で、天面は曲線を描いている。タンプーラ奏者や職人が使う「ジャヴァリ」という言葉は、この楽器の音色のもつ響きの面を言い表したものである。これは動詞でもあり、理想の音を出すために職人がブリッジを曲面に形成することをいう。タンプーラのブリッジはもともと象牙で作られていたが、現在ではコクタンの木や、ナイロンの一種で作られることが多い。

丸みを帯びたブリッジは弦に不思議な効果を与える。弦は弾くと振動しはじめ、素早く上下しながらブリッジの表面を軽くかすめる。波の物理学によれば、長い弦は波長の長い

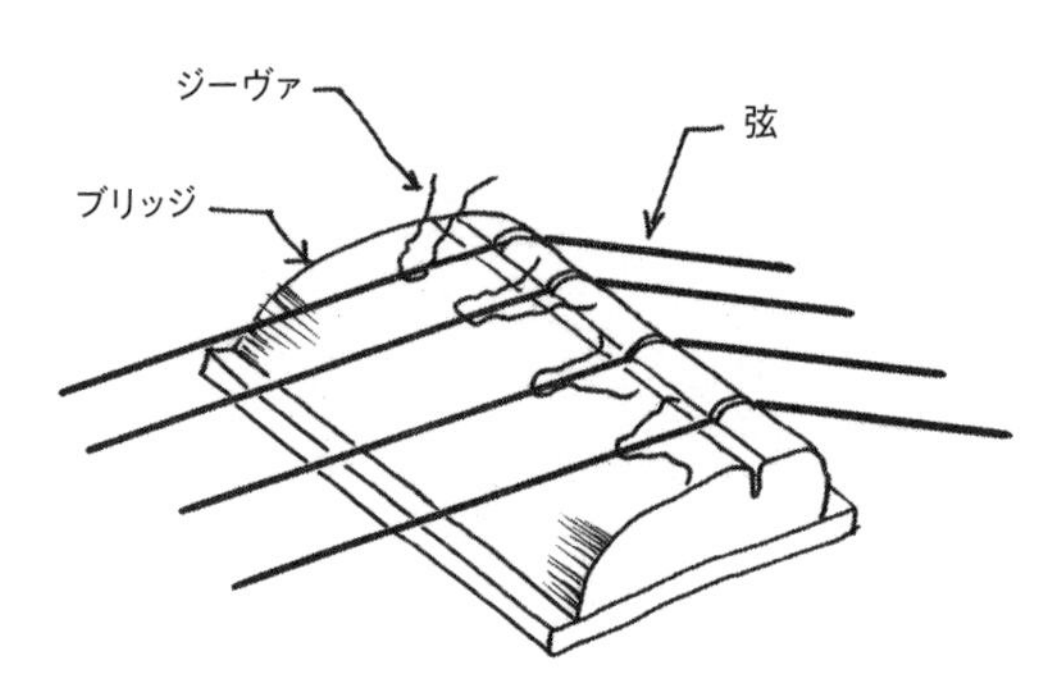

タンプーラの丸みを帯びたブリッジにジーヴァ糸をはさんだ様子

音、つまり低い音を発生させる。同様に、弦が短いほど音は高くなる。角が立ったブリッジを有する西洋楽器では、弦の終端、つまり弦の長さは常に一定である。ところがタンプーラでは、弦とブリッジの接点は、動きによって変化する。弦が上がった時の長さは、下がった時よりごくわずかに長くなる。また弦のエネルギーが減衰するとともに、弦とブリッジが触れる位置も少しずつ変化する。こうした弦長の微小な変化が重なり合う響きを生み出すのだ。

ここに綿糸がさらなる奥行きを与える。ハルジットが弦とブリッジの間で糸をゆっくり動かしたとき、ある一点に到達すると弦が共鳴して大きく振動し、音が滝のようにあふれ出した。綿糸がブリッジ上で示した位置とは、金属弦を自由に踊らせ、弦やそこから生まれる音に生命を吹き込む、まさにその一点だったのだ。この糸は「ジーヴァ」というのだとハルジットが教えてくれた。生命や魂という意味である。

弦楽器の音楽づくりに驚くべき役割を果たしてきた紡績素材は綿糸だけではない。弦そのものも、（タンプーラのような）スチールや真鍮ではなく、また生糸やナイロンでもなく、もっと不気味な材料で作られることがある。内臓だ。キャットガット（猫の腸）と呼ばれるが実際には猫から採られるわけではない。しかし腸（ガット）でできているのは本当だ。一般的な製法は、まず羊の腸全体を、まだ温かいうちに食肉処理場から回収してコラーゲンを採取する。コラーゲンは繊維状のたんぱく質で、哺乳類の体の中でも特に強度と弾性が必要な場所、たとえば皮膚、軟骨、靭帯、腱などに見られる。羊の腸をいくつかの化学物質に浸すことでコラーゲン繊維以外の組織を溶かす。洗浄後、伸ばして撚りをかけ、引っ張りながら乾燥させる。こうしたガット弦はスチールや化学繊維の弦より脆くて切れやすいが、それでも多くのプロの音楽家が好んで使用している。ガット弦の重量と柔軟性が合わさると、はっきりとわかるほどの豊かな響きが生まれるのだ。（キャットガットは他の分野でも重宝されている。プロのテニスプレーヤーの中には、強度と弾力のバランスゆえ、ポリエステルやケブラーよりもキャットガットのラケットを好む人もいる。また、手術後に傷口を縫い合わせる縫合糸も以前はキャットガットでできていた。生糸やナイロンと違って、数週間かけて体内に吸収されるからだ。）

楽器の弦に用いられる材料はどれもたいてい、想像以上に複雑な方法で作られている。タンプーラの弦や、ギターの高音側3本の弦を触ってみると、その実体はプレーン弦（単線弦）であることがわかるだろう。つまり、細くて長い金属または（クラシックギターの場合）ナイロンで、全体がきっちり同じ太さになるように作られたものだ。一方でギターの低音側3本の弦を触ってみると、巻き弦であることがわかるだろう。これは重量を増して低い音を出すためだ。巻き弦は中心に単線が通っていて、1本（または複数本）の線がそのまわりにらせん状に巻かれている。高音の弦ほど、低音の弦より一般的に巻き数が少ない。現在では弦の製造工程は高度に自動化されており、1日に7000本の弦を生産できる。しかし心にとどめておく必要があるのは、こうした細かな技術や生産工学の裏にも必ず、心の琴線に触れる完璧な音を生み出そうという、美の追求があることだ。

こうした楽器における美の追求においても、フィルミタス（強）とウティリタス（用）はやはり不可欠な概念だ。理想の音を出すためには、弦をチューニングする必要がある。弦をぴんと張り、切れないかと心配になるほどねじを巻いて繊維本体にかかる張力を増していくが、切れることはない。弦は強度によって張力に耐えることで、求められる有用な結果を生み出し、そうしてはじめて音楽が成り立つ。こうして、柔軟な強さと、実用性と、美とを高度に撚り合わせることで、ひもは人類の文化を決定づける存在にまでなったのだ。ひもは決して単なる実用性や使い勝手だけが売りの技術革新などではなく、それらの価値を美と融合させることで、技術というものがいかに素晴らしい体験を生み出せるかを示している。少なくとも私の人生は、そのおかげで間違いなく豊かなものになったのだから。

7

PUMP

ポンプ

心臓、乳房を超えて
宇宙まで

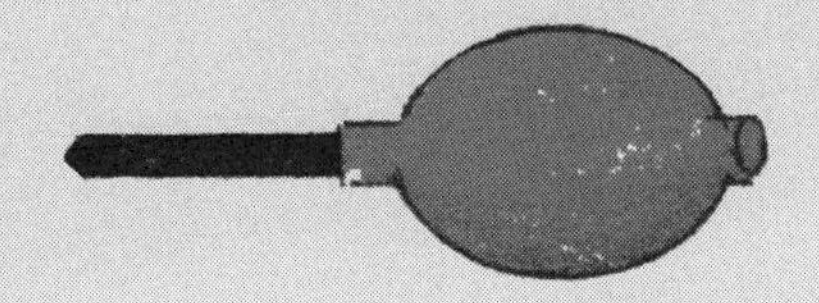

ポンプ

5000年前、古代メソポタミア（現在のイラク）はティグリス川とユーフラテス川の間に広がる不毛の荒野であり、そこに湿地帯が点在していた。乾燥した土地だったため、初期に定住した人々は増え続ける人口を養うために灌漑農業をする必要があった。必要は発明の母という言葉の通り、古代メソポタミア人にとっての苦境は、まさに太古の昔から人類が立ち向かってきたものだった。天才、名もなき発明家やその集団が、すべての人を養えるほどに作物を豊かに育てる方法を思いついた。その発明はシャドーフ（釣り合いおもり揚水）と呼ばれ、初期のクレーンのような構造物だった。シャドーフは背の高い支柱の上にシーソーが載っているような形をしている。その長い棒の一端にはバケツが取り付けられ、もう一端には重りが付いている。このシンプルかつ工夫溢れる構造によって、川からバケツで水を汲み上げて陸に運ぶことができた。これは、彼らにとって生きていくために欠かせない活動だった。

シャドーフはポンプである。ポンプという言葉から連想するのは、たくさんの動的部品を必要とする高度な技術かもしれない。しかし根本的には、ポンプとは液体や気体を移動させる装置だ。ポンプは、水が入ったバケツを紐で引っ張るだけの簡単なものから、複数のピストンが付いたモーター駆動のエンジンのように複雑なものもあり、後者は、動いて石油を燃やすことで自動車の動力源となる。

歴史的にポンプは重要な役割を果たしてきた。ポンプのおかげで、私たちは清潔な水を手に入れ、汚れた水を運び出し、過酷な環境でも十分な食料を育てられるようになった。流体（液体と気体の両方を含む）は当然ながら周囲の力を受けながら動くため、ポンプが必要となる。滝に見られるように、流体は重力によって高いところから低いところへと流れる。また、流動する自由粒子は不均衡の状態ではなく、平衡状態であることを好むため、気圧が高いところから低いところへと移動する（風船内の空気は、風船の外にある空気よりも圧縮されている状態を好まない。そのため、膨らませた風船の口を縛らない場合には、均衡の状態になるために空気が押し出される）。

ポンプを使えば、流体が普段しないような振る舞いをさせることが可能になる。重力に逆らって押し上げたり、気圧の高い状況に追い込んだり、あるいは単に別の場所に運ぶこともできる。バネと同様、ポンプにもさまざまな形がある。これは、世界中でそれぞれの状況や必要に応じて独自のものが作られてきたからであり、エンジニアたちが工学的問題の解決策としてのポンプの可能性を探ってきた、地理的な多様性を持った長い歴史の証である。シャドーフやアルキメデスのらせん（「釘」の章で触れたように、古代エジプトで発明され、ギリシャ人によって発見された）のような革新的なポンプは、もともと乾燥地帯で生まれた。というのも、人々は水の確保に知恵を絞らなければならなかったからだ。蛇口をひねりさえすれば清潔な水がいくらでも出てくるという現代の私たちは幸運だが、こうした生活はポンプに頼っている。今日私たちが使っているポンプの多くが、その起源を中世にまで遡ることができるのは非常に興味深いが、残念なことにそのエンジニアの名前はあまり知られていない。

発明家でありエンジニアでもあったアル＝ジャザリーは、１２０６年に発表された論文『巧妙な機械装置に関する知識の書』の中で、50以上の機械装置について詳細に記述している。ディヤール・バクル（現在のトルコ）を拠点とし、機械技師として数十年にわたりアルトゥク王朝に仕えた彼は、優れたエンジニア、職人として知られていた。

アル＝ジャザリーの百科事典的な論文には、機械と装置に関する六つの主要なカテゴリーがある。彼は、それらの仕組みをイラストとともに詳しく説明するだけでなく、組み立て方まで丁寧に解説し、その後のエンジニアにとっての知識の宝庫となっている。その中でも特に、形と機能を見事に融合させた名高い機械が、華麗で巨大な象時計（長さ約1・2メートル、高さ約1・8メートル）である。この時計には、オートマタ、流量調整装置、クローズドループ制御など、現在のエンジニアリングの分野においても使われている研究成果が数多く組み込まれている。

アル＝ジャザリーは、故郷の乾燥した気候において、水を汲み上げるためのポンプもいくつも発明した。特に優れていたのは、二つのポンプ動作を同時に行う往復ポンプと呼ば

7
PUMP
ポンプ

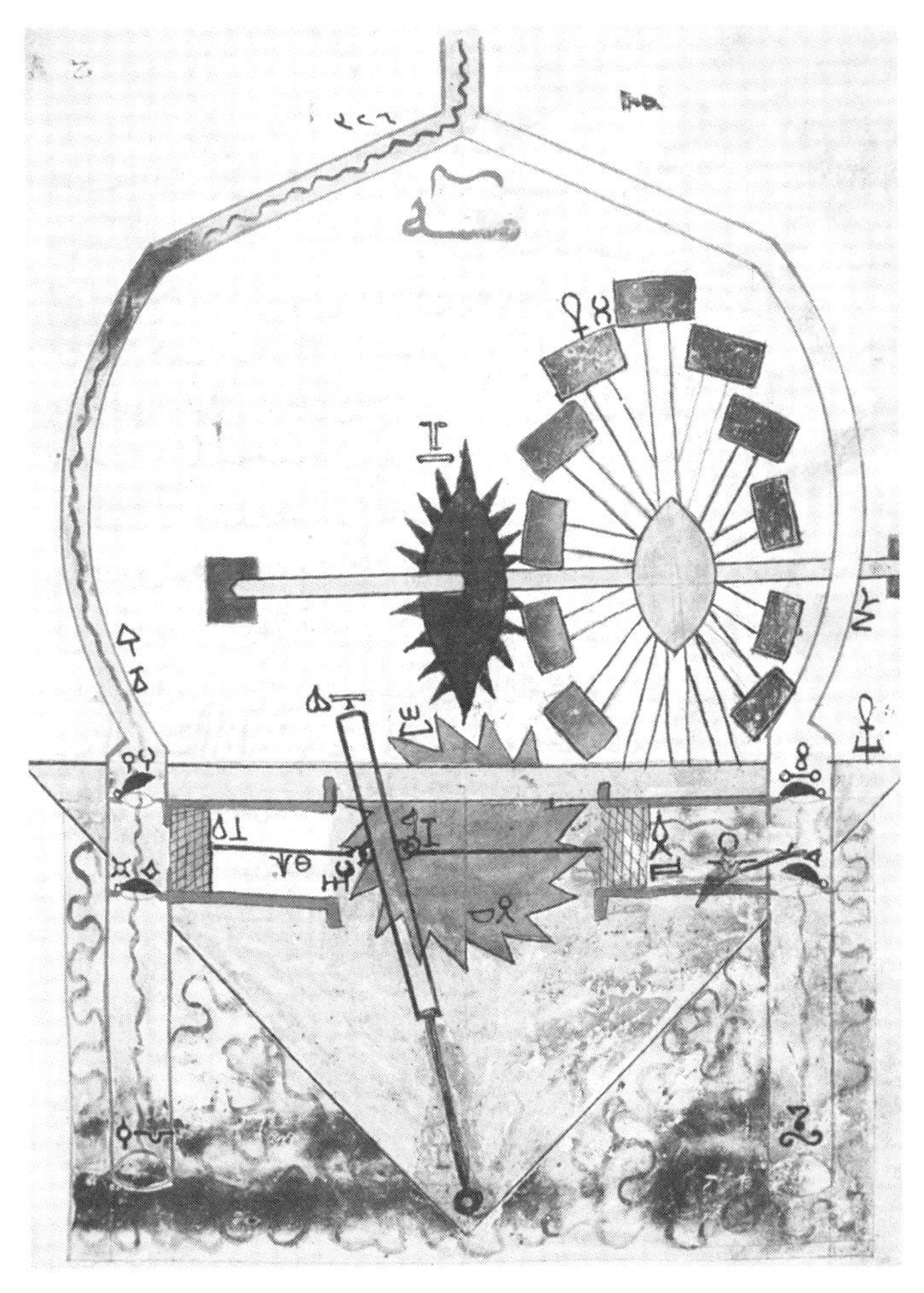

アル=ジャザリーによるポンプの設計図

れる設計である。彼は二つの銅製シリンダーを向かい合わせに配置した。それぞれのシリンダーには蓋のようなプランジャーが付いており、それらは一本のロッドで連結されていた。スイングアームに取り付けられた歯車がロッドを前後に（それぞれのシリンダーに向かって交互に）押すことで、一度のストロークで一方のシリンダー内部からは水を押し出すと同時に、他方のシリンダーでは水を吸い込んだ。これが、液体を部分真空に引き込むサクションパイプの初めての本格的な使用だったと考えられている。

回転運動を直線運動に変換する機械であるクランクシャフトは、今日の燃料で動く乗り物の中心となる部分であり、これもアル＝ジャザリーによるものである。この装置にはメインアームがあり、そこから直線のロッドが直角に何本も伸びている。メインアームは（S字が連続したような）「クランク」状になっており、回転させるとロッドが前後に引っ張られ、ガスや燃料が圧縮される。蒸気機関や自動車エンジンの発明の中核となったこの技術がなければ、今のような世界にはなっていなかっただろう。

人類にとって水は必要不可欠であるため、多くのポンプ開発において、水を動かすことに焦点が当てられてきた。17世紀頃になると、エンジニアたちは他の液体や用途にポンプを使うことに目を向け始めた。19世紀から20世紀にかけて工業化が進むにつれ、ポンプの設計は急速に発展し、幅広い用途に使われるようになった。アル＝ジャザリーが使用したようなプランジャー付きシリンダー（ピストン）は、たとえば自転車の空気入れや自動車

7
PUMP
ポンプ

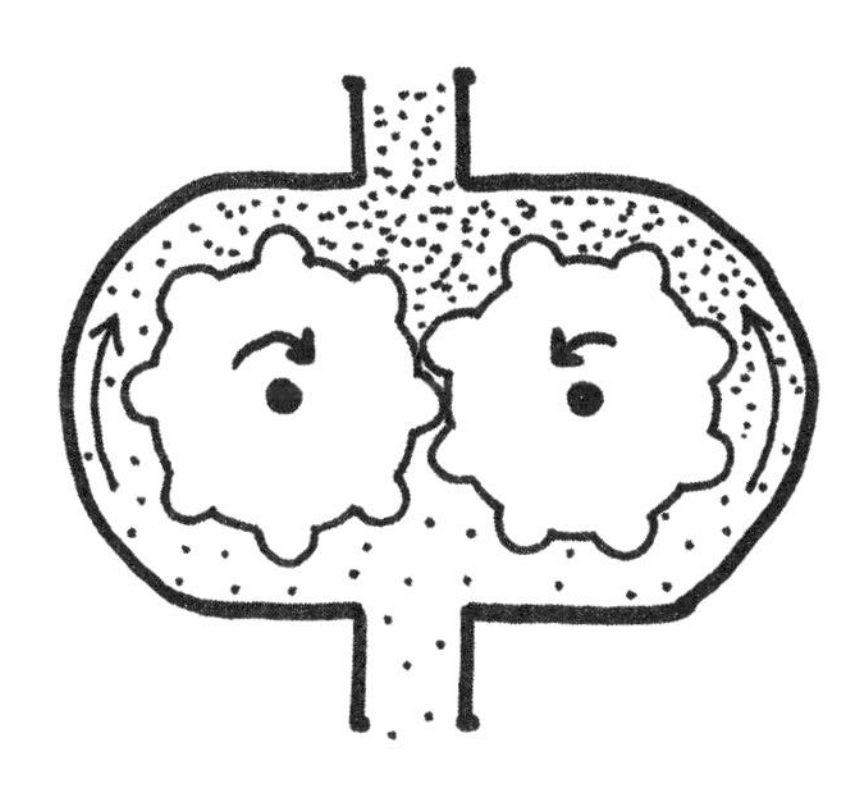

ギアポンプ

のエンジンに応用された。回転する部品が付いたロータリーポンプは、ギアポンプ（ガソリンのような粘性のある液体を押し出す）のように流体を動かした。手動の仕組みが電気に取って代わられると、ポンプはより洗練されて複雑になっていった。遠心ポンプは、この新しい動力源を利用して液体を高速で回転させ、向心力によって液体を外側に押し出し（遊園地にある回転するコーヒーカップの乗り物で、乗っている人がカップに押し付けられるのと同じように）、排出口へ液体を送る。

私たちの身の回りには、現代的な生活を可能にしたポンプの例が数え切れないほどあるが、精緻を極めたポンプの一つは、人類がポンプを発明するはるか以前から自然界に存在していた。私たちの体内にあって生存に欠かせない驚異的なポンプ、心臓である。胎児の中で最初に発達する臓器であり、酸素と栄養素が心臓によってすべての細胞に運ばれ、老廃物が取り除かれることによって胎児の命は成り立っている。私たちがこの世に生を享けると、心臓と循環系は毎日、これを休みなくおこなう。私たちの心臓は1日に約10万回鼓動し、身体機能を維持している。歴史を通じて、エンジニアたちは工夫を凝らしてポンプを発明してきたが、心臓と同じくらい強靭で効率良く機能するポンプの作成には長きにわたって苦戦している。同様に、心臓が衰えたりうまく機能しなくなったりしてきた時に治療する方法についても模索を長らく続けている。問題は、心臓が従来のポンプのように規格化された可動部品でできているわけではない、つまり、図面上に寸法が厳密に記載されたエンジニアリングの装置ではないということである。私たちは、ある程度まては心臓やその機能を再現し、多くの命を救うことができるようになった。しかし、それまでには、多くの実験と失敗、そして猫たちの死があったのだ。

○

心臓がこれほど優れたポンプである理由は、その汎用性、安定性、耐久性にある。拳ほどの大きさの心臓が、すべて順調に動いているときは1分間に5リットルの血液を送り出す。必要であれば、約20リットルまで自動的に素早く増加させることができる。例えば、走っている時や恐怖を感じている時など、体が酸素を大量に必要とする場合である。優秀なアスリートなら、その2倍近くになることもある。心臓はこのような調整をおこなうために、鼓動する回数を増やすだけでなく、その大きさも変化させている。心臓は私たちが生きている間、絶え間なく確実に動き続け、80年の人生の間に、30億回拍動する。そのような絶え間ない拍動をこれまで続けており、メンテナンスのために停止するといったこともありえなかった（少なくともこれまでの歴史においては）。

心臓は筋肉であり、神経系から発生する電気信号によって動く。健康な心臓は、中空の四つの部屋（上部に二つの心房、下部に二つの心室）からなる。心臓の右側で、酸素を失った血液を体から受け取り、それを肺に送ることで、呼吸によって取り込んだ新鮮な酸素を受け取り、二酸化炭素を放出する。新たに酸素を含んだこの血液は、次に心臓の左心房へ送られ、そして左心室へと下る。手足の指先まで血液を送り出さなければならないため、心臓のこの部分は最も力強く動く。

しかし、私たちのパーソナル・ポンプに異常が起きたらどうなるのだろう？　心臓専門医のロヒン・フランシスはコーヒーを飲みながら、心臓と循環系がいかに私たちの生命維持に不可欠であるかを説明してくれた。ほんの数分でも脳が酸素不足になると、不可逆的なダメージが起こり始め、10分経てば取り返しがつかなくなる。

ロヒンのこれまでのキャリアで忘れられない思い出の一つは、ある女性のそばに立っていたときのことだ。彼女の胸は切り開かれていて、中は空っぽだった。心臓と肺は摘出され、胸に空いた穴からは胸郭の後ろ側まで見えた。この女性は生きていた。60年近く前に生まれた時からあった心臓の欠陥がついに重病をもたらしてしまったため、彼女は心臓と肺、つまり循環器系の移植手術を受けていた。ドナーの臓器が別の病院から到着するのが20分ほど遅れていたため、執刀医と他のメンバーの多くはしばしの休息のために手術室を離れていた。ロヒンはその場に立ち尽くし、事の重大さを噛みしめていた。心臓も肺もない人間が生きている瞬間に、歴史上どれだけの人が立ち会ったことがあるだろうかと……。彼女の失われた臓器の代わりに動く大きな機械が背後で音を鳴らし、彼の思考は中断された。

人間の体で最も複雑な臓器の一つである心臓には、さまざまな欠陥が起こりうる。この女性のように、毎年何千人もの赤ちゃんが、心臓に穴が開いた状態で生まれてくる。心臓の両側を隔てる壁にできるこの欠損は、介入は必要ないという場合も多いのだが、出生後すぐに穴をふさがなければならないという場合もある。長い間、これを外科的に治すことはほとんど不可能だった。心臓が止まっている間に処置しようとしても、外科医には厳しい時間的な制約があった。患者の体を冷やして脳が必要とする酸素量を減らしても、必要な処置をおこなう時間は10分程度しかなかったのだ。他の唯一の選択肢は、心臓がまだ血液で満たされて拍動している間に手術することだった。心臓に開いた穴を縫合や移植片で処置することは理論的には難しくないのだが、実際にはどんな試みもほとんど無駄に終わった。手術をしても、ほんの少しの変化があれば良い方で、最悪の場合、患者は助からなかった。そこで、心臓の助けを借りずに脳や他のデリケートな臓器が動き続けることができる方法が模索された。

手術室でロヒンの患者の命を繋ぎとめていた機械は、医学関係者の間では単に「ポンプ」として知られる、驚異の人工心肺装置だった。1930年2月、若き医学生ジョン・ヘイシャム・ギボン（一般的にはジャックとして知られている）は、ハーバード大学医学部の外科フェローになった。彼は、実験的手術による研究の経験があまりなかったにもかかわらず、小さな研究室で働くことになった。幸いなことに、優秀で経験豊富な技師、メアリー（家族や友人からはマリーと呼ばれていた）・ホプキンソンの助けを得ることができた。彼女はジャックに実験的手術を手ほどきし、その後のプロジェクトの成功にも多大な貢献をした。

その年の10月、さして難しくない手術を受けていた患者に、異常な合併症の症状が現れた。酸素を失った血液を肺に送る動脈に大きな血栓ができていたのだ。ジャックは一晩中なすすべもなく、患者がもがき苦しみ、酸素不足で血液の色が濃くなる様子を見ていた。心臓に合併症を持つそれまでの多くの患者がそうであったように、救いの手は差し伸べられなかった。彼が願ったのは、静脈から血液の一部を抜き取り、その血液に酸素を注入するとともに二酸化炭素を取り除くことで、新鮮になった血液を再び体内に注入する方法があればということだった。つまり、心臓の閉塞を橋渡し（バイパス）して、心臓機能の一部を体外で補うという方法である。

ジャックはこのアイデアをもとに構想を展開して、心臓だけでなく肺の機能も果たす機械を作ろうとした。そうすれば、他の臓器に壊滅的な影響を与えることなく、心臓そのもの、さらには心臓内部でさえ手術が可能になるからだ（ジャックは知らなかったものの、ソ連（現ロシア）の科学者セルゲイ・セルゲービッチ・ブルコネンコも1920年代からこの問題に取り組んでいた。彼は犬の心臓と肺を2時間バイパスすることに成功したが、予期せぬ出血により実験は終了し、犬の命も絶たれた。彼の研究は結局、戦争のため中止された。これも、一つのニーズのために複数の発明が同時進行でおこなわれた例である）。

ジャックとマリーは主に二つの機構を作る必要があった。第一に、血液に酸素を取り込み二酸化炭素を取り除く人工肺、第二に、血液を機械と体内に送り込むポンプだ。ポンプの設計は、エンジニアリングの大きな挑戦だった。効率的で堅牢、さらには安全性が高いだけでなく、漏れや電源が落ちた場合のバックアップシステムも必要だった。ポンプを操作するオペレーターは、患者の状態に応じて血液の流量を調整できる必要があった。血液が機械の中を循環している間に温度が下がるので、患者の体内に戻す前に温める必要もある。こうした難題に加えて、赤血球は小さな袋状の繊細な膜に液体をつつんだものであるために、とても脆いという問題もあった。血液の流れが乱れたり荒くなったりすると、赤血球が破裂してしまい、せっかくの治療が台無しになってしまう。そのためポンプは、血液を体の隅々まで送り出すのに十分なほど強力でなければならないが、血液そのものを損なうほど強すぎてはならない。人間の心臓におけるこの繊細な綱渡りは、長い歴史の上に完成されたものであり、それと同等の仕組みを作るのは至難の業だった。

各機構の初期設計をいくつか組み終えた後、ジャックは猫で実験を始めることにした。

ネコは体が小さくて血液が少ないため、必要とする酸素量も少ないというのがその理由である。当時のフィラデルフィアでは、自治体が年間3万匹の野良猫を殺処分していたため、彼は夜になるとマグロと袋を持って出かけ、無防備な「被験者」を連れて実験室に戻った。この無慈悲な研究は、心臓の弱い人には向かなかった。

マリーは朝早くから仕事を開始し、その日の実験に必要な器具を数時間かけて準備した。すべてを滅菌して用意を整えると、彼女は猫に麻酔をかけ、呼吸ができるように人工呼吸器に繋いだ。次におこなうのは、胸を開き心臓をむき出しにすることだった。夫妻（研究室でのロマンスがジャックとマリーの二人を結婚に導いていた）は、心臓に出入りする主な2本の血管にチューブを挿入し、人工心肺装置を経由して血液が流れるようにした。また、この人工的な環境で血液が凝固しないように、ヘパリンと呼ばれる新たな医療用化合物を注入した。肺動脈（肺に血液を供給する）を塞ぎ、人工心肺のスイッチを入れ、様子を観察した。

多くの試みが失敗し、挫折しながらも装置の調整を繰り返した結果、1935年にようやく1匹の猫を4時間生存させることに成功した。1939年には、最長で20分間もこの機械で命を保った4匹の猫が、完全に回復したと発表した（そのうちの1匹は数か月後に健康な子猫たちを産んだ）。長年に及ぶ研究の結果、彼らは動物の心臓が拍動するのを安全に止められる時間を倍増させることに成功した。20分という時間はそれほど長くないように思えるかもしれないが、少なくとも、一般的な心臓の欠損を治療する心臓手術には事足りる時間である。

1952年、ついに彼らは装置を人間で試す準備を整えた。乳児を含む何人かの患者が悲劇的に命を落としたが、留意すべきは、すでに彼らの容態は重篤であり、その死は必ずしもマリーとジャックの機械によるものとは限らないという点である。そして1953年5月、生まれつき心臓に欠陥のあった18歳のセセリア・バヴォレックが、バイパス装置に繋がれたまま手術に成功した最初の患者となった。彼女は合計45分間接続され、装置は彼女の代わりに26分間心臓と肺の機能を担った。セセリアはすぐに回復し、通常の運動ができるようになり、完全に健康を取り戻した。ジャックとマリーのギボン夫妻の成功は、心臓手術のあり方を変えたのである。

ギボン夫妻が機械を設計していたとき、ジャックは最初、血液の吸引と排出をする弁を備えた折り畳み式の機構を作ることで、心臓そのもののポンプ運動を模倣しようとしていた。この心臓を模した機構は、弛緩すると満たされ、圧縮されることで空になるというものであったが、すべての可動部品と弁を洗浄・滅菌するのは極めて困難だった。しかしながら、現代医学の知見によって、血液が脈打つように流れる代わりに連続的に流れたとしても、特に短時間ならば身体はかなりうまく機能することが示唆されるようになった。するとギボン夫妻は、心臓を厳密に模倣しなければならないという制約から解放され、よりシンプルな機械の設計と製作に取りかかった。可動部品がはるかに少なくなり、結果的に洗浄やメンテナンスがはるかに簡単になった。

ジャックが最終的に選んだのはローラーポンプで、これは今日のバイパス装置に使われているものと同じ種類のポンプである。ローラーポンプでは、患者の血液が透明なプラスチックの管に集められる。管の一部は半円形になっており、内側には回転するモーターが収まっている。モーターにはアームが付いており、その両端に取り付けられたシリンダーは軸に対して自由に回転する。アームが回転すると、シリンダーが管をしごくように動く。管の上を転がっていた一方のシリンダーが半円形部分から離れると、もう一方のシリンダーがその上を転がる。この動作により、管の片側には血液を引き込む吸引作用が生じ、もう一方の端では血液を押し出す排出作用が生まれる。

人工心肺装置のおかげで、外科医は幅広い処置を心臓におこなえるようになった。患者の年齢や健康状態、疾患の場所にもよるが、外科医は心臓の部屋を隔てる弁や壁を修復し、また赤ちゃんが生まれつき持っている欠陥を治療することができる。肺の血栓を取り除いたり、破裂のおそれがある動脈の膨らみを治療したりすることもできる。そしてロヒンが身をもって体験したように、人工心肺装置は心臓移植の世界を切り拓いたのである。

しかし問題は深刻なドナー不足である。ロヒンの説明によると、心臓疾患のある患者が増え続けているにもかかわらず、現在おこなわれている心臓移植の数は80年代や90年代と同程度だという。昔に比べると人々はより長生きし、より高齢になってから亡くなるため、患者が受け取れる健康な心臓の数は多くなく、限られた数の心臓を誰のために使うかという難しい決断を迫られている。ロヒンによれば、背の高い人はドナーを得るのに苦労することが多いという。背の低い人に大きな心臓を移植することはできても、背が高い人に小さな心臓を移植することはできないからだ。小さな心臓では、長い手足に血液を送るには十分な強度がないのである（このことと、飛行機のエコノミー席で快適に座れるという二つだけが、背の低い人にとっての利点だと彼は付け加えた）。そこでエンジニアたちは、移植を待っている患者や移植を受けられない患者のために人工的な装置の開発に取り組んできた。つまり人工心臓である。

ロヒンが関心を抱く点は、疾患を抱えた心臓の問題を解決するためにエンジニアたちが取り組んできた幅広いアプローチだ。１９７４年の映画『くまのプーさんとティガー』でティガーの声優を担当し、グラミー賞に輝いたアメリカの腹話術師で発明家でもあったポール・ウィンチェルは、１９５６年に完全置換型人工心臓、つまり心臓を補強するのではなく、完全に心臓の代わりとなるよう設計された心臓の特許を初めて申請し、１９６３年に認められた。数年後の１９６９年にはハスケル・カープが世界で初めて人工心臓の移植手術を受けた。この一時的な装置によって、彼はドナーが見つかるまで三日間生きながらえた。残念ながら、彼はドナーの心臓を移植した直後に感染症で亡くなったが、仮の心臓はその役割を果たした。人間の心臓がない中で生命を維持したのである。

この装置は、設計者のドミンゴ・リオッタ博士とそれを移植した外科医のデントン・クーリー博士にちなんで、リオッタ・クーリー型完全置換型人工心臓として知られた。身体からの影響を受けない素材で作られており、ダクロンと呼ばれる繊維を含んでいた。これは、ケブラーの発明者であるステファニー・クオレクがかつて働いていた化学会社デュポン（「ひも」の章を参照）に登録されているプラスチックの一種である。心室を模した二つのポンプ室と、血液が心臓に入るための二つの経路（心房を模したもの）と、血液の流れを制御する弁がある。空気で駆動するため、私の親指ほどの太さの空気ダクトが体内から体外まで通っており、そこで電気で動くポンプが人工心臓を拍動させ続けた。

リオッタ・クーリー型人工心臓は、ドナーを待つ間の一時的な解決策に過ぎなかった。しかし1982年12月2日、ウィリアム・C・デブリース博士率いるチームは、患者バーニー・クラークに「ジャービック7」と呼ばれる装置を移植し、恒久的な心臓移植を試みた（これは、ユタ大学の学生だったロバート・ジャービックにちなんで命名されたもので、彼は当時ふくらはぎでテストされていたポンプの設計に三つの価値ある改良を加えた。人間の胸部内でよりフィットするように形状を改善したこと、血液により適合する素材を使用したこと、血栓のリスクを減らすために心室内を滑らかで継ぎ目のないものにする加工方法を採用したことである）。手術後に目を覚ましたクラークは、一杯の水を求めると、妻に向かって言った。「人工心臓になった今も、君を心から愛している」と。彼はこの心臓で112日間生きたが、合併症に悩まされ、特に外部からの装置で空気を送り込まれる不快感に苦しんだ。しかし、ジャービック7を使用した他の二人の患者、ウィリアム・シュローダーとマレー・P・ヘイデンは、それぞれ620日と488日生きた。この段階では、患者はまだ脳卒中やその他の合併症に対して危険をともなう状態であったが、こうした装置が長期的な解決策になりうる可能性が示された。

完全置換型人工心臓（通称ＴＡＨ）では、設計における難題が続出した。装置に角ばった部分があると、血栓や感染症だけでなく、周囲の組織に損傷を引き起こす可能性もあったのだ。完全置換型人工心臓を動かすには外部から電源もしくは空気を供給する必要があるため、患者の体にチューブをつなぐが、これも感染症のリスクになる。今のところ、完全置換型人工心臓には電源供給用の大きな駆動装置が必要で、それを引きずって移動する必要があるものの、患者の状態が良くなれば、背中に小型のものを背負うことができるようになる。１９６９年の最初の移植以来、世界中で13種類の設計デザインが開発されている。そのうちの一つが、アリゾナ州ツーソンで開発されたシンカーディア製のテンポラリー・ＴＡＨという人工心臓で、これまでに約１８００人の患者に移植されている。人間の心臓と同じく、この装置は二つの心室と四つの心臓弁がある拍動装置である。つまり、パイプを通して出入りする空気の拍動が心室内外に血液を循環させ、心臓の拍動を再現する。

外科医とエンジニアは、完全置換型人工心臓の改良を模索する一方で、人間の心臓を代替するのではなく、補助する機械式ポンプにも目を向けるようになった。移植が必要となる心臓の欠陥の多くは左心室にあり、ここは酸素を十分に含んだ血液を全身に送り出す部屋である。したがって、すべての患者に完全置換型人工心臓が必要なわけではない。ロヒンによれば、何十年もの間、科学者たちは左心室の複雑な収縮運動を十分に理解していなかったという。彼は、有名な高層ビルに例えて興味深い説明をしてくれた（やっと、私の専門分野で話し始めてくれた)。シティ・オブ・ロンドンのセント・メアリー・アクス通り30番地には、ガーキン(ピクルスに使用する小さいキュウリ)という愛称が付けられた、弾丸のような形をした高層ビルがある。ひときわ目立つこのビルの外観は、床を構成する水平のリング構造、柱を構成する垂直構造、タワーを取り囲む巨大なダイヤモンド型の対角線のパターンから成る(実はこれらが一体となって建物の構造的な安定性を高めており、風力に対してタワーを安定させている。この独創的な構造については私の著書『世界を変えた建築構造の物語』(草思社)でも触れた)。ロヒンは、心室を動かす筋肉の層をこれら三つの構造要素に例えた。内側に向かって心室を絞りながら収縮する水平リングのような筋肉と、心室を短くする垂直の筋肉があり、それに加えて、ねじり運動を生み出すために斜めに丸く巻き付く繊維もある。この三つの仕組みが連動することで血液を素早く効率的に全身に送り出しており、こうした仕組みによる心臓の動きを人工的に再現するのは極めて困難である。

こうした情報をもとに、エンジニアたちは補助人工心臓(VAD)と呼ばれるものに磨きをかけてきた。ほとんどの補助人工心臓は、一端が左心室に、もう一方が大動脈(全身に血液を供給する)に取り付けられる。心室から補助人工心臓に流れ込んだ血液は、そこから大動脈に送り出され、全身へ流れる。これは連続流の装置なので(つまり、完全置換型人工心臓のような拍動する空気は不要である)、身体から出てバッテリーパックにつながる細い電気ケーブルが一本あるだけだ。

医学部を卒業したばかりのロヒンは、初めて補助人工心臓に触れた時に戸惑いを覚えることとなった。指導医から患者の脈を確認するように指示されて、簡単なことだと思いながら患者の手首に指を当てた彼は、心臓の拍動を示す脈拍を感じられず、困惑するとともに自分の医師としての能力を疑った。後でわかったことだが、これは実は引っかけ問題で、補助人工心臓は人工心肺装置と同じように連続的に血液を循環させるため、通常の心臓や完全置換型人工心臓のように血液を拍動させない。だから、患者に脈がなかったのだ。

現在のところ最もうまくいっている補助人工心臓は、磁気浮上式（マグレブ）ポンプを使用しているものだ。通常、ローター（扇風機のような装置）が回転して流体を動かすポンプの場合、そのローターは回転モーターと軸でつながっている（インドでは、このようなシーリングファンを使っていた。長い軸の先端に羽根があり、スイッチを入れると軸が回転する）。しかし、さまざまな可動部分が接触するのは血液にとって好ましくなく、細胞や構造に損傷を与えてしまう。一方で、マグレブポンプは、線路の上に浮く磁気浮上式鉄道と同じように、動力源のモーターに触れない浮上式ローターを備えている。

マグレブポンプは電磁気の魔法のような力を利用しており、色々な発明を組み合わせることで驚異の装置を生み出せることを示す、新たな美しい例であるといえる。マグレブポンプにはモーターとローターが一つずつある。モーターは中空の円筒で、ワイヤーを巻いたいくつもの永久磁石が収まっている。ローターは羽根のついた平らな金属製の円筒で、円筒形のモーター内に収まっている。モーターに電力が供給されると、磁石と電流による電磁力でローターを上に押し上げ、浮遊状態にする。浮いているローターの周りには一定の隙間があり、血液はそこを押し潰されることなく流れる。また、モーター内の磁石は、心室から離れる方向に血液が流れるようにローターの羽根を回転させる。隙間が完璧な状態を保つように、モーターは毎秒数千の信号を送る。少しでもずれがあると、電流や電磁力が変化し、ローターの位置が調整される。つまり、患者が動き回ったり、走ったり、横になっている時でも、磁石はその強さを微調整し続けることで、血液細胞が決して壊れないようにしているのだ。

現状では補助人工心臓は身体の外にあるバッテリーで駆動する。バッテリーのサイズが小さくなり、設計者が次に開発に取り組んでいるのは、胸の内部にすっぽり収まり、スマートフォンのようにワイヤレスで充電できるモデルだ。移植と比較した際のこれらの装置の寿命についてロヒンに尋ねると、驚くことに、移植に劣らないほどの耐用性が得られ始めているという。平均的に移植は14年ほど持つが、彼の患者の一人は移植した心臓を34年も使っている。新型の補助人工心臓は開発されてからそれほど時間は経っていないものの、旧型は10年の大台を超えようとしている。

ポンプ技術は人生を引き延ばし、変化させただけでなく、探検における限界を打ち破り、人類にとって未踏の地へ果敢に挑戦することをも可能にした。しかし、最初に行われた宇宙遊泳では、宇宙飛行士の命を繋ぎ止めるためにポンプがあったにもかかわらず、それが危うく彼の命取りになるところだった。

宇宙空間を12分間漂った後、アレクセイ・レオーノフは、ある問題が起きていることに気づいた。彼の宇宙服は、ヘルメットに空気を送り込んで呼吸を可能にし、全身に空気を循環させて気圧を保つようになっていた。しかし、ボスホート2号から宇宙空間に出ると、彼のスーツは膨張し、膨らみすぎた風船のように変形して、非常に硬くなった（それまで人類は自由空間に入ったことがなかったため、スーツがどのように振る舞うかは誰にもわからなかった）。スーツと一体になったブーツから足が離れ、手袋からは指が外れていった。そして宇宙船に戻る時間になり、電話ボックスほどの大きさのスペースに足から滑り込む必要があったが、手足はスーツとの接触を失っていたため、アレクセイは宇宙船と自分をつなぐ綱も何もかも掴むことができなかった。生命維持システムが停止するまで、あと40分しかない。

管制室とのやりとりなしで、アレクセイは酸素を密閉している手動バルブを開け、どうにかスーツ内の空気を半分ほど放出した。小さな動作の一つひとつに膨大な労力がかかるため、アレクセイは限られた体力を使い果たし、危険なほど上昇した体温とともに脈が足から腕へと波のように伝わっていくのを感じた。しかしうまくいった。スーツを十分にしぼませて、身体を少し動かせるようになると、頭から船内に入ることができた。このとき、アレクセイのブーツは膝まで汗でびっしょりだった。彼は脱水症状を起こし、疲労困憊の状態であった。宇宙空間にいたわずか30分の間に彼の体重は6キロほど減っていた。それでも1965年3月18日、アレクセイ・レオーノフは人類初の宇宙遊泳者として歴史に名を刻んだ。その4年後、ニール・アームストロングが人類初の月面着陸を果たし、彼のおこなった「小さな一歩」のスピーチが人々を沸かせた。それに対し、アレクセイ・レオーノフが自分の経験について本部に提出した報告書は、やや淡々としたものだった。「特別なスーツがあれば、人間は自由空間で生き延び、活動ができる。お読みいただきありがとうございました」

宇宙という極限環境における生存を可能にするスーツにとって、ポンプは不可欠な部品である。宇宙服には大きく分けて2種類あり、一つは打ち上げと再突入の際に宇宙船内で着用するもので、もう一つは宇宙遊泳(NASAが言うところの「船外活動(EVA)」)で、この響きにはレオーノフのような淡々とした実直さがある)に使用されるものである。船外活動に使用されるスーツは、船外活動ユニット(EMU)と呼ばれる。どちらのタイプのスーツにおいても、宇宙飛行士が呼吸できるようにポンプで酸素を送り込むことが重要である。しかし、船外活動ユニットにはそれ以上の機能が必要だ。というのも、私たちの体は地球の大気の重さと圧力の下で生活することを前提に設計されているからだ。私たちを宇宙に放り出せば、まったく異なる物理法則が適用される。

ご存知のように、宇宙は真空である。もし私たちが気体のない状態にさらされたら、体を構成する液体は気化し始め、体は急激に膨張し、体温が下がる。そして肺から空気が吸い取られ、窒息死してしまうだろう。しかし襲い掛かるのはそれだけではない。純度の高い放射線に長時間さらされれば臓器が焼かれ、超高速で宇宙空間を移動する塵や破片が弾丸のように体に突き刺さるかもしれない。一方、宇宙遊泳をすると、マイナス150度から日差しの下では120度を超える温度が体を襲ってくる。船外活動ユニットスーツは人体を維持するための、いわばミニ宇宙船であり、この過酷な環境で生存して作業するのに必要なものをすべて備えている。動いて修理や実験をおこなえるように私たちの動きに対応したり、適切な圧力をかけたり、飲み水と呼吸用の酸素を供給するといった機能も必要である。

標準的なスーツには三つの主要部分がある。最も外側に、気温の変化や微小隕石から身を守る層があり、その下にある拘束層は、パネル状の素材を縫い合わせたもの（私たちの衣服に似ている）である。これによってスーツは形を成し、真空中で膨らまずに済む。その内側にはブラダー層。ナイロン製でプラスチックのコーティングがされており気密性が高いため、宇宙飛行士の体から外へ空気や湿気が放出されるのを防ぐ。酸素はヘルメット後部の高圧のタンクから胴体部分とヘルメットにポンプで送り込まれる。酸素は顔の上を移動してきて、吐き出された二酸化炭素を取り除き、次に体の上を移動して手足に届くとともに汗による湿気を回収していく。このポンプによって、宇宙飛行士は呼吸ができるようになり、体全体に十分な気圧がかかるようになる。

さらに私を驚かせたポンプの応用例がある。アレクセイ・レオーノフは、文字通りブーツに汗をかいた。放射線、極端な温度変化、微小隕石から体を守るため、彼のスーツは何層もの素材で作られていたからだ。NASAはアポロ月面探査のために船外活動ユニットを設計する際、この問題を回避しようと必死になった。しかし問題は他にもあった。当時設計されていたスーツは硬くてかさばり、宇宙飛行士の動きを著しく制限していたのだ。1967年、プレイテックス社（ガードルやブラジャーを専門に製造する会社）の産業部門は、その経験を生かして、ほとんど布だけでできた宇宙服を開発した。従業員の一人に試作品を着せ、地元の高校のグラウンドで彼が走り、サッカーボールを蹴ったり投げたりする様子を撮影した。プレイテックス社は契約を勝ち取り、ブラジャーを作る裁縫師たちに新たなプロジェクトをもたらした（彼女たちが作ったスーツを着た宇宙飛行士たちは、彼女たちに直接感謝の言葉を伝えた。型紙を切り抜いたリリー・エリオットは、月面着陸50周年を記念して行われたインタビューで、宇宙飛行士たちが梯子を下り始めた時に、心臓が飛び出しそうなほどドキドキしたと回想している。ほとんどの人が「人類にとっての偉大な一歩」に畏敬の念を抱いていたのに対し、リリーはスーツの縫い目が破れないことをとにかく祈るばかりだった）。

宇宙服は着用者のためにオーダーメイドで製作された。裁縫師たちは極めて薄い21層の布地を0・40ミリメートルの精度で丹念に縫い合わせた。使用されたのは当時の一般的なミシンであり、この繊細な作業のための特別なミシンはなかった。この21層の布地は、着用者を保護しながら動きに柔軟性を与えるとともに体温を保持していたものの、その一方で酸素を含む生命維持装置を内蔵したリュック内の機械から発生する熱も溜め込んでしまった。ここで二つ目のポンプが登場する。この熱に対処するため、エンジニアたちはメインの宇宙服の内側に着る別の服を設計した。これは液体冷却式通気服（LCVG）として知られているが、赤ちゃんが（そしてティーンエイジャーやソファーに寝転んでゆったりと過ごす人たちが）着るような、つなぎタイプのパジャマによく似ている。体にフィットする伸縮性のボディスーツであるLCVGには、90メートル以上の細いチューブが編み込まれている。リュックの中にある遠心ポンプ（芝生の上に置いて水を撒くポンプに似ている）が、小さなタンクで冷却された水をこれらのチューブに流し込み、体温を正常な範囲に保つ。宇宙飛行士は体を動かして作業するため、脱水症状や熱中症の危険性があり、それが命にかかわることもあるからだ。温かくなった水はポンプでリュックへと戻し、冷却して再び循環させる。

車輪が陶器製造機から移動手段へと転用されたように、エンジニアリングにおける解決策はしばしば他の、思いもよらない方法で活用される。遠心ポンプは、ルネサンスの芸術家であり建築家でもあったフランチェスコ・ディ・ジョルジョ・マルティーニが15世紀に書いた論文の中で、泥を持ち上げる機械としてその可能性を初めて概説し、その後1689年にドニ・パパンによって排水用に開発された。時代の先駆者だった彼らであっても、いつの日か彼らの研究成果が人類の宇宙遊泳に不可欠なものになるとは想像もできなかったのではないだろうか。

7
PUMP
ポンプ

ほとんどの人は、宇宙空間の過酷さを経験することはないだろう。しかし、ポンプが生命維持の一端を担っているもっと別の場所、産科病院で過ごすことは多くの人が経験する。

私自身の出産までの道のりは険しかった。妊娠するためには3度の不妊治療が必要で、そのプロセスは心身が疲弊するものだった。ついに成功すると、今度はめまいがするような喜びと、息もできないほどの不安の間で揺れ動いた。流産の可能性を考えると居ても立ってもいられなかったのだ。悲しいことに流産は今でもよく起こるし、私も妊娠6週目に出血が始まった時には、泣かないように我慢しながら病院へと急いだ。ありがたいことに、検査の結果、心配するようなことは何もなく（もちろん、他の心配事がすべてなくなったわけではないが）、約7か月後、明るい光を浴びながら、そして分娩室に冷気を送り込むエアコンのせいで少し肌寒く感じながら、私の娘はこの世に誕生した。私は子どもを母乳で育てることを強く望んでいた。しかし、理由はともかくとして（何年にもわたる不妊治療による肉体的および精神的なトラウマ、大変だった妊娠期間、あるいはただ単に母乳育児が本当に難しいということなど）、母乳育児は私がこれまでに取り組んだことの中でも極めて困難なことだった。私にとって母乳育児は、思い出すだけで胸が痛むほど辛いものだった。

私の乳首は火をつけられたような感じだった。乳管が刺激されて母乳が分泌されると、針で刺すような強い感覚の波が乳房から腕に向かって流れた。娘がごくごくと母乳を飲んでいる間、私は全身の筋肉を緊張させ、涙を流しながらじっと座っていた。苦しかったが、ホルモンの作用で傷つきやすい精神状態だった私は、母乳育児の利点に関するあらゆるメッセージで頭が一杯で、良い母親になるためにはただ我慢するしかないと思っていた。私は1日6～8時間、人生最悪の痛みとしか言いようのない苦しみに耐えていた。眠れず、シャワーを浴びることもできなかった。休みもなかった。娘は泣き、私は身を縮め、痛みを予期すると体が強ばった。その時はわからなかったが、私は産後うつに陥っていた。

私は母乳がたくさん出て、それは基本的には素晴らしいことなのだが、そのせいで乳房がたびたび充血し、詰まってしまった。すると私の乳房はまるで平らな壁のようになってしまい、子どもはそれに吸いつくことができなかった。乳管は引き伸ばされ、敏感になっていた。とても頻繁に詰まり、乳房にしこりを感じるようになった。そのしこりを和らげるにはマッサージするか（触るだけで痛くて泣いていたのに）、授乳するしかなかった。それをしなければ、乳腺炎になる危険があった。そんな霧の中にいるような状況で夫が思い出させてくれたのは、娘の出産前に、友人からもらった手動の母乳ポンプのことだった。私はそれを取り出し、いろいろ触ってみた。乳首を包む漏斗のような形のシールド。母乳でちょうど一杯になるくらいの哺乳瓶。この二つをつなぐ小さなバルブがいくつも付いたパーツにはレバーが取り付けられていて、押すとさく乳することができる。極度の疲労と痛みに襲われていた私に、ポンプは突如、驚くべき可能性をもたらしてくれた。小さな口で乳首を強く締め付けられることもなく、自分のタイミング、自分のペースでさく乳できる

7 PUMP ポンプ

こと。2時間以上を続けて眠れること。夫が娘に授乳できるようになること。そして私の体に対する絶え間ない要求から解放されること。すでに私の体はくたくただった。

数週間が経ち、心を覆っていた霧が少し晴れてくると、娘の次の「食事」を用意するために乳房の前でレバーを手でリズミカルに動かしながら、私は母乳ポンプがどこで生まれ、何十年もかけてどのように進化してきたのかを考え始めた（誰もが思い浮かべるようなことではないかもしれないが、何と言ったらいいのだろう、さく乳しているときは必然的に考え事をする時間が増えるのだ。そして結局のところ、私はオタク気質のエンジニアなのである）。母乳ポンプは、いくつかの重要な仕事をこなさなければならない。まず母乳を搾り出すのに十分な圧力を発生させなければならないが、それによって乳首や乳房のデリケートな組織を傷つけてはならない（つまり圧力とスピード調節ができることが理想）。また赤ちゃんが病気にならないよう、簡単に分解して洗浄できること。さらに、赤ちゃんの口の動きを真似し、母乳の供給を維持する必要がある。そして乳房の形はそれぞれ違う。一体どうすればこれらすべてに対応するポンプを設計できるのだろう？

ポンプによって自由が利くようになったものの、さく乳には時間がかかり、乳房に取り付けられたさまざまな器具を見て自分が家畜のように感じていた。そしてそう思うのも偶然ではなかった。初期の母乳ポンプは、牛の乳搾りから着想を得たものだったからだ。1890年代、発明家のジョン・ハートネットとデビッド・ロビンソンは、オーストラリアで動物用の搾乳器の特許を取得した。この機械は、拍動する真空圧を使用することで、乳房を刺激して母乳をより自然に放出させた。しかしこの装置は、他の初期の母乳ポンプと同様に、人間味に欠けていて不快感を与えるものだった。インターネット上で少し調べれば、真鍮とガラスで美しく作られた（非常に医療的で物々しい雰囲気でもある）18世紀のものや、1897年に作られた、昔ながらの自転車のバルブホーンによく似た装置や、乳房に取り付けるガラスコップと女性が母乳を吸い出すために使うパイプを備えた20世紀に生まれた奇妙な装置（これがどのように機能したのか、私には本当に理解できない）が見つかるだろう。

1898年、ジョセフ・H・フーバーという人物が、バネを使った「吸って離す」機能を発表した（フーバーというのは英語で「掃除機」を意味する名前ではあるが、母乳育児の親にとってありがたいことに、彼が発明したのは掃除機のような母乳ポンプではなかった）。これは、乳房を常に引っ張ることのない機構が追加された最初の例であり、今日でも使用しているポンプの設計に影響を与えた。スウェーデンのエンジニアであるエイナール・エグネルは、1956年に人間用の機械式ポンプをはじめて設計した。彼は、組織にダメージを与えずに乳房にかけられる安全な最大圧力を初めて実験的に計算した人物であり、赤ちゃんをよりよく模倣するために、理想的な拍動速度を計算した（気になる方のために実際の数字を言うと、1分間に47回）。しかし、この段階では、さく乳はまだ最後の手段、つまり、赤ちゃんの健康状態や、陥没乳頭のために赤ちゃんが吸いつきにくい、といった場合に頼るものと考えられていたため、設計にまで十分に手が回っていなかった。エグネルが作ったモデルは、病気で授乳できない赤ちゃんのための、病院仕様の大型ポンプだった。親の負担を軽減するためにポンプを使うという考え（休息や利便性のため、母乳量を増やすため、冷凍庫に母乳を溜めるためといった医療目的以外のこと）が設計に取り入れられるようになったのは、ここ数十年のことである。家庭で使える電気駆動の個人用ポンプが市場に出回るようになったのは、私が10代であった1990年代後半のことである。

装置自体の仕様は最近までほとんど変わっていない。母乳ポンプは一般的に、プラスチック製の乳房シールド（漏斗状のパーツで、それを乳房に当て、排出口を乳首の前に当てがう）が付いている。ポンプは私が持っているような手動式のものと電動式のものがある。後者のポンプは、ローターが速度を変えて吸引力を変化させ、乳首を前方に引っ張ったり離したりして、赤ちゃんが母乳を飲むように動く。最後に、乳房から出てきた母乳を哺乳瓶に集める。

個人的には電動ポンプを使ったことはないが、電動ポンプと手動ポンプのどちらも大きくて、乳房から垂れ下がっているような感じだ。電動ポンプは音が大きく、持ち運びができるようにバッテリー式にもできるが、吸引力が最も強いモデルはコンセントから電源を取る必要がある。空気管が乳房シールドまで届き、拍動しながら吸引がおこなわれる。職場復帰すると、親はオフィスの指定された場所で長時間一人で座っていることになるかもしれない（あるいはそういった場所がないこともありえる）。十分な頻度でさく乳しないと、母乳が詰まったり漏れたりするだけでなく、母乳量に影響する場合もある。そのため、職場に戻ってからも母乳育児を続けると決めた人は、常に手帳を管理し、必要な時にポンプを使えるようにスケジュールを組まなければならない。

私にとってさく乳は、自分の体にとっても、夫が娘に授乳できるようになるという意味でも、画期的なことだった。しかし留意すべきは、母乳育児をする、あるいは母乳ポンプを使うことの恩恵を受けるのに、必ずしもシス女性（性自認と生まれ持った性が一致している女性）であったり、妊娠していたりする必要はないということだ。トランスジェンダー男性（生まれた時の身体的な性別は女性だが、自身の性別は男性であると認識している男性。乳房切除手術後でも）、養子縁組した親、（男女のいずれにも属さないと考える性自認を持つ）ノンバイナリーの親、代理出産の親も、通常は乳頭刺激とホルモン治療の組み合わせによって、母乳育児ができる場合が多い。医学の進歩によって、２０１８年には記録上はじめてトランスジェンダー女性（生まれた時の身体的な性別は男性だが、自身の性別は女性であると認識している女性）が子どもに母乳を与えた。彼女は6週間、粉ミルクを使わずに母乳で育てることに成功した。ポンプは、乳首を刺激することで、乳管から母乳を分泌させる仕組みとして、すべての親の子育てにおいて重要な役割を果たすことができる。そして、母乳育児をするあらゆる親のニーズを設計に取り入れることが欠かせない。

母乳ポンプのデザインは19世紀から変わっておらず、またすべて男性による設計のため、起業家たちは親のニーズを第一に考えた母乳ポンプを再設計している。その一つが、

2018年末に発売された「エルヴィーポンプ」だ。これはタニア・ボーラーによって考案されたもので、彼女は自分の会社を通じて、タブー視されている女性の健康問題に取り組もうと決意している。これは、人口の大部分に影響を及ぼしながらも人々がオープンに話したがらないことでもある。私は、エルヴィー社で働く電子工学者のシュルク・エル・アタールに話を聞いた（私が彼女について初めて知ったのは、エジプトのベリーダンスを披露するドラァグショーで、彼女自身も難民であったことからショーを通じて難民支援の活動をおこなっている）。

エルヴィーの母乳ポンプを開発するチームの中心は、研究者からUX（ユーザーエクスペリエンス）デザイナー、ソフトウェアや電子工学のエンジニアまで、およそ10人で構成されていた。その方針は、これまでの母乳ポンプのイメージを消し去り、基本に立ち返ってゼロから再出発しようというものだ。ポンプのユーザーをデザインプロセスの中心としてそのニーズを取り入れるのは、初めてのことだった。

シュルクの説明によれば、ポンプの利用者となる新たな親たちと幅広く対話をすることで、チームはデザインの核となる六つの基本方針に辿りついた。静かであること、ハンズフリーであること、目立たないこと、スマートデバイスであること、使いやすいこと、そして最も重要なことは、乳牛用ではないということだった。その結果、ブラジャーの中に入れられるように設計された卵型のポンプが生まれた。以前の母乳ポンプと同様、エルヴィーポンプには乳房に装着するシールドがある。ハブ（ポンプ機構）はシールドを包み込み、丸みを帯びた回収容器とともにシールドに取り付ける。見た目はカップサイズが1〜2サイズ大きくなるが、ワイヤレスでとても静かである。つまり、ポンプを乳房に装着した上で、服を着て、オフィスや会議、外出先で目立たないようにさく乳して、一日を過ごすことができる。スマートフォンのアプリを使えば、ボトルにどれだけ母乳が溜まっているかの目安が表示され、ポンプのスピードをコントロールすることができる。

この装置において極めて革新的なエンジニアリング技術がポンプである。他の設計では、電動ポンプは音もサイズも大きい回転モーターを使って空気の吸引力を変化させていた。少なくとも部分的にはブラジャーの中に収まるような小型の母乳ポンプを作るには、別の仕組みが必要だった。シュルクによれば、エアポンプ（圧電気と呼ばれるまるで魔法のような現象を利用している）と呼ばれるポンプを使用したという。

水晶、糖類、セラミック、骨、木材のような素材は、「圧電効果」を示す（「圧電効果：piezoelectric effect」の「pieze」はギリシャ語で「押す」を意味している）。これらの材料が何らかの方法で押しつぶされたり変形させられたりすると、内部に電荷が発生する。逆も然りで、圧電材料に電圧をかけると形状が変化する。この原理を利用して、エンジニアたちは小型で効果的なエアポンプを開発した。

円形の薄い圧電材料が、柔らかい材料でできた円形のダイヤフラム（膜）に貼り付けられている。この組み合わせを空気の流入口があるケースに入れる。システムに電圧をかけると、圧電層が形を変えて歪み、柔らかい膜を下方に引っ張り、吸気口から空気が吸引さ

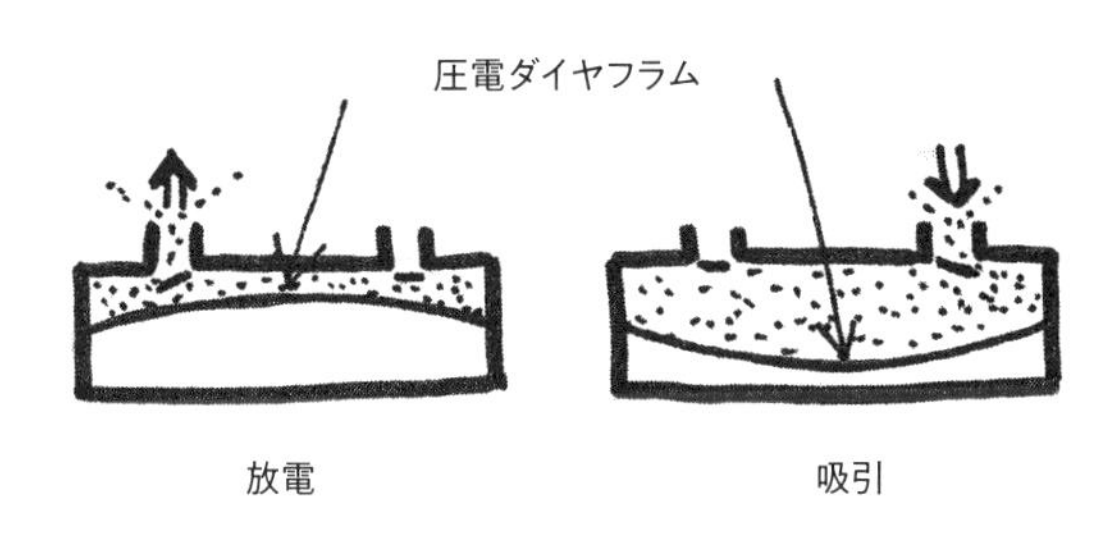

圧電エアポンプ

れる。その後、電圧を調整して（放電して）膜を元に戻す。この動作を毎秒数万回も繰り返すことで、ポンプは片側に圧力の低い領域を作り出す。ポンプが停止すると、装置周辺の圧力は通常に戻る。ウェアラブル・母乳ポンプでは、乳房シールドの片側に圧電ポンプが配置される。シールドはプラスチック製でしっかりとしているが、柔らかいシリコン膜を繋げる穴が切り抜かれている。バッテリーで駆動し、ポンプが作り出す吸引力によって乳房からシリコン膜を引っ張り、乳首の周りに吸引力を生じさせる。その後、ポンプは一時停止し膜を元に戻すという、乳首を刺激して母乳を出す赤ちゃんの吸引動作を模倣した一連の動きが続く。

もちろん、それぞれの母乳ポンプには長所と短所がある。壁の電源に接続する必要がある病院仕様のポンプは大きくて扱いにくいが、最も強力な吸引力を生み出す。乳管に詰まりやしこりができやすい人にとっては重要なことである。また大型の回収容器を取り付け、より多くの母乳を集められる。一方で、ウェアラブルポンプは静かで持ち運び可能だが、吸引力や溜められる母乳量は劣る。また、費用や入手しやすさ、健康保険がポンプに適用されるのか、適用されない場合には費用を自己負担できるのかという問題もある。

最終的には、自分の体の状態と必要に応じて選択すべきだろう。そして、その選択肢が存在するのは、シュルクが私に言ったように、160年の時の流れの中で、母乳育児をする親は牛のように扱われるべきではないと奮起した人がいたからこそだ。ついに、母乳ポンプは家族の現代的ニーズを踏まえて設計されるようになったのである。

製品を構想したり開発する段階のエンジニアリングにおいて、その製品のユーザーのことを考慮して対話をおこなうのは当然のことのように思えるかもしれないが、これまで見てきたように、必ずしもそうではなかった。もしもユーザーのことが考慮されていれば、ポリーナ・ゲルマンは背が低すぎて飛行機を操縦できないということもなく、パイロットになれただろう。同じように、家事を任されていた人々は、もっと早い段階で実際に機能する食洗機やその他の電化製品を作り、特許を取得する機会を持てただろう。そして、技術の進歩は権力を持つ者だけでなく、すべての人々に恩恵をもたらすようになるだろう。

結局のところ、エンジニアリングは世界の一部となり、私たちの現在と未来を形作っている。だから私たち誰もが、地球とそこに生きるすべての存在のためになることに取り組もうと、今いちど心に刻もうではないか。

おわりに

エンジニアリングが語るのは極めて人間的な物語だ。

この心躍る事実に気付いたのは、ニューヨークに住んでいた子どもの頃に、建ち並ぶ高層ビル群を見ていた時だった。もちろん、最初はそのスケールと壮大さにただただ圧倒されていた。しかし、次第に私の好奇心は高まっていき、レンガや石やコンクリートで造られたこれらの建造物が、まさに私たちの存在の証であることに気付いたのだ。私たちが必要としたものや欲したもの、私たちが何を夢見ては、そのための解決策をどのように考え出して実現したのか。そういったことの積み重ねが街や都市を形成し、私たちの日常生活を形づくってきたのである。自動車からコンピューター、コーヒーメーカーまで、エンジニアリングは私たちの人間らしさそのものだ。エンジニアリングは私たちがお互いと、さらには地球とどのように関わり合っているかを示している。

過去の私たちが何者であったのか、その歴史がどのようなものであったのかを、エンジニアリングは教えてくれる。人類は何千年にもわたり技術開発をおこなってきた。そしてこの能力によって、私たちは他の生物とは異なる道を歩むことになった。この道をたどっていくと、昔の祖先が叩いていた火打石、編んだ糸、移動に使用した乗り物、調査や航海に利用した道具から、多くを知ることができる（彼らがどのように食事をし、建物を造り、生活し、そして社会を形成してきたか）。過去に世界のとある場所で考え出され、作られた発明品（たとえば車輪）が、いかにして他の地域にも共有され、広まっていったかがわかるのだ。知識の異文化交流であり、これはエンジニアリングの偉業が生活にもたらし得る良い変化に対する興奮によって引き起こされた（あるいは、武器もまたシルクロードを行き来したように、悪い方向に変化させる場合もある）。私たちの祖先は互いに学び合い、時には基本に立ち戻って、ある技術を別の方法で再構築したり、改良して別の成果を生み出したりすることもあった。例えば、ネアンデルタール人が発明した糸を使って、人工繊維やスチールロープを生み出したように。

エンジニアリングによって明らかになるのは、今の私たちが何者であるかということだ。昔に作られた物によって過去が照らし出されるように、私たちの身の回りの物を見つめなおすことで、現在について多くを解明することができる。エンジニアリングは、近寄りがたくて退屈で、手に負えないもの、もしくは異質で不可解なブラックボックスに見えるかもしれない。しかし、私たちの生活やコミュニティの中心にあるエンジニアリングや、そこで生み出されたものがどのように機能するのかを理解することは有意義であり、啓示的な意味さえ持ちうると私は信じている（啓示のような突然のひらめきの瞬間をあらわす「エウレカモーメント」という言葉があるが、その起源がエンジニアでもあったアルキメデスの逸話であることは偶然ではない）。エンジニアリングを理解することで、私たちは自分自身について学ぶことができる。複雑な仕組みを調べることは、私たちにとって非常に力になるのだ。

私の夫にはバドリナートといういとこがいる。バドリナートはどこに行っても、静かなる自信に溢れた雰囲気を纏っている。それは、たとえ問題の解決策がわからなくても、自分ならいずれ解決できるという信念から来るものだ（学び続ける謙虚さと並んで、優れたエンジニアの核となる資質である）。生涯をかけて物事の仕組みを探求し、複雑さの中にシンプルさを求め続けてきたことからこの信念は生まれた。

バドリナートのかなり幼い頃の記憶の一つは、彼が5歳くらいの時に叔父に肩車をしてもらい、近所の家の電球を交換したことだ。それは1980年代のことで、彼は南インドの人口2万人ほどの村に住んでいた。村には電気が通っている家がほとんどなく、電気に不慣れなことと感電死の恐怖があいまって、たまに電球を交換する必要がある人々は不安を感じていたという。しかし、幼いバドリナートは学ぶことに意欲的で、チャレンジ精神が旺盛だったため、電球交換の機会を得たのだ。それは、いろいろな意味で彼に光が差した瞬間だった。というのも、それ以来バドリナートはテクノロジーへの好奇心が止まらなくなったからである。彼の好奇心に初めて火が付いた時の話を聞くと、クレヨンを粉々にすることに夢中だった私の子ども時代を思い出す。あるいは、いろいろなものを分解してその仕組みを理解することに夢中だった頃と言うべきだろうか。いずれにせよ、決して物を捨てない文化で育った彼は（この文化は、ムンバイという都市で育った私にも馴染みがあるものだ）、電化製品やラジオが動かなくなると、家族と一緒に修理工房（町じゅうのいたる所にあった）に行き、独学のエンジニアである店主が製品を分解し、問題を突き止め、修理する様子を見ていた。高校時代にはマルチメーターを手に入れ、ランプの配線を変えたり、壊れたミキサーを修理したりした。英国に移住すると、アバディーン市の寝室が五つある自宅を再設計し、配管を引き直すことでボイラーから独立した回路を作り、電力消費を抑えた。最近では、薄型テレビを分解し（妻と息子は心配していた）、欠陥があることを発見した基板を、ネットで購入した中古品と交換した。

こうした考え方には、お金を節約し、使い捨て経済から距離を置くという利点があるのはもちろんのこと、製品に新たな命を与えることで、幸福感や満足感、そして達成感を得ることができる。バドリナートにとって、物との関係とは変化するものである。店で買ったばかりの最初の時点では強いつながりを感じないが、やがて自分の痕跡がある自分だけの物に変わっていくのだ。

テクノロジーというブラックボックスに怯えずに済むと、個人的なレベルにおいて解放感がある。だがそれ以上に、身の回りの物の基本的な仕組み（英語で「ナットとボルト」とも言う）を理解することは、工芸品やデザイン、さらには私たちが地球に与えている壊滅的な影響にどう対応すべきかを理解することにつながる。そうしてエンジニアリングは、私たちを理想的な姿へと導いてくれるのだ。

この本を書くにあたって、私は物を（実際に、そして比喩的に）分解することの価値や、分解することがいかに良い未来につながるかについて、活発で刺激的な議論を多く交わした。友人のレベッカ・ラモスとのディスカッションは特に示唆に富んでいた。私が選んだ七つの発明品がどのように組み合わさり、私たちが生きる世界を構築しているのかを考えるたびに、その時のことを思い返す。レベッカは建築家、アーティスト、デザイナーであり、アートとデザインをわかりやすく、より多くの人のもとへ届け、私たちが課題意識の高い消費者になれるように後押しすることを使命としている。彼女の祖母はスペインの靴工場で働いて戦後にベネズエラへ移住しており、レベッカはその職人技と品質に対する価値観を引き継いでいる。レベッカが教えてくれたのは、私たちが物を「所有」する期間は、その物の一生のうちのわずかな期間だけであり、デザインについてより深く理解することで、私たちが何かを生産したり消費したりするたびに（それが1着の洋服あるいは大規模な建設プロジェクトの1要素であっても）連鎖的に地球に及ぼす影響はとてつもなく大きくなっていくということだった。あらゆる製品は、原材料の生産や収穫、製造、組み立て、包装、を経て、私たちのもとにやってくる。それでは、私たちが使い終わったらその「製品だったもの」はどうなるのだろうか？　製品の背後にある生産プロセスに対する私たちの理解が乏しければ乏しいほど、その品質や価格に見合う価値、そして持続可能性について正しい判断ができなくなる。

エンジニアリングにおける思想的指導者であるグル・マダヴァンは、必要かどうかわからない新しい物を絶え間なく生産することに疑問を呈し、倫理、経済、環境的配慮をエンジニアリングデザインの中核に据えることが何よりも重要だと話す。この精神は、私たちがとるべきであるとレベッカが考えるデザインプロセスと密接に関連しており、とめどない持続不可能な生産を止める方法となるだろう。英国は世界でも有数の電化製品の廃棄国であり、たった1年間で一人当たり24キロ近く排出している。この数字は2019年の米国では約21キロだった。そして、このうち約40%が不法に他国に輸出、投棄されていると推定され、これらの機器からの汚染物質が現地の食料や水源に浸み出す可能性がある。また、限りある貴金属についても、膨大な量が埋立処分されてしまう。

幸いなことに、この問題に立ち上がった人たちが別の方法を提示している。ロンドンでは、ダニエル・パーキスがその一人だ。彼女が運営するザ・ビッグ・リペア・プロジェクトというリサーチプロジェクトは、英国全土の電子機器のメンテナンスと修理に影響を与える要因を把握してマッピングすることを目的としている。彼女の研究の基本コンセプトの一つに「循環思考」がある。あらゆる素材の価値はその寿命を通じてのものであるため、捨てて処分するのではなく、分解して再構成するべきであるという考え方だ。これは、分子や化学的スケール（たとえば、バクテリアや酵素を使った堆肥づくり）でも、よりマクロな物理的スケール（装置を解体して修理や部品交換をしたり、分解して部品を再利用したりする）にも応用できる。ダニエルが指摘した重要な点は、排出される有害物質の大半は、製品の使用中ではなく、製造段階で発生している場合が多いということだった。また製品の経年劣化も大きな問題である。製品の耐用期間が短かったり、修理ができないように設計されていたりすると、すぐに廃棄されてしまうからだ。英国では、電化製品（携帯電話や家電製品）のわずか17パーセントのみがリサイクルされており、アメリカでは15パーセントにまで落ち込む。一つの要因として挙げられるのは、このようなテクノロジーが関わる製品には複雑に構成された素材が含まれており、そもそもそれを取り出すのが難しい場合が多いということだ。さらに、十分に管理された環境下でリサイクルしなければ、健康や環境に悪影響を及ぼす。製品のデザインや素材が複雑であればあるほど、分解するのは難しくなり、埋立地行きになることが多い。そのため、設計の最初の段階から製品を分解する方法を検討し、修理やアップグレードによって製品を長持ちさせ、最終的にリサイクルできるようにすることが重要なのだ。

土木工学の原則、課題意識の高い消費、物の仕組みについての知識を結集することは良いことずくめである。しかし、そこには政策や政府関係者に加え、製品の各メーカーの積極的な参加が必要である。ダニエルは総じて楽観的だ。彼女によると、ここ数年の間に、人々がお互いを助け合って修理をおこなうコミュニティ・リペア・ハブが次々と登場しており、整備品の携帯電話や中古のテック製品の広告も増加しているという。世界的なパンデミックに対応するためにおこなわれたロックダウンでは、必要な道具を持っていなかった人々もリモートでの仕事や勉強を余儀なくされたため、手頃な価格の電子機器の開発が飛躍的に進んだ。

エンジニアリングは過去、現在、そして未来においても、手に負えない冷たいものであるどころか、むしろ刺激的で、力を与えてくれる、人間的なものである。そのことを本書では、物を分解し、細分化することを通じて伝えてきた。複雑さをそぎ落とすことで、シンプルさを見出すことができるものの、そういったシンプルさは時に見せかけに過ぎず、物語と科学によって織り成される複雑さへと遡ってみるのも魅力的である。エンジニアリングを解き明かすことで、個人的な恩恵を受けるだけでなく、私たちが地球上に住む種として進むべき道が見えてくる。それは、あらゆる生物と私たちが住む地球に寄り添った道である。その道と関連するテクノロジーについて学ぶために、そして一歩を踏み出すために、小さなことから始めればいい。一見すると不可解なものでも分解し、それがどんな部品でできているか理解しようとすること。そして、それらの部品を再び元通りに組み合わせる前に自問するのだ、「どうすればもっとうまくやれるだろうか?」と。

謝辞

本書は世界的なパンデミックの間、2年をかけて執筆したものです。すべての人にとって困難な期間であったからこそ、まずは科学者、エンジニア、医療従事者、そして人知れず働き、パンデミックが（ほぼ）終息するまで世界を支え続けたすべての人々に感謝します。

続いて、次の方々に感謝の言葉を贈ります。

パトリック・ウォルシュ。最高のエージェントである彼は、私がアイデアを思いつき、それを（おそらくうまいかたちで）書き上げると信じてくれました。彼のコメント、サポート、そしていつでも力になってくれたことに感謝します。

カーティ・トピワラ。ホッダー・スタウトン社の敏腕編集者である彼女は、最高の表現になるまで磨き続けてくれるとともに、素晴らしい本になるはずだと信じてくれました。出産が重なる中で、バトンを受け取ってくれたアンナ・バティ、そしてイジー・エヴァリントン。イジー、あなたのフィードバックは本当に貴重で、かなり大変なこともあったなか、スケジュールに沿って最後までやりきってくれました。

クィン・ドゥとジョン・グラスマン。この本を信じて、心のこもったフィードバックをしてくれました。そして私の言葉をアメリカまで届けてくれました。

パスカル・カリス。今回もまた私の文章を魅力的にしてくれました。あなたと仕事をするのはいつも楽しく、学ぶことがたくさんあります。あなたは洒落の達人ね。

タラ・オサリバン。私の誤字や文法を驚くほど丁寧に修正してくれました。

本当に大変な時期に、ビデオ通話やEメール、時には直接会って、時間と知識を与えてくれた80人以上の人々（「協力者」のセクションに記載）。この本をまとめることができたのは、言うまでもなく、皆さんの広い心のおかげです。私たちがそれぞれ孤立に陥っているなかで、あなた方が私の命綱でした。深く、深く感謝しています。

ニューライトの親愛なる友人たち、特にスバドラ・ダス、ハナ・アヨブ、レベッカ・ストラザーズ、アレックス・オブライエン。章や抜粋を読み、背中を押してくれました。皆さんの本を読むのが待ち遠しいです。ファティン・マリーニ、ロタ・エリンネ、アンタラ・ダットは、私の得意分野でない部分を読み、文章をより豊かにする手助けをしてくれました。

執筆している間、画面越しに顔を見せてくれた世界中にいる家族たち。あなたたちからの励ましとその存在が私にとってのすべてです。

私の両親であるヘムとリネット、妹のプージャ、義理の弟ダニエル、そして可愛いキア。あなたたちからの愛に感謝します。

私のトライアングル・ファミリー、小さなザリア、そして夫のバドゥリ。言葉にできないほど感謝しています。良いことも悪いことも、すべて一緒に乗り越えてきましたね。私はあなたたちと一緒にいられて幸せです。

ロマ・アグラワル
2023年3月

草思社刊

世界を変えた建築構造の物語

ロマ・アグラワル 著
牧尾晴喜 訳

アーチ、ドーム、地盤改良…エンジニアの先人たちはどのように物理的な困難を克服する知恵＝「構造」を発明してきたのか。豊富な図版とともにその歴史を語る。

本体 2,200円

数学者たちの黒板

ジェシカ・ワイン 著
徳田功 訳

黒板に魅せられた写真家が100を超える数学者の板書を撮影し、その数学者たちの黒板に関するエッセイを同時に収めた、黒板への愛に溢れた異色の数学×黒板写真集！

本体 3,500円

世界の見方が変わる元素の話

ティム・ジェイムズ 著
伊藤伸子 訳

宇宙はどう誕生したのか、なぜ携帯電話で通信できるのか、温暖化は解決できるのか…元素について知ることで世界の成り立ちがわかる、ユーモア溢れる化学の物語。

本体 1,800円

ビーバー
——世界を救う可愛いすぎる生物

ベン・ゴールドファーブ 著
木高恵子 訳

驚くべき生態、人類との深い関わり、衝撃的な自然回復力…生物学、文化史、治水学にまたがりながら、この類まれなる生物の全貌に迫る、ビーバー本の決定版。

本体 3,300円

＊定価は本体価格に消費税を加えた金額です。

著者略歴――――
ロマ・アグラワル（ROMA AGRAWAL）
構造エンジニア。インド系イギリス系アメリカ人。オックスフォード大学で物理学の学士号を取得した後、インペリアル・カレッジ・ロンドンで構造工学の修士号を取得。西ヨーロッパ一の高さを誇るビル「ザ・シャード」やノーザンブリア大学歩道橋をはじめとして、数々の有名な建造物の構造設計に関わる。英国王立工学アカデミーのルーク賞を含む数々の国際的な賞を受賞している。著書に『世界を変えた建築構造の物語』（草思社）がある。

訳者略歴――――
牧尾晴喜（まきお・はるき）
1974年、大阪生まれ。一級建築士、博士（工学）。株式会社フレーズクレーズ代表。建築やデザイン分野の翻訳を手がけている。同志社女子大学、摂南大学で兼任教員。主な訳書・監訳書に、『世界を変えた建築構造の物語』（草思社）、『モダン・ムーブメントの建築家たち：1920-1970』（青土社）、『幾何学パターンづくりのすべて』（ビー・エヌ・エヌ）、『暗闇の美術』（求龍堂）などがある。AXIS（アクシス）、VOGUE JAPAN、アイデア、GAといった雑誌での記事翻訳・執筆もしている。

ナットとボルト
世界を変えた7つの小さな発明

2024年7月4日　第1刷発行

著　者　ロマ・アグラワル
訳　者　牧尾晴喜
装幀者　albireo
発行者　碇　高明
発行所　株式会社 草思社
〒160-0022　東京都新宿区新宿1-10-1
電話　営業 03(4580)7676　編集 03(4580)7680

本文組版　株式会社 キャップス
印刷所　中央精版印刷 株式会社
製本所　加藤製本 株式会社
翻訳協力　株式会社 フレーズクレーズ
（坂口源／堀晃／中道大樹）

ISBN978-4-7942-2725-6　Printed in Japan　検印省略

カバーイラスト　山本由実

参　考　文　献

全体

Earth911. '20 Staggering E-Waste Facts in 2021'. Earth911, 11 October 2021. https://earth911.com/eco-tech/20-e-waste-facts/.

Forman, Chris and Claire Asher. Brave Green World. MIT Press, 2021.

Gadd, Karen. TRIZ for Engineers: Enabling Inventive Problem Solving. Wiley,2011.

Holmes, Keith C. Black Inventors: Crafting over 200 Years of Success. Global Black Inventor Research Projects Inc., 2008.

Jaffe, Deborah. Ingenious Women: From Tincture of Saffron to Flying Machines. Sutton Publishing, 2004.

Jayaraj, Nandita, and Aashima Freidog. 31 Fantastic Adventures in Science: Women Scientists of India. Puffin Books, 2019.

Madhavan, Guru. Think like an Engineer: Inside the Minds That Are Changing Our Lives. Oneworld, 2016.

Malloy, Kai. 'UK on Track to Become Europe's Biggest e-Waste Contributor'. Resource, 21 October 2021. https://resource.co/article/uk-track-become-europe-s-biggest-e-waste-contributor.

McLellan, Todd. Things Come Apart 2.0. Thames & Hudson, 2013.

Petroski, Henry. The Evolution of Useful Things: How Everyday Artifacts—from Forks and Pins to Paper Clips and Zippers—Came to Be as They Are. Vintage Books, 1992.

Rattray Taylor, Gordon, ed. The Inventions That Changed the World: An Illustrated Guide to Man's Practical Genius through the Ages. Reader's Digest, 1983.

Toner Buzz. 'Staggering E-Waste Facts & Statistics 2022', 9 March 2022. https://www.tonerbuzz.com/blog/e-waste-facts-statistics/.

Walker, Robin. Blacks and Science Volume 2: West and East African Contributions to Science and Technology. Reklaw Education, 2016.

Walker, Robin. Blacks and Science Volume 3: African American Contributions to Science and Technology. Reklaw Education, 2013

1 NAIL 釘

Ackroyd, J. A. D. 'The Aerodynamics of the Spitfire'. Journal of Aeronautical History, 2016.

Alexievich, Svetlana. The Unwomanly Face of War. Penguin Random House, 1985.

Anne of All Trades. 'Blacksmithing: Forging a Nail by Hand'. YouTube, 17 May 2019.

https://www.youtube.com/watch?v=dBCN5K5NwpM.

Atack, D., and D. Tabor. 'The Friction of Wood'. Proceedings of the Royal Society A, vol. 246, no. 1247, 26 August 1958.

Bill, Jan. 'Iron Nails in Iron Age and Medieval Shipbuilding'. In Crossroads in Ancient Shipbuilding. Roskilde, 1991.

Budnik, Ruslan. 'Instrument of the Famous "Night Witches"'. War History Online, 8 August 2018. https://www.warhistoryonline.com/military-vehicle-news/soviet-plane-u2-po2.html.

Castles, Forts and Battles. 'Inchtuthil Roman Fortress'. http://www.castlesfortsbattles.co.uk/perth_fife/inchtuthil_roman_fort.html.

Chervenka, Mark. 'Nails as Clues to Age'. Real or Repro. https://www.realorrepro.com/article/Nails-as-clues-to-age.

Collette, Q., I. Wouters, and L. Lauriks. 'Evolution of Historical Riveted Connections: Joining Typologies, Installation Techniques and Calculation Methods'. Structural Studies, Repairs and Maintenance of Heritage Architecture XII, pp. 295–306, 2011. https://doi.org/10.2495/STR110251.

Collette, Q. 'Riveted Connections in Historical Metal Structures (1840–1940). Hot-Driven Rivets: Technology, Design and Experiments.' 2014. https://doi.org/10.13140/2.1.3157.2801.

Collins, W. H. 'A History 1780–1980'. Swindell and Co., From Eliza Tinsley & Co. Ltd.

Corlett, Ewan. The Iron Ship – The Story of Brunel's SS Great Britain. Conway Maritime Press, 2002.

Dalley, S. The Mystery of the Hanging Garden of Babylon: An Elusive World Wonder Traced. OUP Oxford, 2013.

Eliza Tinsley. 'The History of Eliza Tinsley'. http://elizatinsley.co.uk/our-history/.

Eliza Tinsley & Co. Ltd. 'Nail Mistress'. [Eliza Tinsley Obituary].

Essential Craftsman. 'Screws: What You Need to Know'. YouTube, 27 June 2017. https://www.youtube.com/watch?v = N3jG5xtSQAo.

Fastenerdata. 'History of Fastenings'. https://www.fastenerdata.co.uk/history-of-fastenings/.

Formisano, Bob. 'How to Pick the Right Nail for Your Next Project'. The Spruce, 11 January 2021. https://www.thespruce.com/nail-sizes-and-types-1824836.

Forest Products Laboratory. Wood Handbook: Wood as an Engineering Material. United States Department of Agriculture, 2010.

Founders Online. 'From Thomas Jefferson to Jean Nicolas Démeunier, 29 April 1795'. University of Virginia Press. http://founders.archives.gov/documents/Jefferson/01-28-02-0259.

Glasgow Steel Nail. 'The History of Nail Making'. http://www.glasgowsteelnail.com/nailmaking.htm.

Goebel Fasteners. 'History of Rivets & 20 Facts You Might Not Know'. 15 October 2019.

https://www.goebelfasteners.com/history-of-rivets-20-facts-you-might-not-know/.

Hening, W. W. The Statutes at Large: Being a Collection of All the Laws of Virginia, from the First Session of the Legislature, in the Year 1619 : Published Pursuant to an Act of the General Assembly of Virginia, Passed on the Fifth Day of February One Thousand Eight Hundred and Eight. 1823.

How, Chris. Early Steps in Nail Industrialisation. Queens' College, University of Cambridge, 2015.

How, Chris. 'Evolutionary Traces in European Nail-Making Tools'. In Building Knowledge, Constructing Histories, CRC Press, 2018.

How, Chris. Historic French Nails, Screws and Fixings: Tools and Techniques. Furniture History Society of Australasia, 2017.

How, Chris. 'The British Cut Clasp Nail'. In Proceedings of the First Construction History Society Conference, Queens' College, University of Cambridge, Construction History Society, 2014.

How, Chris. 'The Medieval Bi-Petal Head Nail'. In Further Studies in the History of Construction: The

Proceedings of the Third Annual Conferences of the Construction History Society, Construction History Society, 2016.

Hunt, Kristen. 'Design Analysis of Roller Coasters'. Thesis submitted to Worcester Polytechnic Institute, May 2018.

Inspectapedia. 'Antique Nails: History & Photo Examples of Old Nails Help Determine Age & Use'. https://inspectapedia.com/interiors/Nails_Hardware_Age.php.

Johnny from Texas. 'Builders of Bridges (1928) Handling Hot Rivets'. YouTube, 23 February 2020. https://www.youtube.com/watch?v = 96q9dUQbQ2s.

Jon Stollenmeyer, Seek Sustainable Japan. 'Love of Japanese Architecture + Building Traditions'. YouTube, 15 October 2020. https://www.youtube.com/watch?v = lQBUl0JCaHk.

Kershaw, Ian. 'Before Nails, There Was Pegged Wood Construction'. Outdoor Revival, 14 April 2019. https://www.outdoorrevival.com/instant-articles/before-nails-there-was-pegged-wood-construction.html.

Mapelli, C., R. Nicodemi, R. F. Riva, M. Vedani, and E. Gariboldi. 'Nails of the Roman Legionary'. La Metallurgia Italiana, 2009.

Morgan, E. B., and E. Shacklady. Spitfire: The History. Key Publishing, Stamford, 1987.

Much Hadham Forge Museum. 'Our Museum'. https://www.hadhammuseum.org.uk.

Museum of Fine Arts Boston. 'Jug with Lotus Handle'. https://collections.mfa.org/objects/132466/jug-with-lotus -handle;jsessionid = 32EE38C65AAF96EC1B343C7BF68C65F0.

Nord Lock. 'The History of the Bolt'. https://www.nord-lock.com/insights/knowledge/2017/the-history-of-the -bolt/.

Neuman, Scott. 'Aluminum's Strange Journey From Precious Metal To Beer Can'. NPR, 10 December 2019. https://www.npr.org/2019/12/05/785099705/aluminums-strange-journey-from-precious-metal-to-beer-can.

Perkins, Benjamin. 'Objects: Nail Cutting Machine, 1801, by Benjamin Perkins. M29 [Electronic Edition]'. Massachusetts Historical Society. https://www.masshist.org/thomasjeffersonpapers/doc?id = arch _ M29&mode = lgImg.

Pete & Sharon's SPACO. 'Making Hand Forged Nails'. https://spaco.org/Blacksmithing/Nails/Nailmaking.htm.

Pitts, Lynn F., and J.K. St Joseph. Inchtuthil: The Roman Legionary Fortress Excavations, 1952–65. Society for the Promotion of Roman studies, 1985.

Rivets de France. 'History'. http://rivetsfrance.com/histoire _ du _ rivet _ UK.html.

Roberts, J. M. 'The "PepsiMax Big One" Rollercoaster Blackpool Pleasure Beach'. The Structural Engineer, vol. 72, no. 1, 1994.

Roberts, John. 'Gold Medal Address: A Life of Leisure'. The Structural Engineer, 20 June 2006.

Rybczynski, Witold. One Good Turn: A Natural History of the Screwdriver & the Screw. Scribner, 2001.

Sakaida, Henry. Heroines of the Soviet Union 1941–1945. Osprey Publishing, 2003.

Sedgley Manor. 'Black Country Nail Making Trade'. http://www.sedgleymanor.com/trades/nailmakers2.html.

Shuttleworth Collection. 'Solid Riveting Procedures'. [Design guidance].

Sullivan, Walter. 'The Mystery of Damascus Steel Appears Solved'. The New York Times, 29 September 1981. https://www.nytimes.com/1981/09/29/science/the-mystery-of-damascus -steel-appears-solved.html.

Tanner, Pat. 'Newport Medieval Ship Project: Digital Reconstruction and Analysis of the Newport Ship'. [3D Scanning Ireland]. May 2013

Taylor, Jonathan. 'Nails and Wood Screws'. Building Conservation. https://www.buildingconservation.com/articles/nails/nails.htm.

The Engineering Toolbox. 'Nails and Spikes – Withdrawal Force'. https://www.engineeringtoolbox.com/nails-spikes-withdrawal-load-d _1814.html. https://wagner-werkzeug.de/start.html

Thomas Jefferson's Monticello. 'Nailery'. https://www.monticello.org/site/research-and-collections/nailery.

TR Fastenings. 'Blind Rivet Nuts, Capacity Tables'. [Company Brochure, Edition 2].

https://www.trfastenings.com

Truini, Joseph. 'Nails vs. Screws: How to Know Which Is Best for Your Project'. Popular Mechanics, 29 March 2022. https://www.popularmechanics.com/home/tools/how-to/a18606/nails-vs -screws-which-one-is-stronger/.

Twickenham Museum. 'Henrietta Vansittart, Inventor, Engineer and Twickenham Property Owner'. http://www.twickenham-museum.org.uk/detail.php?aid=477&cid=53&ctid=1.

Visser, Thomas D. A Field Guide to New England Barns and Farm Buildings. University Press of New England, 1997.

Wagner Tooling Systems. 'The History of the Screw'. [Company brochure].

Weincek, Henry. 'The Dark Side of Thomas Jefferson'. Smithsonian Magazine, 10 October 2012. https://www.smithsonianmag.com/history/the-dark-side-of-thomas-jefferson-35976004/.

Willets, Arthur. The Black Country Nail Trade. Dudley Leisure Services, 1987.

Wilton, Rebecca. 'The Life and Legacy of Eliza Tinsley (1813–1882), Black Country Nail Mistress'. MA in West Midlands History, University of Birmingham.

Winchester, Simon. The Perfectionists: How Precision Engineers Created the Modern World. HarperCollins, 2018.

Zhan, M., and H. Yang. 'Casting, Semi-Solid Forming and Hot Metal Forming'. In Comprehensive Materials Processing, Elsevier, 2014.

2 WHEEL 車輪

American Physical Society. 'On the Late Invention of the Gyroscope'. Bulletin of the American Physical Society, vol. 57, no.3. https://meetings.aps.org/Meeting/APR12/Event/170224.

Anthony, David W. The Horse, the Wheel, and Language: How Bronze-Age Riders from the Eurasian Steppes Shaped the Modern World. Erenow. https://erenow.net/ancient/the-horse-the-wheel-and-language/13.php.

Art-A-Tsolum. '4,000 Years Old Wagons Found in Lchashen, Armenia'. 28 December 2017. https://allinnet.info/archeology/4000-years-old-wagons-found-in-lchashen-armenia/.

Baldi, J. S. 'How the Uruk Potters Used the Wheel'. EXARC, YouTube, 2020. https://www.youtube.com/

watch?v = 9qOM1CV2WvQ.

BBC News. 'Stone Age Door Unearthed by Archaeologists in Zurich'. 21 October 2010. https://www.bbc.com/news/world-europe-11593005.

Belancic Glogovcan, Tanja. 'World's Oldest Wheel Found in Slovenia'. I Feel Slovenia, 6 January 2020. https://slovenia.si/art-and-cultural-heritage/worlds-oldest-wheel-found-in-slovenia/.

Bellis, Mary. 'The Invention of the Wheel'. ThoughtCo, 20 December 2020. https://www.thoughtco.com/the-invention-of-the-wheel-1992669.

Berger, Michele W. 'How the Appliance Boom Moved More Women into the Workforce'. Penn Today, 30 January 2019. https://penntoday.upenn.edu/news/how-appliance-boom-moved-more-women-workforce.

Bowers, Brian. 'Social Benefits of Electricity'. IEE Proceedings A (Physical Science, Measurement and Instrumentation, Management and Education, Reviews), vol. 135, no. 5, 5 May 1988. https://doi.org/10.1049/ip-a-1.1988.0047.

Brown, Azby. The Genius of Japanese Carpentry: Secrets of an Ancient Craft. Tuttle, 2013.

Burgoyne, C. J., and R. Dilmaghanian. 'Bicycle Wheel as Prestressed Structure'. Journal of Engineering Mechanics, vol. 119, no. 3, March 1993.

Cassidy, Cody. 'Who Invented the Wheel? And How Did They Do It?' Wired. https://www.wired.com/story/who-invented-wheel-how-did-they-do-it/.

Chariot VR. 'A Brief History Of The Spoked Wheel'. https://www.chariotvr.com/.

Cochran, Josephine G. 'Dish Washing Machine'. United States Patent Office 355, 139, issued 28 December 1886.

Davidson, L.C. Handbook for Lady Cyclists. Hay Nisbet, 1896.

Davis, Beverley. 'Timeline of the Development of the Horse'. Sino-Platonic Papers, no. 177, August 2007.

Deloche, Jean. 'Carriages in Indian Iconography'. In Contribution to the History of the Wheeled Vehicle in India, 13–48. Français de Pondichéry, 2020. http://books.openedition.org/ifp/774.

Deneen Pottery. 'Pottery: The Ultimate Guide, History, Getting Started, Inspiration' https://deneenpottery.com/pottery/.

Deutsches Patent-und Markenamt. 'Patent for Drais' "Laufsmachine", The ancestor of all bicycle'. https://www.dpma.de/english/our _ office/publications/news/milestones/200jahrepatentfuerdasur-fahrrad/index.html.

engineerguy. 'How a Smartphone Knows Up from Down (Accelerometer)'. YouTube, 22 May 2012. https://www.youtube.com/watch?v = KZVgKu6v808.

European Space Agency. 'Gyroscopes in Space'. https://www.esa.int/ESA _ Multimedia/Videos/2016/03/Gyroscopes _ in_space.

Evans-Pughe, Christine. 'Bold Before Their Time'. Engineering and Technology Magazine, June 2011.

Freeman's Journal and Daily Commercial Advertiser, 30 August 1899.

Gambino, Megan. 'A Salute to the Wheel'. Smithsonian Magazine, 17 June 2009. https://www.smithsonianmag.com/science-nature/a-salute-to-the-wheel-31805121/.

Garcia, Mark. 'Integrated Truss Structure'. 20 September 2018. http://www.nasa.gov/mission_pages/station/structure/elements/integrated- truss-structure.

Garis-Cochran, Josephine G. 'Advertisement for Dish Washing Machine'. 1895.

Gibbons, Ann. 'Thousands of Horsemen May Have Swept into Bronze Age Europe, Transforming the Local Population'. Science, 21 February 2017. https://www.science.org/content/article/thousands-horsemen-may-have-swept-bronze-age-europe-transforming-local-population.

Glaskin, Max.'The Science behind Spokes'. Cyclist, 28 April 2015. https://www.cyclist.co.uk/in-depth/85/the-science-behind-spokes.

Green, Susan E. Axle and Wheel Terminology, an Historical Dictionary, Haan, David de. Antique Household Gadgets and Appliances c. 1860 to 1930. Blandford Press, 1977.

Harappa. 'Chariots in the Chalcolithic Rock Art of India'. https://www.harappa.com/content/wheels-indian-rock-art.

Hazael, Victoria. '200 Years since the Father of the Bicycle Baron Karl von Drais Invented the "Running Machine" '. Cycling UK. https://www.cyclinguk.org/cycle/draisienne-1817-2017-200-years-cycling-innovation-design.

History Time. 'The Nordic Bronze Age/Ancient History Documentary'. YouTube, 22 February 2019. https://www.youtube.com/watch?v=s_OFqGuLc7s.

ISS Live! 'Control Moment Gyroscopes: What Keeps the ISS from Tumbling through Space?' NASA,

Kenoyer, J. M. 'Wheeled Vehicles Of the Indus Valley Civilization of Pakistan and India', University of Wisconsin-Madison. January 7, 2004.

Kessler, P. L. 'Kingdoms of the Barbarians—Uralics'. History Files, https://www.historyfiles.co.uk/KingListsEurope/BarbarianUralic. htm?fbclid=IwAR35rTVAQapSQ5aSOqvxUXNFZD_k5kWtrVz7Dex-1w1siMsXo4-le-_qnKsc.

Lemelson. 'Josephine Cochrane: Dish Washing Machine'. https://lemelson.mit.edu/resources/josephine-cochrane.

Lewis, M. J. T. 'Gearing in the Ancient World'. Endeavour, vol. 17, no. 3, 1 January 1993. https://doi.org/10.1016/0160-9327(93)90099-O.

Lloyd, Peter. 'Who Invented the Toothed Gear?' Idea Connection. https://www.ideaconnection.com/right-brain-workouts/00346-who-invented- the-toothed-gear.html.

Manners, William. Revolution: How the Bicycle Reinvented Modern Britain. Duckworth, 2019.

Manners, William. 'The Secret History of 19th Century Cyclists'. Guardian, 9 June 2015.

https://www.theguardian.com/environment/bike-blog/2015/jun/09/feminism-escape-widneing-gene-pools-secret-history-of-19th-century-cyclists.

Minetti, Alberto E., John Pinkerton, and Paola Zamparo. 'From Bipedalism to Bicyclism: Evolution in Energetics and Biomechanics of Historic Bicycles'. Proceedings of the Royal Society of London. Series B: Biological Sciences, vol. 268, no. 1474. 7 July 2001. https://doi.org/10.1098/rspb.2001.1662.

NASA. 'Reference Guide to the International Space Station'. September 2015.

NASA History Division. 'EP — 107 Skylab: A Guidebook'. https://history.nasa.gov/EP-107/ch11.htm.

NASA. 'International Space Station Familiarization: Mission Operations Directorate Space Flight Training Division'. 31 July 1998.

NASA Video. 'Gyroscopes'. YouTube, 22 May 2013. https://www.youtube.com/watch?v = FGc5xb23XFQ.

Pollard, Justin. 'The Eccentric Engineer'. Engineering and Technology Magazine, July 2018.

Postrel, Virginia. 'How Job-Killing Technologies Liberated Women'. Technology & Ideas: Bloomberg, 14 March 2021.

Quora. 'How Does The International Space Station Keep Its Orientation?' Forbes, 26 April 2017. https://www.forbes.com/sites/quora/2017/04/26/how-does-the-international-space-station-keep-its-orientation/.

Racing Nellie Bly. 'Chipped China Inspired Josephine Cochrane To Invent Effective Victorian Era Dishwashers'. 12 November 2017. https://racingnelliebly.com/weirdscience/chipped-china-inspired-josephine-cochrane-invent-dishwashers/.

Schaeffer, Jacob Christian. Die bequeme und höchstvortheilhafte Waschmaschine, 1767.

ScienceDaily. 'Reinventing the Wheel – Naturally'. https://www.sciencedaily.com/releases/2010/06/100614074832.htm.

ScienceDaily. 'Fridges And Washing Machines Liberated Women, Study Suggests'. https://www.sciencedaily.com/releases/2009/03/090312150735.htm.

Simply Space. 'ISS Attitude Control – Torque Equilibrium Attitude and Control Moment Gyroscopes'. YouTube, 6 September 2019. https://www.youtube.com/watch?v = 4aF7zwhlDDU.

Sommeria, Joël. 'Foucault and the Rotation of the Earth'. Science in the Making: The Comptes Rendus de l'Académie des Sciences Throughout History, vol. 18, no. 9, 1 November 2017. https://doi.org/10.1016/j.crhy.2017.11.003.

Stockhammer, Philipp W., and Joseph Maran, eds. Appropriating Innovations: Entangled Knowledge in Eurasia, 5000–1500 BCE. Oxbow Books, 2017.

Sturt, George. The Wheelwright's Shop. Cambridge University Press, 1923.

Tietronix. 'Console Handbook: ADCO Attitude Determination and Control Officer'. [Technical Handbook prepared for NASA, Johnson's Space Centre].

Tucker, K., N. Berezina, S. Reinhold, A. Kalmykov, A. Belinskiy, and J. Gresky. 'An Accident at Work? Traumatic Lesions in the Skeleton of a 4th Millennium BCE "Wagon Driver" from Sharakhalsun, Russia'. HOMO, vol. 68, no. 4, August 2017. https://doi.org/10.1016/j.jchb.2017.05.004.

United States Patent and Trademark Office. 'Josephine Cochran: "I'll Do It Myself" '. https://www.uspto.gov/learning-and-resources/journeys-innovation/historical-stories/ill-do-it-myself.

Vogel, Steven. Why the Wheel Is Round: Muscles, Technology, and How We Make Things That Move. University of Chicago Press, 2018.

Wolchover, Natalie. 'Why It Took So Long to Invent the Wheel'. Live Science, 2 March 2012. https://www.livescience.com/18808-invention-wheel.html.

Woodford, Chris. 'How Do Wheels Work? Science of Wheels and Axles'. Explain that Stuff, 27 January 2009. http://www.explainthatstuff.com/howwheelswork.html.

Wright, John, and Robert Hurford. 'Making a Wheel – How to Make a Traditional Light English Pattern Wheel'. Rural Development Commission, 1997.

3 SPRING バネ

American Physical Society. 'June 16, 1657: Christiaan Huygens Patents the First Pendulum Clock'. June 2017. http://www.aps.org/publications/apsnews/201706/history.cfm.

American Physical Society. 'March 20, 1800: Volta Describes the Electric Battery'. March 2006. http://www.aps.org/publications/apsnews/200603/history.cfm.

Andrewes, William J. H. 'A Chronicle Of Timekeeping'. Scientific American, 1 February 2006. https://doi.org/10.1038/scientificamerican0206-46sp.

Animagraffs. 'How a Mechanical Watch Works'. YouTube, 20 November 2019. https://www.youtube.com/watch?v = 9 _ QsCLYs2mY.

'Antiquarian Horology'. The Athenian Mercury VI, no. 4, query 7, 13 February 1692/93.

Arbabi, Ryan. 'At the Extremes of Acoustic Science'. [Conference Paper]. Farrat, July 2021.

ArchDaily. 'House of Music/Coop Himmelb(l)Au'. 14 April 2014. https://www.archdaily.com/495131/house-of-music-coop-himmelb-l-au.

Archery Historian. 'Mongolian Bow VS English Longbow – Advantages and Drawbacks'. 23 June 2018. https://archeryhistorian.com/mongolian-bow-vs-english-longbow-advantages-and-drawbacks/.

Automated Industrial Motion. 'ALL ABOUT SPRINGS: Comprehensive Guide to the History, Use and Manufacture of Coiled Springs'. 2019. https://aimcoil.com/wp-content/uploads/2019/10/All-About-Springs-FINAL-10-2019-B.pdfBackwell, Lucinda, Justin Bradfield, Kristian J.

Carlson, Tea Jashashvili, Lyn Wadley, and Francesco d'Errico. 'The Antiquity of Bow-and-Arrow Technology: Evidence from Middle Stone Age Layers at Sibudu Cave'. Antiquity, vol. 92, no. 362, April 2018. https://doi.org/10.15184/aqy.2018.11.

BBC News. 'A Point of View: How the World's First Smartwatch Was Built'. 27 September 2014. https://www.bbc.com/news/magazine-29361959.

Beacock, Ian P. 'A Brief History of (Modern) Time'. The Atlantic, 22 December 2015. https://www.theatlantic.com/technology/archive/2015/12/the-creation-of-modern- time/421419/.

Beever, Jason Wayne, and Zoran Pavlovic. 'The Modern Reproduction of a Mongol Era Bow Based on Historical Facts and Ancient Technology Research'. EXARC, 1 June 2017. https://exarc.net/issue-2017-2/at/modern-reproduction-mongol-era-bow-based- historical-facts-and-ancient-technology-research.

Bellis, Mary. 'The History of Mechanical Pendulum and Quartz Clocks'. ThoughtCo, 12 April 2018. https://www.thoughtco.com/history-of-mechanical-pendulum-clocks-4078405.

Berman, Mark, et al. 'The Staggering Scope of U.S. Gun Deaths Goes Far beyond Mass Shootings'. Washington Post, 8 July 2022. https://www.washingtonpost.com/nation/interactive/2022/gun-deaths-per-year-usa/.

Blakemore, Erin. 'Who Were the Mongols?'. National Geographic, 21 June 2019. https://www.nationalgeographic.com/culture/article/mongols.

Blumenthal, Aaron, and Michael Nosonovsky. 'Friction and Dynamics of Verge and Foliot: How the Invention of the Pendulum Made Clocks Much More Accurate'. Applied Mechanics, vol. 1, no. 2, 29 April 2020. https://doi.org/10.3390/applmech1020008.

Britannica. 'Bow and Arrow'. https://www.britannica.com/technology/bow-and-arrow.

Brown, Emily Lindsay. 'The Longitude Problem: How We Figured out Where We Are'. The Conversation, 18 July 2013. http://theconversation.com/the-longitude-problem-how-we-figured-out-where-we-are-16151.

Brown, Erik. 'How The Ancients Improved Their Lives With Archery'. Medium, 15 October 2020. https://medium.com/mind-cafe/how-the-ancients-improved-their-lives-with-archery-1704318a1e60.

Brownstein, Eric X. 'The Path of the Arrow The Evolution of Mongolian National Archery'. World

Learning/SIT Study Abroad, Mongolia, Spring 2008.

Buckley Ebrey, Patricia. 'Crossbows'. A Visual Sourcebook of Chinese Civilization. http://depts.washington.edu/chinaciv/miltech/crossbow.htm.

Bues, Jon. 'Introducing: The Zenith Defy 21 Ultraviolet'. Hodinkee, 1 June 2020. https://www.hodinkee.com/articles/zenith-defy-21-ultraviolet-introducing.

Burgess, Ebenezer. Surya Siddhanta Translation. Internet Archive. http://archive.org/details/SuryaSiddhantaTranslation.

Cartwright, Mark. 'Crossbows in Ancient Chinese Warfare'. World History Encyclopedia, 17 July 2017. https://www.worldhistory.org/article/1098/crossbows-in-ancient-chinese-warfare/.

Charles Frodsham and Co Ltd. 'Discovering Harrison's H4.' https://frodsham.com/commissions/h4/.

Chong, Alvin. 'In-Depth: Time Consciousness and Discipline in the Industrial Revolution'. SJX Watches, 21 July 2020. https://watchesbysjx.com/2020/07/time-consciousness-and-discipline-industrial-revolution.html.

Croix Rousse Watchmaker. 'Explanation, How Verge Escapement Works'. YouTube, 11 September 2017. https://www.youtube.com/watch?v = BoeP0adbDKg.

Currie, Neil George Roy. Kinky Structures. School of Computing, Science and Engineering University of Salford, 2020.

Daltro, Ana Luiza. 'Interview. Yasuhisa Toyota, The Sound Wizard'. ArchiExpo e-Magazine, 12 February 2018. https://emag.archiexpo.com/interview-yasuhisa-toyota-the-sound-wizard/.

Davies, B. J. 'The Longevity of Natural Rubber in Engineering Applications'. The Malaysian Rubber Producers Research Association, reprinted from article in Rubber Developments vol. 41, no. 4.

DeVries, Kelly, and Robert Douglas Smith. Medieval Weapons: An Illustrated History of Their Impact. ABC-CLIO, 2007.

Fact Monster. 'Accurate Mechanical Clocks'. 21 February 2017. https://www.factmonster.com/calendars/history/accurate-mechanical-clocks.

Farrat. 'Building Vibration Isolation Systems: Vibration Control for Buildings and Structures'. [Design Guidance].

Farrat. 'Acoustic Isolation of Concert Halls'. [Design Guidance].

Farrell, Oliver. 'From Acoustic Specification to Handover. A Practical Approach to an Effective and Robust System for the Design and Construction of Base (Vibration) Isolated Buildings'. Farrat, 2017. https://www.farrat.com/wp-content/uploads/2017/11/VCAS-BVI-TP-ICSV24-Base-Isolated-Buildings-17a-web.pdf

Farrell, Oliver, and Ryan Arbabi. 'Long-Term Performance of Farrat LNR Bearings for Structural Vibration Control'.

Einsmann, Scott. 'History Proves Archery's Roots Are Ancient, and This Evidence Is Awesome!', Archery 360, 3 May 2017. https://archery360.com/2017/05/03/history-proves-archerys-roots-ancient-evidence-awesome/.

Fowler, Susanne. 'From Working on Watches to Writing About Them'. New York Times, 8 September 2021. https://www.nytimes.com/2021/09/08/fashion/watches-rebecca-struthers -book- england.html.

Fusion. 'A Briefer History of Time: How Technology Changes Us in Unexpected Ways'. YouTube, 18 February 2015. https://www.youtube.com/watch?v = fD58Bt2gj78.

GERB. 'Floating Floors and Rooms'. [Company Sales Brochure], 2016.

GERB. 'Tuned Mass Dampers for Bridges, Floors and Tall Structures'.[Technical Paper].

GERB. 'Vibration Control Systems Application Areas'. [Sales Brochure].

GERB. 'Vibration Isolation of Buildings'. [Sales Brochure].

Gonsher, Aaron. 'Interview: Master Acoustician Yasuhisa Toyota'. Red Bull Music Academy Daily, 14 April 2017. https://daily.redbullmusicacademy.com/2017/04/yasuhisa-toyota-interview.

Gledhill, Sean. 'Pushing the Boundaries of Seismic Engineering'. The Structural Engineer, vol. 89, no, 12, 21 June 2011.

Glennie, Paul, and Nigel Thrift. 'Reworking E. P. Thompson's "Time, Work-Discipline and Industrial Capitalism" '. Time & Society, vol. 5, no. 3, October 1996. https://doi.org/10.1177/096146 3X96005003001.

Graceffo, Antonio. 'Mongolian Archery: From the Stone Age to Naadam'. Bow International, 14 August 2020. https://www.bow-international.com/features/mongolian-archery-from-the-stone-age-to-nadaam/.

HackneyedScribe. 'Han Dynasty Crossbow III'. History Forum, 2 July 2019. https://historum.com/threads/han-dynasty-crossbow-iii.179336/.

Harris, Colin S., ed. Engineering Geology of the Channel Tunnel. American Society of Civil Engineers, 1996.

Harder, Jeff and Sharise Cunningam. 'Who Invented the First Gun?'.

HowStuffWorks, 12 January 2011. https://science.howstuffworks.com/innovation/inventions/who-invented-the-first-gun.htm.

Hirst, Kris. 'The Invention of Bow and Arrow Hunting Is at Least 65,000 Years Old'. ThoughtCo, 19 May 2019. https://www.thoughtco.com/bow-and-arrow-hunting-history-4135970.

Hunt, Hugh. 'Inside Big Ben: Why the World's Most Famous Clock Will Soon Lose Its Bong'. The Conversation, 29 April 2016. http://theconversation.com/inside-big-ben-why-the-worlds-most-famous-clock-will-soon-lose-its-bong-58537.

Institute for Health Metrics and Evaluation. 'Six Countries in the Americas Account for Half of All Firearm Deaths'. 24 August 2018. https://www.healthdata.org/news-release/six-countries-americas-account-half-all-firearm-deaths.

Kaveh, Farrokh, and Manouchehr Moshtagh Khorasani. 'The Mongol Invasion of the Khwarazmian Empire: The Fierce Resistance of Jalal-e Din.' Medieval Warfare, Vol. 2, No. 3, 2012.

Landes, David S. Revolution in Time: Clocks and the Making of the Modern World. Harvard University Press, 1998.

Loades, Mike. The Crossbow. Osprey Publishing, 2018.

Lombardi, Michael. 'First in a Series on the Evolution of Time Measurement: Celestial, Flow, and Mechanical Clocks [Recalibration]'. IEEE Instrumentation & Measurement Magazine, vol. 14, no. 4, August 2011. https://doi.org/10.1109/MIM.2011.5961371.

Mason Industries. 'Double Deflection Neoprene Mount'. BULLETIN ND-26-1.[Technical Paper].

Mason Industries. 'BUILDING ISOLATION SLFJ Spring Isolators BBNR Rubber Isolation Bearings'. https://www.mason-uk.co.uk/wp-content/uploads/2017/09/ab104v2.pdf

Mason Industries. 'History'. https://mason-ind.com/history/.

Mason Industries. 'Mason Jack-Up Floor Slab System'. 2017. https://www.mason-uk.co.uk/wp-content/uploads/2017/08/acs.102.3.1.pdf

Mason Industries. 'ASHRAE Lecture: Noise and Vibration Problems and Solutions'. November 1966. https://mason-ind.com/ashrae-lecture/.

Mason Industries. 'Spring Mount for T.V. Studio Floor for Columbia Broadcasting System'. [Product Specification].

Mason Industries, Inc. 'FREE STANDING SPRING MOUNTS and HEIGHT SAVING BRACKETS'. [Product Specification], 2017.

Mason UK Ltd – Floating Floors, Vibration Control & Acoustic Products. 'Seismic Table Testing of Inertia Base Frame | DCL Labs'. YouTube, 23 April 2020. https://www.youtube.com/watch?v = bCRnIEeKp2M.

Mason UK. 'Concrete Floating Floor Vibration Isolation, House of Music, Denmark'. https://www.mason-uk.co.uk/masonukcasestudies/house-music-denmark/.

May, Timothy. The Mongol Art of War. Casemate Publishers, 2007.

McFadden, Christopher. 'Mechanical Engineering in the Middle Ages: The Catapult, Mechanical Clocks and Many More We Never Knew About'. Interesting Engineering, 28 April 2018. https://interestingengineering.com/mechanical-engineering-in-the-middle-ages-the-catapult-mechanical-clocks-and-many-more-we-never-knew-about.

Mills, Charles W. 'The Chronopolitics of Racial Time'. Time & Society, vol. 29, no. 2, May 2020. https://doi.org/10.1177/0961463X20903650.

Myers, Joe. 'In 2016, half of all gun deaths occurred in the Americas'. World Economic Forum, 6 August 2019. https://www.weforum.org/agenda/2019/08/gun-deaths-firearms-americas-homicide/.

North, James David. God's Clockmaker: Richard of Wallingford and the Invention of Time, 2005.

Ogle, Vanessa. The Global Transformation of Time . Harvard University Press, 2015.

Open Culture. 'How Clocks Changed Humanity Forever, Making Us Masters and Slaves of'. 19 February 2015. https://www.openculture.com/2015/02/how-clocks-forever-changed-humanity-in-1657.html.

Pearce, Adam, and Jac Cross. 'Structural Vibration – a Discussion of Modern Methods'. The Structural Engineer, vol. 89, no. 12, 21 June 2011.

Physics World. 'A Brief History of Timekeeping', 9 November 2018. https://physicsworld.com/a/a-brief-history-of-timekeeping/.

Ramboll Group. 'House of Music: Harmonic Interaction in Architectural Playground'. https://ramboll.com/projects/rdk/musikkens hus.

Roberts, Alice. 'A True Sea Shanty: The Story behind the Longitude Prize'. Observer, 17 May 2014. https://www.theguardian.com/science/2014/may/18/true-sea-shanty-story-behind-longitude-prize-john-harrison.

Royal Museums Greenwich. 'Time to Solve Longitude: The Timekeeper Method'. 29 September 2014. https://www.rmg.co.uk/stories/blog/time-solve-longitude-timekeeper-method.

Royal Museums Greenwich. 'Longitude Found – the Story of Harrison's Clocks'. https://www.rmg.co.uk/stories/topics/harrisons-clocks-longitude-problem.

Ruderman, James. 'High-Rise Steel Office Buildings in the United States' The Structural Engineer vol. 43, no. 1, 1965.

Saito, Daisuke, Mott MacDonald, and Kazumi Terada. 'More for Less in Seismic Design for Bridges – an Overview of the Japanese Approach'. The Structural Engineer, 1 February 2016.

Salisbury Cathedral. 'What Is the Story behind the World's Oldest Clock?'. YouTube, 4 June 2020.

Sample, Ian. 'Eureka! Lost Manuscript Found in Cupboard'. Guardian, 9 February 2006. https://www.theguardian.com/uk/2006/feb/09/science.research.

Stanley, John. 'How Old Is the Bow and Arrow?' World Archery, 8 April 2019. https://worldarchery.sport/news/166330/how-old-bow-and-arrow.

Stilken, Alexander. 'Masters of Sound'. Porsche Newsroom, 15 November 2017. https://newsroom.porsche.com/en/company/porsche-yasuhisa-toyota-acoustician-andreas-henke-burmester-sound-elbphilharmonie-hamburg-interview-music-14497.html.

Szabo, Christopher. 'Ancient Chinese Super-Crossbow Discovered'. Digital Journal, 24 March 2015. https://www.digitaljournal.com/tech-science/ancient-chinese-super-crossbow-discovered/article/429061.

Szczepanski, Kallie. 'How Did the Mongols Impact Europe?' ThoughtCo, 18 February 2010. https://www.thoughtco.com/mongols-effect-on-europe-195621.

The Naked Watchmaker. 'Rebecca Struthers'. https://www.thenakedwatchmaker.com/people-rebecca-struthers-1.

The National Museum of Mongolian History. 'The Mongol Empire of Chingis Khan and His Successors'. https://depts.washington.edu/silkroad/museums/ubhist/chingis.html.

The Worshipful Company of Clockmakers. 'The Worshipful Company of Clockmakers'. https://clockmakers.org/home.

Thompson, E. P. 'Time, Work-Discipline, and Industrial Capitalism'. Past & Present, vol. 38, December 1967. Tiflex Limited. 'UK Manufacturers of Cork and Rubber Bonded Materials'. https://www.tiflex.co.uk/home.html.

Tzu, Sun. The Art of War: Complete Texts and Commentaries. Shambhala, 2003.

University of Pennsylvania Museum. 'Modern Mongolia: Reclaiming Genghis Khan'. https://www.penn.museum/sites/mongolia/section2a.html.

Vieira, Helena. 'Mechanical Clocks Prove the Importance of Technology for Economic Growth'. LSE Business Review, 27 September 2016. https://blogs.lse.ac.uk/businessreview/2016/09/27/mechanical-clocks-prove-the-importance-of-technology-for-economic-growth/.

Valerio, Doug G., Mason Mercer. 'A Practical Approach to Building Isolation'. [Technical Paper] 2019.

Wayman, Erin. 'Early Bow and Arrows Offer Insight Into Origins of Human Intellect'. Smithsonian Magazine, 7 November 2012. https://www.smithsonianmag.com/science-nature/early-bow-and-arrows-offer-insight-into-origins-of-human-intellect-112922281/.

Williams, Matt. 'What Is Hooke's Law?', Universe Today, 13 February 2015. https://www.universetoday.com/55027/hookes-law/.

Williamson, Kim. 'Most Slave Shipwrecks Have Been Overlooked—until Now'. National Geographic, 23 August 2019. https://www.nationalgeographic.com/culture/article/most-slave-shipwrecks- overlooked-until-now. https://www.youtube.com/watch?v = 3u1LzPnIJAc.

Whittle, Jessica. 'Dissipative Seismic Design: Placing Dampers in Buildings'. The Structural Engineer, vol. 88, no. 4, 16 February 2010.

Zorn, Emil A. G. Patentschrift – Erschütterungsschutz für Gebäude.pdf.624955. [Patent filed in 1932].

4 MAGNET 磁石

ABCMemphis. 'What's inside a 113 year old hand crank telephone?'.

YouTube, 26 July 2020. https://www.youtube.com/watch?v = R _ aKydZjRuY.

赤崎勇、 天野浩、 中村修二 'Blue LEDs – Filling the World with New Light'. [Nobel Prize Press Release], 2014.

Antique Telephone History. 'The Gallows Telephone'. https://www.antiquetelephonehistory.com/gallows.html.

Beck, Kevin. 'What Is the Purpose of a Transformer?' Sciencing, 16 November 2018. https://sciencing.com/purpose-transformer-4620824.html.

Berke, Jamie. 'Alexander Graham Bell and His Controversial Views on Deafness'. Verywell Health, 13 March 2022. https://www.verywellhealth.com/alexander-graham-bell-deafness-1046539.

Biography.com. 'James West'.

Bob's Old Phones. 'Ericsson AC100 Series "Skeletal" Telephone'. http://www.telephonecollecting.org/Bobs%20phones/Pages/Skeletal/Skeletal.htm.

Bondyopadhyay, Probir K. 'Sir J C Bose's Diode Detector Received Marconi's First Transatlantic Wireless Signal of December 1901 (The "Italian Navy Coherer" Scandal Revisited)'. IETE Technical Review, vol. 15, no. 5, September 1998. https://doi.org/10.1080/02564602.1998.11416773.

Bose, Jagadish Chandra. Sir Jagadish Chandra Bose: His Life, Discoveries and Writings. G. A. Natesan & Co., Madras, 1921.

Brain, Marshall. 'How Radio Works'. HowStuffWorks, 7 December 2000. https://electronics.howstuffworks.com/radio.htm.

Brain, Marshall. 'How Television Works'. HowStuffWorks, 26 November 2006. https://electronics.howstuffworks.com/tv.htm.

Bridge, J. A. 'Sir William Brooke O'Shaughnessy, M.D., F.R.S., F.R.C.S., F.S.A.: A Biographical Appreciation by an Electrical Engineer'. Notes and Records of the Royal Society of London, vol. 52, no. 1, 1998.

British Telephones. 'Telephone No. 16'. https://www.britishtelephones.com/t016.htm.

Campbell, G. 'The Evolution of Some Electromagnetic Machines'. Students' Quarterly Journal, vol. 23, no. 89, 1 September 1952. https://doi.org/10.1049/sqj.1952.0051.

CERN. 'The Large Hadron Collider'. https://home.cern/science/accelerators/large-hadron-collider.

CERN. 'Facts and Figures about the LHC'. https://home.cern/resources/faqs/facts-and-figures-about-lhc.

Chilkoti, Avantika and Amy Kazmin. 'Indian telegram service stopped stop'. Financial Times. 14 June 2013.

'Dedication Ceremony for IEEE Milestone "Development of Electronic Television, 1924 – 1941" '. IEEE Nagoya section Shizuoka University. [Paper on Ceremony].

Desai, Pratima. 'Tesla's Electric Motor Shift to Spur Demand for Rare Earth Neodymium'. Reuters, 12 March 2018. https://www.reuters.com/article/us-metals-autos-neodymium analysis-idUSKCN1GO28I.

Engineering and Technology History Wiki. 'Milestones: Development of Electronic Television, 1924–1941', 3 November 2021. https://ethw.org/Milestones:Development _ of _ Electronic _Television, _1924-1941.

Engineering and Technology History Wiki. 'Milestones: First Millimeter-Wave Communication Experiments by J.C. Bose, 1894–96', 3 November 2021.

https://ethw.org/Milestones:First_Millimeter-wave_ Communication_Experiments_by_ J.C._Bose,_1894-96.

Fox, Arthur. 'Do Microphones Need Magnetism To Work Properly?' My New Microphone.

https://mynewmicrophone.com/do-microphones-need-magnetism-to-work-properly/.

French, Maurice L. 'Obituary: Kenjiro Takayanagi'. SMPTE Journal, October 1990.

Garber, Megan. 'India's Last Telegram Will Be Sent in July'. The Atlantic, 17 June 2013.

https://www.theatlantic.com/technology/archive/2013/06/indias-last-telegram-will-be-sent-in-july/276913/.

Geddes, Patrick. The Life and Work of Sir Jagadish C. Bose. Longmans, 1920.

Ghosh, Saroj. 'William O'Shaughnessy – An Innovator and Entrepreneur'. Indian Journal of History of Science, vol. 29, no. 1, 1994.

Gorman, Mel. 'Sir William O'Shaughnessy, Lord Dalhousie, and the Establishment of the Telegraph System in India'. Technology and Culture, vol. 12, no. 4, October 1971.

Greenwald, Brian H., and John Vickrey Van Cleve. ' "A Deaf Variety of the Human Race": Historical Memory, Alexander Graham Bell, and Eugenics'. The Journal of the Gilded Age and Progressive Era, vol. 14, no. 1, January 2015. https://doi.org/10.1017/S1537781414000528.

Hahn, Laura D., and Angela S. Wolters. Women and Ideas in Engineering: Twelve Stories from Illinois. University of Illinois Press, 2018.

Herbst, Jan F. 'Permanent Magnets'. American Scientist, vol. 81, no. 3, 1993.

Hillen, C.F.J. 'Telephone Instruments, Payphones and Private Branch Exchanges'. Post Office Electrical Engineers Journal, vol. 74, October 1981.

History of Compass. 'History of the Magnetic Compass'. http://www.historyofcompass.com/compass-history/history-of-the-magnetic-compass/.

Edison Tech Center. 'History of Transformers'. https://edisontechcenter.org/Transformers.html.

Harris, Tom, Chris Pollette, and Wesley Fenlon. 'How Light Emitting Diodes (LEDs) Work'. HowStuffWorks, 31 January 2002. https://electronics.howstuffworks.com/led.htm.

History. com. 'Morse Code & the Telegraph'. https://www.history.com/topics/inventions/telegraph.

Hui, Mary. 'Why Rare Earth Permanent Magnets Are Vital to the Global Climate Economy'. Quartz, 14 May 2021. https://qz.com/1999894/why-rare-earth-magnets-are-vital-to-the-global -climate-economy/.

In Hamamatsu. 'Takayanagi Memorial Hall' https://www.inhamamatsu.com/art/takayanagi-memorial-hall.php.

Integrated Magnetics. 'Magnets & Magnetism Frequently Asked Questions'. https://www.intemag.com/magnetic-frequently-asked-questions.

International Telecommunication Union. 'Jagadish Chandra Bose: A Bengali Pioneer of Science'. https://www.itu.int/itunews/manager/display.asp?lang=en&year=2008&issue= 07&ipage = 34&ext = html.

Jessa, Tega. 'Permanent Magnet'. Universe Today, 19 March 2011. https://www.universetoday.com/85002/permanent-magnet/.

Jha, Somesha. 'RIP Telegram Fullstop'. Business Standard News, 15 June 2013. https://www.business-

standard.com/article/beyond-business/rip-telegram-fullstop-113061500743 _ 1.html.

Joamin Gonzalez-Gutierrez. 'REProMag H2020 Project'. YouTube, 10 June 2016. https://www.youtube.com/watch?v = G3ZCzXelPcl.

Kansas Historical Society. 'Almon Strowger'. Kansapedia. https://www.kshs.org/kansapedia/almon-strowger/16911. https://www.biography.com/inventor/james-west.

Kantain, Tom. 'Differences Between a Telephone & Telegraph'. Techwalla. https://www.techwalla.com/articles/differences-between-a-telephone-telegraph.

Khan Academy. 'Experiment: What's the Shape of a Magnetic Field?'. https://www.khanacademy.org/science/physics/discoveries/electromagnet/a/experiment-electromagnetism.

Kramer, John B. 'The Early History of Magnetism'. Transactions of the Newcomen Society, vol. 14, no. 1, 1 January 1933. https://doi.org/10.1179/tns.1933.013.

Liffen, John. 'The Introduction of the Electric Telegraph in Britain, a Reappraisal of the Work of Cooke and Wheatstone'. The International Journal for the History of Engineering & Technology, vol. 80, no. 2, 1 July 2010. https://doi.org/10.1179/175812110X12714133353911.

Lincoln, Don. 'How Blue LEDs Work, and Why They Deserve the Physics Nobel'. Nova, 10 October 2014. https://www.pbs.org/wgbh/nova/article/how-blue-leds-work-and-why-they-deserve-the-physics-nobel/.

Livington, James D. Driving Force: The Natural Magic of Magnets. Harvard University Press, 1996.

Lucas, Jim. 'What Are Radio Waves?'. Live Science, 27 February 2019. https://www.livescience.com/50399-radio-waves.html.

Magnetech, HangSeng. 'Electromagnets vs Permanent Magnets'. Magnets By HSMAG, 8 May 2016. https://www.hsmagnets.com/blog/electromagnets-vs-permanent-magnets/.

Marks, Paul. 'Magnets Join Race to Replace Transistors in Computers'. New Scientist, 6 August 2014. https://www.newscientist.com/article/mg22329812-800-magnets-join -

race-to-replace-transistors-in-computers/.

National Geographic. 'Magnetism'. https://education.nationalgeographic.org/resource/magnetism.

MPI. 'Magnetism: History of the Magnet Dates Back to 600 BC'. https://mpimagnet.com/education-center/magnetism-history-of-the-magnet/.

Meyer, Kirstine. 'Faraday and Ørsted'. Nature, vol. 128, no. 3,226, August 1931. https://doi.org/10.1038/128337a0.

Moosa, Iessa Sabbe. 'History and Development of Permanent Magnets'. International Journal for Research and Development in Technology, vol. 2, no. 1, July 2014.

Montgomery Ward & Co. 'Rural Telephone Lines: How to Build Them'. 1900 (approx.) Republished by Glen E. Razak, Kansas, 1970.

Morgan, Thaddeus. '8 Black Inventors Who Made Daily Life Easier'. History.com.

https://www.history.com/news/8-black-inventors-african-american.

Naoe, Munenori. 'National Institute of Information and Communications Technology'. The Journal of The Institute of Image Information and Television Engineers, vol. 63, no. 6, 2009. https://doi.org/10.3169/itej.63.780.

National Museums Scotland. 'Alexander Graham Bell's Box Telephone'. https://www.nms.ac.uk/explore-our-collections/stories/science-and-technology/alexander-graham-bell/.

NobelPrize.org. 'The Nobel Prize in Physics 2014'. https://www.nobelprize.org/prizes/physics/2014/press-release/.

Old Telephone Books. 'First Telephone Book'. http://www.oldtelephonebooks.com/pages/first _ phone _ book.

O'Driscoll, Bill. 'Pittsburgh Author Takes A Critical Look At Alexander Graham Bell's Work With The Deaf'. 90.5 WESA, 27 April 2021. https://www.wesa.fm/arts-sports-culture/2021-04-27/pittsburgh-author-takes-a-critical-look-at-alexander-graham-bells-work-with-the-deaf.

O'Shaughnessy, William Brooke. Memoranda Relative to Experiments on the Communication of Telegraphic Signals by Induced Electricity. Bishop's College Press, 1839.

O'Shaughnessy, William Brooke. The Electric Telegraph in British India: A Manual of Instructions for the Subordinate Officers, Artificers, and Signallers Employed in the Department. London: Printed by order of the Court of Directors, 1853.

Overshott, K. J. 'IEE Science Education & Technology Division: Chairman's Address. Magnetism: It Is Permanent'. IEE Proceedings A: Science, Measurement and Technology, vol. 138, no. 1, 1991. https://doi.org/10.1049/ip-a-3.1991.0003.

Partner, Simon. Assembled in Japan: Electrical Goods and the Making of the Japanese Consumer. University of California Press, 2000.

Preece, W. H., and J. Sivewright. Telegraphy. Ninth edition. Longmans, Green, 1891.

Pride In STEM. 'Out Thinkers–Andrew Princep'. YouTube, 11 August 2019. https://www.youtube.com/watch?v = IE-OcWTELCE.

Qualitative Reasoning Group, Northwestern University. 'How Do You Make a Radio Wave?' https://www.qrg.northwestern.edu/projects/vss/docs/Communications/3-how-do-you-make-a-radio-wave.html.

Queen Elizabeth Prize for Engineering. 'The World's Strongest Permanent Magnet'. https://qeprize.org/winners/the-worlds-strongest-permanent-magnet.

Ramirez, Ainissa. 'Jim West's Marvellous Microphone'. Chemistry World, 7 February 2022.https://www.chemistryworld.com/culture/jim-wests-marvellousmicrophone/4015059.article.

Ramirez, Ainissa. The Alchemy of Us: How Humans and Matter Transformed One Another. The MIT Press, 2020.

Russell Kenner. 'Magneto Phone Ericsson'. YouTube, 7 August 2020. https://www.youtube.com/watch?v = 4W1LMdZfcPo.

Salem: Still Making History. 'Bell, Watson, and the First Long Distance Phone Call'. 3 March 2021. https://www.salem.org/blog/bell-long-distance-call-salem/.

Sangwan, Satpal. 'Indian Response to European Science and Technology 1757–1857'. British Journal for the History of Science, vol, 21, 1988.

Sarkar, Suvobrata. 'Technological Momentum: Bengal in the Nineteenth Century'. Indian Historical Review, vol. 37, no. 1, June 2010. https://doi.org/10.1177/037698361003700105.

Scholes, Sarah. 'What Do Radio Waves Tell Us about the Universe?' Frontiers for Young Minds, 3 February 2016. https://kids.frontiersin.org/articles/10.3389/frym.2016.00002.

'Scientific Background on the Nobel Prize in Physics 2014: Efficient Blue Light-Emitting Diodes Leading to Bright and Energy-Saving White Light Sources'. Compiled by the Class for Physics of the Royal Swedish Academy of Sciences, 7 October 2014.

ScienceDaily. 'Magnetic Fields Provide a New Way to Communicate Wirelessly: A New Technique Could

Pave the Way for Ultra Low Power and High-Security Wireless Communication Systems'. https://www.sciencedaily.com/releases/2015/09/150901100323.htm.

Science Museum. 'Goodbye to the Hello Girls: Automating the Telephone Exchange'. 22 October 2018. https://www.sciencemuseum.org.uk/objects-and-stories/goodbye-hello-girls-automating-telephone-exchange.

Sessier, Gerhard M., and James E. West. 'Electrostatic Transducer'. United States Patent Office 3,118,979, filed 7 August 1961, issued 21 January 1964. https://www.freepatentsonline.com/3118979.html.

Shedden, David. 'Today in Media History: In 1877 Alexander Graham Bell

Made the First Long-Distance Phone Call to The Boston Globe'. Poynter, 12 February 2015.

https://www.poynter.org/reporting-editing/2015/today-in-media-history-in-1877-alexander-graham-bell-made-the-first-long-distance-phone-call-to-the-boston-globe/.

Shiers, George. 'Ferdinand Braun and the Cathode Ray Tube'. Scientific American, vol. 230, no. 3, 1974.

Shridharani, Krishnalal Jethalal. Story of the Indian Telegraphs: A Century of Progress. Posts and Telegraph Department, 1960.

Smith, Laura. 'First Commercial Telephone Exchange – Today in History: January 28'. Connecticut History, 28 January 2020. https://connecticuthistory.org/the-first-commercial-telephone-exchange -today-in-history/.

Smithsonian's History Explorer. 'Morse Telegraph Register'. 4 November 2008. https://historyexplorer.si.edu/resource/morse-telegraph-register.

SPARK Museum of Electrical Invention. 'Almon B. Strowger: The Undertaker Who Revolutionized Telephone Technology'. https://www.sparkmuseum.org/almon-b-strowger-the-undertaker-who-revolutionized-telephone-technology/.

Strowger, A. B. 'Automatic Telephone Exchange'. United States Patent Office, US447918A, issued 10 March 1891.

Susmagpro. 'Recovery, Reprocessing and Reuse of Rare-Earth Magnets in the Circular Economy'. https://www.susmagpro.eu/.

高柳 健次郎 '1926 Kenjiro Takayanagi Displays the Character on TV'. [NHK Blog Post], 2002.

Telephone Collectors International Inc. 'TCI Library'. https://telephonecollectors.info/index.php/browse?own = 0.

Technology Connections. 'Lines of Light: How Analog Television Works'. YouTube, 2 July 2017. https://www.youtube.com/watch?v=l4UgZBs7ZGo&ab_channel= TechnologyConnections.

Technology Connections. 'Mechanical Television: Incredibly Simple, yetEntirely Bonkers'. YouTube, 7 August 2017. https://www.youtube.com/watch?v = v5OANXk-6-w.

Technology Connections. 'Television – Playlist'. YouTube. h t t p s ://w w w. y o u t u b e . c o m/p l a y l i s t ? l i s t = P L v O j w u 7 G _DFUGEfwEl0uWduXGcRbT7Ran.

The Evolution of TV. 'Kenjiro Takayanagi: The Father of Japanese Television'. 1 January 2016. https://web.archive.org/web/20160101180643/ http://www.nhk.or.jp/strl/aboutstrl/evolution-of-tv-en/p05/.

The Rutland Daily Globe. 'The First Newspaper Despatch (Sic.) Sent by a Humna (Sic.) Voice Over the Wires'. 12 February 1877.

University of Cambridge, Department of Engineering. 'Prof Hugh Hunt'. http://www3.eng.cam.ac.uk/~hemh1/#logiebaird.

University of Oxford Department of Physics. 'Cathode Ray Tube'. https://www2.physics.ox.ac.uk/accelerate/resources/demonstrations/cathode-ray-tube.

U.S. National Park Service. 'Site of the First Telephone Exchange – National Historic Landmarks'. https://www.nps.gov/subjects/nationalhistoriclandmarks/site-of-the-first-telephone-exchange.htm.

Vadukut, Shruti Chakraborty and Sidin. 'The Telegram Is Dying.' Mint, 27 September 2008. https://www.livemint.com/Leisure/dnRqhS9tSxkvxMEJx3xh7H/The-telegram-is-dying.html.

Woodford, Chris. 'How Does Computer Memory Work?'. Explain that Stuff, 27 July 2010. http://www.explainthatstuff.com/how-computer-memory-works.html.

Woodford, Chris. 'How Do Relays Work?'. Explain that Stuff, 4 January 2009. http://www.explainthatstuff.com/howrelayswork.html.

Woodford, Chris. 'How Do Telephones Work?'. Explain that Stuff, 12 January 2007. http://www.explainthatstuff.com/telephone.html.

柳瀬 博一 'A Passion for Innovation – Dr. Takayanagi, a Graduate of Tokyo Tech and Pioneer of Television'. Tokyo Institute of Technology. https://www.titech.ac.jp/english/public-relations/about/stories/kenjiro-takayanagi.

5 LENS レンズ

1001 Inventions and the World of Ibn Al-Haytham. 'Who Was Ibn Al-Haytham?'. https://www.ibnalhaytham.com/discover/who-was-ibn-al-haytham/.

1001 Inventions. '[FILM] 1001 Inventions and the World of Ibn Al Haytham (English Version)'. YouTube, 24 November 2018. https://www.youtube.com/watch?v = MmPTTFff44k&ab _ channel =1001Inventions.

Al-Amri, Mohammad D., Mohamed El-Gomati, and M. Suhail Zubairy, eds. Optics in Our Time. Springer International Publishing, 2016. https://doi.org/10.1007/978-3-319-31903-2.

Aldersey-Williams, Hugh. Dutch Light: Christiaan Huygens and the Making of Science in Europe. Picador, 2020.

Alexander, Donavan. 'Take the Perfect Shot by Understanding the Camera Lenses on Your Smartphone'. Interesting Engineering, 14 July 2019. https://interestingengineering.com/capturing-the-perfect-shot-understanding-the-purpose-of-those-extra-lenses-on-your-smartphone.

Al-Khalili, Jim. 'Advances in Optics in the Medieval Islamic World'. Contemporary Physics, vol. 56, no. 2, 3 April 2015. https://doi.org/10.1080/00107514.2015.1028753.

Al-Khalili, Jim. 'Doubt Is Essential for Science – but for Politicians, It's a Sign of Weakness'. Guardian, 21 April 2020. https://www.theguardian.com/commentisfree/2020/apr/21/doubt-essential-science-politicians-coronavirus.

Al-Khalili, Jim. 'In Retrospect: Book of Optics'. Nature, vol. 518, no. 7,538, February 2015. https://doi.org/10.1038/518164a.

Al-Khalili, Jim. Pathfinders: The Golden Age of Arabic Science. Penguin Books, 2012. UC Museum of Paleontology, University of Berkeley. 'Antony van Leeuwenhoek'. https://ucmp.berkeley.edu/history/leeuwenhoek.html.

Haque, Nadeem. 'Author Bradley Steffens on "First Scientist", Ibn al -Haytham'. Muslim Heritage, 8 January 2020. https://muslimheritage.com/interview-bradley-steffens/.

参考文献

Arun Murugesu, Jason. 'Bionic Eye That Mimics How Pupils Respond to Light May Improve Vision'. New Scientist, 17 March 2022. https://www.newscientist.com/article/2312754-bionic-eye-that-mimics-how-pupils-respond-to-light-may-improve-vision/.

Ball, Philip. 'Ibn Al Haytham And How We See'. Science Stories, BBC, 9 January 2019.

Beller, Jonathan. The Message is Murder: Substrates of a Computational Capital. Pluto Press, 2017.

Botchway, Stanley W., P. Reynolds, A. W. Parker, and P. O'Neill. 'Use of near Infrared Femtosecond Lasers as Sub-Micron Radiation Microbeam for Cell DNA Damage and Repair Studies.' Mutation Research, vol. 704, 2010.

Botchway, Stanley W., Kathrin M. Scherer, Steve Hook, Christopher D. Stubbs, Eleanor Weston, Roger H. Bisby, and Anthony W. Parker. 'A Series of Flexible Design Adaptations to the Nikon E-C1 and E-C2 Confocal Microscope Systems for UV, Multiphoton and FLIM Imaging:

NIKON CONFOCAL FOR UV MULTIPHOTON AND FLIM'. Journal of Microscopy, vol. 258, no. 1, April 2015. https://doi.org/10.1111/jmi.12218.

Branch Education. 'What's Inside a Smartphone?'. YouTube, 11 July 2019. https://www.youtube.com/watch?v = fCS8jGc3log&ab _ channel =BranchEducation.

BrianJFord.com. 'Brian J Ford's "Leeuwenhoek Legacy" '. http://www.brianjford.com/wlegacya.htm.

California Center for Reproductive Medicine – CACRM. 'Understanding Embryo Grading & Blastocyst Grades | What Do Embryo Grades Mean?

CACRM'. YouTube, 13 June 2014. https://www.youtube.com/watch?v = 3HOJIIj-b-c.

Carrington, David. 'How Many Photos Will Be Taken in 2020?' Mylio, 29 April 2021. https://blog.mylio.com/how-many-photos-will-be-taken-in-2020/.

Cobb, M. 'An Amazing 10 Years: The Discovery of Egg and Sperm in the 17th Century: The Discovery of Egg and Sperm'. Reproduction in Domestic Animals, vol. 47, August 2012. https://doi.org/10.1111/j.1439-0531.2012.02105.x.

Cole, Teju. 'When the Camera Was a Weapon of Imperialism. (And When It Still Is.)'. New York Times, 6 February 2019. https://www.nytimes.com/2019/02/06/magazine/when-the-camera-was-a-weapon-of-imperialism-and-when-it-still-is.html.

CooperSurgical Fertility Companies. 'RI Integra 3'. 27 September 2019. https://fertility.coopersurgical.com/equipment/integra-3/.

Cooper Surgical. 'Equipment: Our Cutting- Edge Range for ART – Incubators, Workstations, Micromanipulators and Lasers'. [Technical Brochure]. https://royalsociety.org/news/2019/10/leeuwenhoek-microscope-reunited-with-original-slides/.

Cox, Spencer. 'What Is F-Stop, How It Works and How to Use It in Photography'. Photography Life, 6 January 2017. https://photographylife.com/f-stop.

Deol, Simar. 'Remembering Homai Vyarawalla, India's First Female Photojournalist'. INDIE Magazine, 12 March 2020. https://indie-mag.com/2020/03/remembering-homai-vyarawalla-indias-first-female-photojournalist/.

Digital Public Library of America. 'Early Photography'. https://dp.la/exhibitions/evolution-personal-camera/early-photography.

Fermilab. 'Why Does Light Bend When It Enters Glass?'. YouTube, 1 May 2019. https://www.youtube.com/watch?v = NLmpNM0sgYk.

Fertility Associated. 'ICSI Footage'. YouTube, 13 March 2017. https://www.youtube.com/watch?v =

GTiKFCkPaUE&ab _ channel =FertilityAssociates.

Fertility Specialist Sydney. 'Ivf Embryo Developing over 5 Days by Fertility Dr Raewyn Teirney'. YouTube, 12 April 2014. https://www.youtube.com/watch?v = V6-v4eF9dyA&ab _ channel =FertilitySpecialistSydney.

Fineman, Mia. 'Kodak and the Rise of Amateur Photography'. The Metropolitan Museum of Art: Heilbrunn Timeline of Art History. October 2004. https://www.metmuseum.org/toah/hd/kodk/hd _ kodk.htm.

Ford, Brian J. 'Recording Three Leeuwenhoek Microscopes'. Infocus Magazine, 6 December 2015. https://doi.org/10.22443/rms.inf.1.129.

Ford, Brian J. 'The Royal Society and the Microscope'. Notes and Records of the Royal Society of London, vol. 55, no. 1, 22 January 2001. https://doi.org/10.1098/rsnr.2001.0124.

Ford, Brian J. 'Celebrating Leeuwenhoek's 375th Birthday: What Could His Microscopes Reveal?' Infocus Magazine, December 2007.

Ford, Brian J. 'Found: The Lost Treasure of Anton van Leeuwenhoek'. Science Digest, vol. 90, no. 3, March 1982.

Ford, Brian J. Single Lens: The Story of the Simple Microscope. Harper & Row, 1985.

Ford, Brian J. 'The Cheat and the Microscope: Plagiarism Over the Centuries'. The Microscope, vol. 53, no. 1, 2010.

Ford, Brian J. The Optical Microscope Manual: Past and Present Uses and Techniques. David & Charles (Holdings) Limited, 1973.

Ford, Brian J. 'The Van Leeuwenhoek Specimens'. Notes and Records of the Royal Society of London, vol. 36, no. 1, August 1981.

Gates Jr., Henry Louis. 'Frederick Douglass's Camera Obscura: Representing the Antislave "Clothed and in Their Own Form" '. Critical Enquiry, vol. 42, Autumn 2015.

Gauweiler, Lena, Dr Eckhardt, and Dr Behler. 'Optische Pinzette (optical tweezer)'. Presented at the Laseranwendungstechnik WS 19/20 17 December 2019.

Gest, H. 'The Discovery of Microorganisms by Robert Hooke and Antoni van Leeuwenhoek, Fellows of The Royal Society'. Notes and Records of the Royal Society of London, vol. 58, no. 2, 22 May 2004. https://doi.org/10.1098/rsnr.2004.0055

Gregory, Andrew. 'Bionic Eye Implant Enables Blind UK Woman to Detect Visual Signals'. Guardian, 21 January 2022. https://www.theguardian.com/society/2022/jan/21/bionic-eye-implant-blind-uk-woman-detect-visual-signals.

Gross, Rachel E. 'The Female Scientist Who Changed Human Fertility Forever'. BBC. https://www.bbc.com/future/article/20200103-the-female-scientist-who-changed-human-fertility-forever.

Hall, A. R. 'The Leeuwenhoek Lecture, 1988, Antoni Van Leeuwenhoek 1632-1723'. Notes and Records of the Royal Society of London, vol. 43, 1989.

Hannavy, J, ed. 'LENSES: 1830s–1850s'. In Encyclopedia of Nineteenth Century Photography. London: Routledge, 2008.

Helff, Sissy, and Stefanie Michels. 'Chapter: Re-Framing Photography – Some Thoughts'. In Global Photographies: Memory, History, Archives, Transcript Verlag 2021.

Hertwig, Oskar. Dokutmente Zur Geschichte Der Zeugungslehre: Eine Historische Studie. Verlag von Friedrich Cohen, 1918.

History of Science Museum. 'Sphere No. 8: Thomas Sutton Panoramic Camera Lens'. Autumn 1998.

http://www.mhs.ox.ac.uk/about/sphaera/sphaera-issue-no-8/sphere-no-8-thomas-sutton-panoramic-camera-lens/.

IIT Bombay July 2018. 'Week 5-Lecture 27: Ti:Sapphire Laser (Lab Visit)'. YouTube, 20 February 2020. https://www.youtube.com/watch?v = MQv4-XNAJe8.

Jain, Mahima. 'The Exoticised Images of India by Western Photographers Have Left a Dark Legacy'. Scroll.in, 20 February 2019. https://scroll.in/magazine/913134/the-exoticised-images-of-india-by-western-photographers-have-left-a-dismal-legacy.

Koenen, Anke, and Michael Zolffel. Microscopy for Dummies. Zeiss, 2020.

Kress, Holger. Cell Mechanics During Phagocytosis Studied by Optical Tweezers Based Microscopy. Cuvillier Verlag, 2006.

Kriss, Timothy C., and Vesna Martich Kriss. 'History of the Operating Microscope: From Magnifying Glass to Microneurosurgery'. Neurosurgery, vol. 42, no. 4, 1998.

Kuo, Scot C. 'Using Optics to Measure Biological Forces and Mechanics'. Traffic, vol. 2, no. 11, 2001. https://doi.org/10.1034/j.1600-0854.2001.21103.x.

Lawrence, Iszi. 'Animalcules'. The Z-List Dead List, season 3, episode 3, 26 February 2015.

https://zlistdeadlist.libsyn.com/s03e3-animalcules.

Leica Microsystems. 'Leica Objectives: Superior Optics for Confocal and Multiphoton Research Microscopy'. [Technical Brochure], 2014.

Leica Microsystems. 'Leica TCS SP8 STED: Opening the Gate to Super - Resolution'. [Technical Brochure], 2012.

Leica Microsystems. 'Leica TCS SP8 STED 3X: Your Next Dimension!' [Technical Brochure], 2014.

Lens on Leeuwenhoek. 'Specimens: Sperm'. https://lensonleeuwenhoek.net/content/specimens-sperm.

'Lens History'. In The Focal Encyclopedia of Photography, Desk edition. London: Focal Press, 2017.

Lerner, Eric J. 'Advanced Applications: Biomedical Lasers: Lasers Support Biomedical Diagnostics'. Laser Focus World, 1 May 2000. https://www.laserfocusworld.com/test-measurement/research/article/16555719/advanced-applications-biomedical-lasers-lasers-support-biomedical-diagnostics.

Maison Nicéphore Niépce. 'Niépce and the Invention of Photography'. https://photo-museum.org/niepce-invention-photography/.

Marsh, Margaret, and Wanda Ronner. The Pursuit of Parenthood: Reproductive Technology from Test-Tube Babies to Uterus Transplants. Johns Hopkins University Press, 2019.

McConnell, Anita. A Survey of the Networks Bringing a Knowledge of Optical Glass-Working to the London Trade, 1500–1800. Cambridge: Whipple Museum of the History of Science, 2016.

McQuaid, Robert. 'Ibn Al-Haytham, the Arab Who Brought Greek Optics into Focus for Latin Europe'. MedCrave Online, 12 April 2019. https://medcraveonline.com/AOVS/ibn-al-haytham-the-arab-who-brought-greek-optics-into-focus-for-latin-europe.html.

Medline Plus. 'Laser Therapy'. https://medlineplus.gov/ency/article/001913.htm.

Microscope World. 'ZEISS Axio Observer Inverted Life Sciences Research Microscope'. https://www.microscopeworld.com/p-3163-zeiss-axio-observer-life-science-inverted-microscope.aspx.

Mokobi, Faith. 'Inverted Microscope-Definition, Principle, Parts, Labeled Diagram, Uses, Worksheet'. Microbe Notes, 10 April 2022. https://microbenotes.com/inverted-microscope/.

Mourou, Gérard, and Donna Strickland. 'Tools Made of Light'. The Nobel Prize in Physics 2018: Popular Science Background. The Royal Swedish Academy of Sciences.

Narayan, Roopa H. 'Nyaya-Vaisheshika: The Theory of Matter in Indian Physics'. https://www.sjsu.edu/people/anand.vaidya/courses/asianphilosophy/s0/Indian-Physics-2.pdf

National Science and Media Museum. 'The History of Photography in Pictures'. 8 March 2017. https://www.scienceandmediamuseum.org.uk/objects-and-stories/history- photography.

NewsCenter. 'Chirped-Pulse Amplification: 5 Applications for a Nobel Prize - Winning Invention', 4 October 2018. https://www.rochester.edu/newscenter/what-is-chirped-pulse-amplification-nobel-prize-341072/.

Nield, David. 'The Extra Lenses in Your Smartphone's Camera, Explained'. Popular Science, 28 March 2019. https://www.popsci.com/extra-lenses-in-your-smartphones-camera-explained/.

Nikon. 'The Optimal Parameters for ICSI – Perfect Your ICSI with Precise Optics'. [Information Brochure], 2019. Open University. 'Life through a Lens'. 2 March 2020. https://www.open.edu/openlearn/history-the-arts/history/life-through-lens.

Pearey Lal Bhawan. 'How the Invention of Photography Changed Art'. http://www.pearеylalbhawan.com/blog/2017/04/12/how-the-invention-of-photography-changed-art/.

Photo H26. 'Périscope Apple : ceci n'est pas un zoom'. 22 April 2016. https://photo.h26.me/2016/04/22/periscope-apple-ceci-nest-pas-un-zoom/.

Photonics. 'Lasers: Understanding the Basics'. https://www.photonics.com/Articles/Lasers _ Understanding _ the _ Basics/a25161.

Pool, Rebecca. 'Life through a Microscope: Profile – Professor Brian J Ford'. Microscopy and Analysis, October 2017.

Poppick, Laura. 'The Long, Winding Tale of Sperm Science'. Smithsonian Magazine, 7 June 2017. https://www.smithsonianmag.com/science-nature/scientists-finally-unravel-mysteries-sperm-180963578/.

Powell, Martin. Louise Brown: 40 Years of IVF, My Life as the World's First Test-Tube Baby. Bristol Books, 2018.

Pritchard, Michael. A History of Photography in 50 Cameras. Bloomsbury, 2019.

Randomtronic. 'Close Look at Mobile Phone Camera Optics'. YouTube, 10 December 2016. https://www.youtube.com/watch?v = KHOMZctnJlo&ab _ channel =randomtronic.

Rehm, Lars. 'Ultra-Thin Lenses Could Eliminate the Need for Smartphone Camera Bumps'. DPReview, 12 October 2019. https://www.dpreview.com/news/7077967600/ultra-thin-lenses-could-eliminate-the-need-for-smartphone-camera-bumps.

Rock, John, Miriam F. Menkin, 'In Vitro Fertilization and Cleavage of Human Ovarian Eggs', Science, New Series, Volume 100, Issue 2588, August 4, 1944, 105–107.

Royal Society. 'Eye to Eye with a 350-Year Old Cow: Leeuwenhoek's Specimens and Original Microscope Reunited in Historic Photoshoot'. 17 October 2019. Hand, Eric. 'We Need a People's Cryo-EM." Scientists Hope to Bring Revolutionary Microscope to the Masses'. Science, 23 January 2020. https://www.science.org/content/article/we-need-people-s-cryo-em-scientists-hope-bring-revolutionary-microscope-masses.

Sines, George, and Yannis A. Sakellarakis. 'Lenses in Antiquity'. American Journal of Archaeology, vol. 91, no. 2., 1987). https://doi.org/10.2307/505216.

Scheisser, Tim. 'Know Your Smartphone: A Guide to Camera Hardware'. TechSpot, 28 July 2014. https://www.techspot.com/guides/850-smartphone-camera-hardware/.

Stierwalt, Sabrina. 'A Nobel Prize-Worthy Idea: What Is Chirped Pulse Amplification?'. Quick and Dirty Tips, 12 February 2019. https://www.quickanddirtytips.com/education/science/a-nobel-prize-worthy-idea-what-is-chirped-pulse-amplification.

Subcon Laser Cutting Ltd. 'Contributions of Laser Technology to Society'. 24 September 2019. https://www.subconlaser.co.uk/contributions-of-laser-technology-to-society/.

Szczepanski, Kallie. 'Kites, Maps, Glass and Other Asian Inventions'. ThoughtCo, 13 December 2019. https://www.thoughtco.com/ancient-asian-inventions-195169.

Tbakhi, Abdelghani, and Samir S. Amr. 'Ibn Al-Haytham: Father of Modern Optics'. Annals of Saudi Medicine, vol. 27, no. 6, 2007. https://doi.org/10.5144/0256-4947.2007.464.

The British Museum. 'Inlay | British Museum (Nimrud)'. https://www.britishmuseum.org/collection/object/W _-90959.

The Economist. 'Taking Selfies with a Liquid Lens'. 14 April 2021. https://www.economist.com/science-and-technology/2021/04/14/taking-selfies-with-a-liquid-lens.

The Metropolitan Museum of Art. 'Collection Item: Unknown | [Amateur Snapshot Album]'. https://www.metmuseum.org/art/collection/search/281975.

The Royal Society. 'Arabick Roots'. June 2011. https://royalsociety.org/-/media/exhibitions/arabick-roots/2011-06-08-arabick-roots.pdf van Leeuwenhoek, Antoni. 'Leeuwenhoek's Letter to the Royal Society (Dutch)'. Circulation of Knowledge and Learned Practices in the 17th Century Dutch Republic. http://ckcc.huygens.knaw.nl/epistolarium/letter.html?id = leeu027/0035.

van Mameren, Joost. 'Optical Tweezers: Where Physics Meets Biology'. Physics World, 13 November 2008. https://physicsworld.com/a/optical-tweezers-where-physics-meets-biology/.

Wheat, Stacy, Katie Vaughan, and Stephen James Harbottle. 'Can Temperature Stability Be Improved during Micromanipulation Procedures by Introducing a Novel Air Warming System?' Reproductive BioMedicine Online, vol. 28, May 2014. https://doi.org/10.1016/S1472-6483(14)50036-3.

Wired. 'Photography Snapshot: The Power of Lenses'. 14 September 2012. https://www.wired.com/2012/09/photography-lenses/.

W. W. Norton & Company. 'Picturing Frederick Douglass'. https://web.archive.org/web/20160806065824/ http:/books.wwnorton.com/books/picturing-frederick-douglass/.

Woodford, Chris. 'How Do Lasers Work? Who Invented the Laser?'. Explain that Stuff, 8 April 2006. http://www.explainthatstuff.com/lasers.html.

Zeiss. 'Assisted Reproductive Technology'. [Technical Brochure 2.0].

6 STRING ひも

Arie, Purushu. 'Caste, Clothing and The Bias Cut'. The Voice of Fashion, 7 June 2021. https://thevoiceoffashion.com/centrestage/opinion/caste-clothing-and-the-bias-cut-4486.

Astbury, W.T., and A. Street. 'X-Ray Studies of the Structure of Hair, Wool, and Related Fibres. I. General'. Philosophical Transactions of the Royal Society of London: Series A, Containing Papers of a Mathematical or Physical Character, vol. 230, 1932.

BBC News. '50,000-Year-Old String Found at France Neanderthal Site', 13 April 2020. https://www.bbc.com/news/world-europe-52267383.

Bellis, Mary. 'Information About Textile Machinery Inventions'. ThoughtCo, 1 July 2019. https://www.

thoughtco.com/textile-machinery-industrial-revolution-4076291.

Bilal, Khadija. 'Here's Why It All Changed: Pink Used to Be a Boy's Color & Blue For Girls'. The Vintage News, 1 May 2019. https://www.thevintagenews.com/2019/05/01/pink-blue/.

Brown, Theodore M., and Elizabeth Fee. 'Spinning for India's Independence'. American Journal of Public Health, vol. 98, no. 1, January 2008. https://doi.org/10.2105/AJPH.2007.120139.

Castilho, Cintia J., Dong Li, Muchun Liu, Yue Liu, Huajian Gao, and Robert H. Hurt. 'Mosquito Bite Prevention through Graphene Barrier Layers'. Proceedings of the National Academy of Sciences, vol. 116, no. 37, 10 September 2019. https://doi.org/10.1073/pnas.1906612116.

Chen, Cathleen. 'Why Genderless Fashion Is the Future'. The Business of Fashion, 22 November 2019. https://www.businessoffashion.com/videos/news-analysis/voices-talk -

alok-v-menon-gender-clothes-fashion/.

Clase, Catherine, Charles-Francois de Lannoy, and Scott Laengert. 'Polypropylene, the Material Now Recommended for COVID-19 Mask Filters: What It Is, Where to Get It'. The Conversation, 19 November 2020. http://theconversation.com/polypropylene-the-material-now-recommended- for-covid-19-mask-filters-what-it-is-where-to-get-it-149613.

Edden, Shetara. 'High-Tech Performance Fabrics To Know'. Maker's Row, 12 October 2016. https://makersrow.com/blog/2016/10/high-tech-performance-fabrics-to-know/.

Firth, Ian P. T., and Poul Ove Jensen. 'Bridges: Spanning Art and Technology'. The Structural Engineer, Centenary Issue, 21 July 2008.

Freyssinet. 'H 1000 Stay Cable System'. 2014. https://www.freyssinet.co.nz/sites/default/files/h1000 _ stay _ cable _system.pdf

Gersten, Jennifer. 'Are Catgut Instrument Strings Really Made From Cat

Guts? The Answer Might Surprise You'. WQXR, 17 July 2017. https://www.wqxr.org/story/are-catgut-instrument-strings-ever-made-cat-guts-answer-might-surprise-you.

Gruen, L. C., and E. F. Woods. 'Structural Studies on the Microfibrillar Proteins of Wool'. Biochemical Journal, vol. 209, 1983.

Hardy, B. L., M. H. Moncel, C. Kerfant, M. Lebon, L. Bellot-Gurlet, and N. Mélard. 'Direct Evidence of Neanderthal Fibre Technology and Its Cognitive and Behavioral Implications'. Scientific Reports, vol. 10, no. 1, December 2020. https://doi.org/10.1038/s41598-020-61839-w.

Hagley Magazine. 'Stephanie Kwolek Collection Arrives'. Hagley Magazine, Winter 2014.

History of Clothing. 'History of Clothing – History of Fabrics and Textiles'. http://www.historyofclothing.com/.

Hock, Charles W. 'Structure of the Wool Fiber as Revealed by the Microscope'. The Scientific Monthly, vol. 55, no. 6, December 1942.

Huang, Belinda. 'What Kind of Impact Does Our Music Really Make on Society?' Sonic Bids, 24 August 2015. https://blog.sonicbids.com/what-kind-of-impact-does-our-music-really -make-on-society.

Hudson-Miles, Richard. 'New V&A Menswear Exhibition: Fashion Has Always Been at the Heart of Gender Politics'. The Conversation, 24 March 2022.

http://theconversation.com/new-vanda-menswear-exhibition-fashion-has-always-been-at-the-heart-of-gender-politics-179886.

India Instruments. 'Tanpura'. https://www.india-instruments.com/encyclopedia-tanpura.html.

Jabbr, Ferris. 'The Long, Knotty, World-Spanning Story of String'. Hakai Magazine, 6 March 2018. https://hakaimagazine.com/features/the-long-knotty-world-spanning-story-of-string/.

Jones, Lucy. 'Six Fashion Materials That Could Help Save the Planet'. BBC Earth.

https://www.bbcearth.com/news/six-fashion-materials-that-could-help-save-the-planet.

Kakodkar, Priyanka. 'Miraj's Legacy Sitar-Makers Go Online to Survive'.

Times of India, 15 July 2018. https://timesofindia.indiatimes.com/city/mumbai/mirajs-legacy-sitar-makers- go-online-to-survive/articleshow/64992898.cms.

Kittler, Ralf, Manfred Kayser, and Mark Stoneking. 'Molecular Evolution of Pediculus Humanus and the Origin of Clothing'. Current Biology, vol. 13, 19 August 2003.

Kwolek, Stephanie Louise. 'Optimally Anisotropic Aromatic Polyamide Dopes'. United States Patent Office, 3,671,542, filed 23 May 1969, issued 20 June 1972. https://pdfpiw.uspto.gov/.piw?D ocid = 3671542&idkey = NONE & homeurl = http % 3A % 252F%252Fpatft.uspto.gov%252Fnetahtml%252FPTO%252Fpatimg. htm.

Lim, Taehwan, Huanan Zhang, and Sohee Lee. 'Gold and Silver Nanocomposite - Based Biostable and Biocompatible Electronic Textile for Wearable Electromyographic Biosensors'. APL Materials, vol. 9, no. 9, 1 September 2021. https://doi.org/10.1063/5.0058617.

Macalloy. 'McCalls Special Products Ltd – Historical Background'. [Company Brochure], 7 August 2002.

Mansour, Katerina. 'Sustainable Fashion Finds Success in New Materials'. Early Metrics, 15 April 2021. https://earlymetrics.com/sustainable-fashion-finds-success-new-materials/.

Marcal, Katrine. Mother of Invention: How Good Ideas Get Ignored in an Economy Built for Men. William Collins, 2021.

McCullough, David. The Great Bridge: The Epic Story of the Building of the Brooklyn Bridge. Simon & Schuster Paperbacks, 1972.

McFadden, Christopher. 'Mechanical Engineering in the Middle Ages: The Catapult, Mechanical Clocks and Many More We Never Knew About'. Interesting Engineering, 28 April 2018. https://interestingengineering.com/mechanical-engineering-in-the-middle-ages-the-catapult-mechanical-clocks-and-many-more-we-never-knew-about.

Museum of Design Excellence. 'Charkha, the Device That Charged India's Freedom Movement'. Google Arts & Culture. https://artsandculture.google.com/story/charkha-the-device-that-charged-india-s-freedom-movement/BAUBNSJPyMyVJg.

Myerscough, Matthew. 'Suspension Bridges: Past and Present'. The Structural Engineer, vol. 10, July 2013.

New World Encyclopedia. 'Textile Manufacturing'. h t t p s ://w w w. n e w wo r l d e n c y c l o p e d i a . o r g/e n t r y/Tex t i l e _manufacturing#cite _ note-3.

New World Encyclopedia. 'String Instrument'. https://www.newworldencyclopedia.org/entry/String _ instrument.

Nuwer, Rachel. 'Lice Evolution Tracks the Invention of Clothes'. Smithsonian Magazine, 14 November 2012. https://www.smithsonianmag.com/smart-news/lice-evolution-tracks-the-invention-of-clothes-123034488/.

Okie, Suz. 'These Materials Are Replacing Animal-Based Products in the Fashion Industry'. World Economic Forum, 6 October 2021. https://www.weforum.org/agenda/2021/10/these-materials-are-replacing-animal-based-products-in-the-fashion-industry/. https://www.nationalgeographic.com/travel/article/inca-grass-rope-bridge-qeswachaka-unesco.

Plata, Allie. 'Q'eswachaka, the Last Inka Suspension Bridge'. Smithsonian Magazine, 4 August 2017. http://www.smithsonianmag.com/blogs/national-museum-american -indian/2017/08/05/qeswachaka-last-inka-suspension-bridge/.

Ploszajski, Anna. Handmade: A Scientist's Search for Meaning through Making. Bloomsbury, 2021.

Postrel, Virginia. 'How Job-Killing Technologies Liberated Women'. Bloomberg, 14 March 2021. https://www.bloomberg.com/opinion/articles/2021-03-14/women-s-liberation-started-with-job-killing-inventions.

Raman, C.V. 'On Some Indian Stringed Instruments'. Indian Association for the Cultivation of Science, vol. 7, 1921.

Ramirez, Catherine S. The Woman in the Zoot Suit: Culture, Nationalism and the Politics of Memory. Duke University Press, 2009.

Raniwala, Praachi. 'India's Long History with Genderless Clothing'. Mint Lounge, 16 December 2020. https://lifestyle.livemint.com//fashion/trends/india-s-long-history-with -

genderless-clothing-111607941554711.html.

Reuters. 'Bridge Made of String: Peruvians Weave 500-Year-Old Incan Crossing Back into Place'. Guardian, 16 June 2021. https://www.theguardian.com/world/2021/jun/16/bridge-made-of-string-peruvians-weave-500-year-old-incan-crossing-back-into-place.

Rippon, J.A. 'Wool Dyeing'. In The Structure of Wool. Bradford (UK): Society of Dyers and Colourists, 1992.

Roda, Allen. 'Musical Instruments of the Indian Subcontinent'. The Metro-politan Museum of Art: Heilbrunn Timeline of Art History, March 2009. https://www.metmuseum.org/toah/hd/indi/hd _ indi.htm.

Sears, Clare. Arresting Dress: Cross- Dressing, Law, and Fascination in Nineteenth-Century San Francisco. Duke University Press, 2015.

Sewell, Abby. 'Photos of the Last Incan Suspension Bridge in Peru'. National Geographic, 31 August 2018a.

Sievers, Christine, Lucinda Backwell, Francesco d'Errico, and Lyn Wadley. 'Plant Bedding Construction between 60,000 and 40,000 Years Ago at Border Cave, South Africa'. Quaternary Science Reviews, vol. 275, January 2022. https://doi.org/10.1016/j.quascirev.2021.107280.

Skope. 'A Brief History Of String Instruments'. 6 May 2013. https://skopemag.com/2013/05/06/a-brief-history-of-string-instruments.

String Ovation Team. 'How Are Violin Strings Made?' Connolly Music, 7 March 2019. https://www.connollymusic.com/stringovation/how-are-violin-strings-made.

Steel Wire Rope. 'All Wire Ropes'. https://www.steelwirerope.com/WireRopes/steel-wire-ropes.html.

SWR. 'Sourcing, Designing and Producing Wire Rope Solutions'. [Company Brochure].

Talati-Parikh, Sitanshi. 'Why Are School Uniforms Still Gendered?'. The Swaddle, 13 May 2018. https://theswaddle.com/why-are-school-uniforms-in-india-still-gendered/.

Talbot, Jim. 'First Steel-Wire Suspension Bridge'. Modern Steel Construction, June 2011.

Tecni Ltd. 'Low Rotation Wire Rope – 19 x 7 Construction Cable'. YouTube, 18 July 2019. https://www.youtube.com/watch?v = El1vcBHJG _ U.

Toss Levy. 'Tanpura History'. https://www.tosslevy.nl/tanpura/tanpura-history/.

Toss Levy, Indian Musical Instruments. 'The Correct Use of the Tanpura Jiva (Threads)'. YouTube, 3 August

2020. https://www.youtube.com/watch?v = nF7fYteo1ms.

Urmi Battu. 'How to Tune a Tanpura'. YouTube, 16 March 2021. https://www.youtube.com/watch?v = waCFEQL_Ee8&ab_channel=UrmiBattu.

UNESCO. 'Did You Know? The Exchange of Silk, Cotton and Woolen Goods, and Their Association with Different Modes of Living along the Silk Roads'. https://en.unesco.org/silkroad/content/did-you-know-exchange-silk-cotton-and-woolen-goods-and-their-association-different-modes.

Vaid-Menon, Alok. Beyond the Gender Binary. Penguin Workshop, 2020.

Vincent, Susan J. The Anatomy of Fashion. Berg, 2009.

Walstijn, Maarten van, Jamie Bridges, and Sandor Mehes. 'A Real-Time Synthesis Oriented Tanpura Model'. In Proceedings of the 19th International Conference on Digital Audio Effects (DAFx-16). Brno, 2016.

Venkataraman, Vaishnavi. 'Soon, You Can Zip-Line From Ferrari World Abu Dhabi's Stunning Roof'. Curly Tales, 22 October 2020. https://curlytales.com/you-can-zipline-from-ferrari-world-abu-dhabis-stunning-roof-from-march/.

Whitfield, John. 'Lice Genes Date First Human Clothes'. Nature, 20 August 2003. https://doi.org/10.1038/news030818-7.

Willson, Tayler. 'Meet the Emerging Brand Making Sneakers From Coffee Grounds'. Hypebeast, 12 August 2021. https://hypebeast.com/2021/8/rens-sneaker-brand-coffee-grounds-sustainability-interview-feature.

World Health Organization. 'Coronavirus Disease (COVID-19): Masks'. 5 January 2022. https://www.who.int/news-room/questions-and-answers/item/coronavirus-disease-covid-19-masks.

'Wool: Raw Wool Specification'. Encyclopedia of Polymer Science and Technology, Wood Composites, vol. 12.

Wragg Sykes, Rebecca. Kindred: Neanderthal Life, Love, Death and Art. Bloomsbury, 2020.

7 PUMP ポンプ

1001 Inventions. '5 Amazing Mechanical Devices from Muslim Civilisation'. https://www.1001inventions.com/devices/.

Abbott. 'About the HeartMate II LVAD'. https://www.cardiovascular.abbott/us/en/hcp/products/heart-failure/left-ventricular-assist-devices/heartmate-2/about.html.

Abbott. 'How the CentriMag Acute Circulatory Support System Works'. https://www.cardiovascular.abbott/us/en/hcp/products/heart-failure/mechanical-circulatory-support/centrimag-acute-circulatory-support-system/about/how-it-works.html.

Abbott. 'HeartMate 3 LVAD'. https://www.cardiovascular.abbott/us/en/hcp/products/heart-failure/left-ventricular-assist-devices/heartmate-3/about.html.

Al-Hassani, Salim. 'Al-Jazari: The Mechanical Genius'. Muslim Heritage, 9 February 2001.https://muslimheritage.com/al-jazari-the-mechanical-genius/.

Al-Hassani, Salim. 'The Machines of Al-Jazari and Taqi Al-Din'. Muslim Heritage, 30 December 2004. https://muslimheritage.com/the-machines-of-al-jazari-and-taqi-al-din/.

Al-Hassani. 'Al-Jazari's Third Water-Raising Device: Analysis of Its Mathematical and Mechanical Principles'. Muslim Heritage, 24 April 2008. https://muslimheritage.com/al-jazaris-third-water-raising-

device-analysis-of-its-mathematical-and-mechanical-principles/.

Ameda. 'Our History'. https://www.ameda.com/history.

Anderson, Brooke, J. Nealy, Garry Qualls, Peter Staritz, John Wilson, M. Kim, Francis Cucinotta, William Atwell, G. DeAngelis, and J. Ware. 'Shuttle Spacesuit (Radiation) Model Development'. SAE Technical Papers, 1 February 2001. https://doi.org/10.4271/2001-01-2368.

Bazelon, Emily. 'Milk Me: Is the Breast Pump the New BlackBerry?' Slate, 27 March 2006. https://slate.com/human-interest/2006/03/is-the-breast-pump-the-new-blackberry.html.

Behe, Caroline. 'Transgender & Non-Binary Parents'. La Leche League International. https://www.llli.org/breastfeeding-info/transgender-non-binary-parents/.

bigclivedotcom. 'Inside a Near-Silent Piezoelectric Air Pump'. YouTube, 14 June 2018. https://www.youtube.com/watch?v = hKsZUuvtylE.

B. L. S, Amrit. 'Why the US Pig Heart Transplant Was Different From the 1997 Assam Doc's Surgery'. The Wire Science, 13 January 2022. https://science.thewire.in/health/university-maryland-pig-heart-xenotransplant-dhani-ram-baruah-1997-failed-surgery-arrest/.

Bologna, Caroline. '200 Years Of Breast Pumps, In 18 Images'. HuffPost UK, 1 August 2016a. https://www.huffpost.com/entry/200-years-of-breast-pumps-in-images_n_57871bfde4b0867123dfb16d.

British Heart Foundation. 'How Your Heart Works'. https://www.bhf.org.uk/informationsupport/how-a-healthy-heart-works.

British Heart Foundation. 'Focus on: Left Ventricular Assist Devices'. https://www.bhf.org.uk/informationsupport/heart-matters-magazine/medical/lvads.

Butler, Karen. 'Relactation and Induced Lactation'. La Leche League GB, 19 March 2016. https://www.laleche.org.uk/relactation-induced-lactation/.

Cadogan, David. 'The Past and Future Space Suit'. American Scientist, vol. 103, no. 5, 2015.

https://doi.org/10.1511/2015.116.338.

Campbell, Dallas. Ad Astra: An Illustrated Guide to Leaving the Planet. Simon & Schuster, 2017.

CBS News. 'The Seamstresses Who Helped Put a Man on the Moon'. 14 July 2019. https://www.cbsnews.com/news/apollo-11-the-seamstresses-who-helped-put-a-man-on-the-moon/.

Cheng, Allen, Christine A. Williamitis, and Mark S. Slaughter. 'Comparison of Continuous-Flow and Pulsatile-Flow Left Ventricular Assist Devices: Is There an Advantage to Pulsatility?' Annals of

Cardiothoracic Surgery, vol. 3, no. 6, November 2014. https://doi.org/10.3978/j.issn.2225-319X.2014.08.24.

Chu, Jennifer. 'Shrink-Wrapping Spacesuits'. Massachusetts Institute of Technology, 18 September 2014. https://news.mit.edu/2014/second-skin-spacesuits-0918.

Davis, Charles Patrick. 'How the Heart Works: Diagram, Anatomy, Blood Flow'. MedicineNet. https://www.medicinenet.com/heart _ how _ the _ heart _ works/article.htm.

Diana West. 'Trans Breastfeeding FAQ'. https://dianawest.com/trans-breastfeeding-faq/.

Dinerstein, Joel. 'Technology and Its Discontents: On the Verge of the Posthuman'. American Quarterly, vol. 58, no. 3, 2006. https://doi.org/10.1353/aq.2006.0056.

Elvie. 'Elvie'. https://www.elvie.com.

Encyclopedia of Australian Science and Innovation. 'Robinson, David – Person-'. Swinburne University of

Technology, Centre for Transformative Innovation. https://www.eoas.info/biogs/P003898b.htm.

Encyclopedia Britannica. 'Shaduf: Irrigation Device'. https://www.britannica.com/technology/shaduf.

Eurostemcell. 'The Heart: Our First Organ'. https://www.eurostemcell.org/heart-our-first-organ.

Garber, Megan. 'A Brief History of Breast Pumps'. The Atlantic, 21 October 2013. https://www.theatlantic.com/technology/archive/2013/10/a-brief-history-of-breast-pumps/280728/.

Greatrex, Nicholas, Matthias Kleinheyer, Frank Nestler and Daniel Timms. 'This Maglev Heart Could Keep Cardiac Patients Alive'. IEEE Spectrum, 22 August 2019. https://spectrum.ieee.org/this-maglev-heart-could-keep-cardiac-patients-alive.

Greenfield, Rebecca. 'Celebrity Invention: Paul Winchell's Artificial Heart'. The Atlantic, 7 January 2011. https://www.theatlantic.com/technology/archive/2011/01/celebrity-invention-paul-winchells-artificial-heart/68724/.

Hamzelou, Jessica. 'Transgender Woman Is First to Be Able to Breastfeed Her Baby'. New Scientist, 14 February 2018. https://www.newscientist.com/article/2161151-transgender-woman-is-first-to-be-able-to-breastfeed-her-baby/.

Hasic, Albinko. 'The First Spacewalk Could Have Ended in Tragedy for Alexei Leonov. Here's What Went Wrong'. Time, 18 March 2020. https://time.com/5802128/alexei-leonov-spacewalk-obstacles/.

History.com. 'March 23: Artificial Heart Patient Dies'. https://www.history.com/this-day-in-history/artificial-heart-patient-dies.

How Products are Made. 'Spacesuit'. http://www.madehow.com/Volume-5/Spacesuit.html.

Jarvik Heart. 'Robert Jarvik, MD on the Jarvik-7'. 6 April 2016. https://www.jarvikheart.com/history/robert-jarvik-on-the-jarvik-7/.

加藤倫子 S., Aalap Chokshi, Parvati Singh, Tuba Khawaja, Faisal Cheema, 明石浩和, Khurram Shahzad, et al. 'Effects of Continuous-Flow Versus Pulsatile-Flow Left Ventricular Assist Devices on Myocardial Unloading and Remodeling'. Circulation: Heart Failure, vol. 4, no. 5, September 2011. https://doi.org/10.1161/CIRCHEARTFAILURE.111.962142.

Kotz, Deborah. '2022 News – University of Maryland School of Medicine Faculty Scientists and Clinicians Perform Historic First Successful Transplant of Porcine Heart into Adult Human with End-Stage Heart Disease'. University of Maryland School of Medicine, 10 January 2022. https://www.medschool.umaryland.edu/news/2022/University-of-Maryland-School-of-Medicine-Faculty-Scientists-and-Clinicians-Perform -

Historic-First-Successful-Transplant-of-Porcine-Heart-into-Adult-Human - with-End-Stage-Heart-Disease.html. Kwan, Jacklin. 'What Would Happen to the Human Body in the Vacuum of Space?'. Live Science, 13 November 2021. https://www.livescience.com/human-body-no-spacesuit.

Lathers, Marie. Space Oddities: Women and Outer Space in Popular Film and Culture, 1960–2000. Bloomsbury Publishing, 2010.

Le Fanu, James. The Rise and Fall of Modern Medicine. Abacus, 2011.

Ledford, Heidi. 'Ghost Heart Has a Tiny Beat'. Nature, 13 January 2008. https://doi.org/10.1038/news.2008.435.

Longmore, Donald. Spare Part Surgery: The Surgical Practice of the Future. Aldus Books London, 1968.

Madrigal, Alexis C. 'The World's First Artificial Heart'. The Atlantic, 1 October 2010. https://www.theatlantic.com/technology/archive/2010/10/the-worlds-first-artificial-heart/63949/.

Magazine, Smithsonian. 'The Nightmare of Voskhod 2'. Smithsonian Magazine, January 2005.https://

www.smithsonianmag.com/air-space-magazine/the-nightmare-of-voskhod-2-8655378/.

Mahoney, Erin. 'Spacesuit Basics'. NASA, 4 October 2019. http://www.nasa.gov/feature/spacewalk-spacesuit-basics.

Martucci, Jessica. 'Breast Pumping'. AMA Journal of Ethics, vol. 15, no. 9, 1 September 2013. https://doi.org/10.1001/virtualmentor.2013.15.9.mhst1-1309.

McFadden, Christopher. 'Mechanical Engineering in the Middle Ages: The Catapult, Mechanical Clocks and Many More We Never Knew About'. Interesting Engineering, 28 April 2018. https://interestingengineering.com/mechanical-engineering-in-the-middle-ages-the-catapult-mechanical-clocks-and-many-more-we-never-knew-about.

McKellar, Shelley. Artificial Hearts: The Allure and Ambivalence of a Controversial Medical Technology. Wellcome Collection, 2018. https://wellcomecollection.org/works/yjs8tzcc.

Mechanical Boost. 'What Is a Pump? What Are the Types of Pumps?'. 4 December 2020. https://mechanicalboost.com/what-is-a-pump-types-of-pumps-and-applications/.

MedicineNet. 'Picture of Heart Detail'. https://www.medicinenet.com/image-collection/heart_detail_picture/picture.htm.

Medlife Crisis. 'The 6 Weirdest Hearts in the Animal Kingdom'. YouTube, 11 February 2018. https://www.youtube.com/watch?v = 1jHmsBLq0Eo.

Mends, Francine. 'What Are Piezoelectric Materials?' Sciencing, 28 December 2020. https://sciencing.com/piezoelectric-materials-8251088.html.

Morris, Thomas. The Matter of the Heart: A History of the Heart in Eleven Operations. Vintage, 2017.

Mullin, Emily. 'A Simple Artificial Heart Could Permanently Replace a Failing Human One'. MIT Technology Review, 16 March 2018. https://www.technologyreview.com/2018/03/16/104612/a-simple-artificial-heart-could-permanently-replace-a-failing-human-one/.

Murata Manufacturing Co., Ltd. 'Basic Knowledge of Microblower (Air Pump)'. https://www.murata.com/en-eu/products/mechatronics/fluid/library/basics.

村田製作所 'Microblower (Air Pump) | Micro Mechatronics'. https://www.murata.com/en-eu/products/mechatronics/fluid.

National Heart, Lung and Blood Institute. 'Developing a Bio-Artificial Heart'. https://www.nhlbi.nih.gov/events/2013/developing-bio-artificial-heart.

National Heart, Lung and Blood Institute. 'What Is Total Artificial Heart?'. https://www.nhlbi.nih.gov/health/total-artificial-heart.

National Museum of American History. 'Liotta-Cooley Artificial Heart'. https://americanhistory.si.edu/collections/search/object/nmah_688682.

Newman, Dava. 'Building the Future Spacesuit'. ASK Magazine. https://www.nasa.gov/pdf/617047main_45s_building_future_spacesuit.pdf.

O'Donahue, Kelvin. 'How Do Oil Field Pumps Work?' Sciencing, 14 March 2018. https://sciencing.com/do-oil-field-pumps-work-5557828.html.

Pumps and Systems. 'History of Pumps'. 28 February 2018. https://www.pumpsandsystems.com/history-pumps.

Sarkar, Manjula, and Vishal Prabhu. 'Basics of Cardiopulmonary Bypass'. Indian Journal of Anaesthesia, vol. 61, no. 9. September 2017. https://doi.org/10.4103/ija.IJA_379_17.

Science Friday. 'Bringing A "Ghost Heart" To Life'. 14 February 2020. https://www.sciencefriday.com/

segments/ghost-heart-engineering/.

Science Museum Group. 'Sir Henry Wellcome's Museum Collection'. https://collection.sciencemuseumgroup.org.uk/search/collection/sir-henry-wellcome's-museum-collection.

Shrouk El-Attar (@dancingqueerofficial). 'Chatting with @elvie 's CEO and MY BOSS @tania.Boler'. Instagram, 11 March 2021. https://www.instagram.com/tv/CMSoP_ gAhLY/?utm _ source = ig _ web _copy _ link.

Shumacker, Harris B. A Dream of the Heart: The Life of John H. Gibbon, Jr Father of the Heart Lunch Machine, 1999.

SynCardia. 'SynCardia Temporary Total Artificial Heart'. https://syncardia.com/clinicians/home/.

SynCardia. '7 Things You Should Know About Artificial Hearts', 9 August 2018. https://syncardia.com/patients/media/blog/2018/08/seven-things-about-artificial-hearts/.

Taschetta-Millane, Melinda. 'Pig Heart Transplant Patient Continues to Thrive'. DAIC, 16 February 2022. http://www.dicardiology.com/article/pig-heart-transplant-patient-continues-thrive.

Texas Heart Institute. '50th Anniversary of the World's First Total Artificial Heart'. https://www.texasheart.org/50th-anniversary-of-the-worlds-first-total-artificial-heart/.

TED Archive. 'How to Create a Space Suit – Dava Newman'. YouTube, 29 August 2017. https://www.youtube.com/watch?v = lZvP _ URAjmM.

The Stemettes Zine. 'Meet Vinita Marwaha Madill'. 11 January 2021. https://stemettes.org/zine/articles/meet-vinita-marwaha-madill/.

The European Space Agency. 'Alexei Leonov: The Artistic Spaceman'. 4 October 2007. https://www.esa.int/About _ Us/ESA _ history/Alexei _ Leonov _ The _ artistic_spaceman.

Thomas, Kenneth S. 'The Apollo Portable Life Support System'. NASA. https://www.hq.nasa.gov/alsj/ALSJ-FlightPLSS.pdf.

Thomas, Kenneth S., and Harold J. McMann. U.S. Spacesuits. Second Edition. Springer-Praxis, 2012.

Thornton, Mike, Dr Robert Randall and Kurt Albaugh. 'Then and Now: Atmospheric Diving Suits'. Underwater Magazine, March/April 2001. https://web.archive.org/web/20081209012857/ http://www.underwater.com/archives/arch/marapr01.01.shtml.

US Patents Office. 'Breast Pump System Patent Application – USPTO report'. https://uspto.report/patent/app/20180361040.

Vallely, Paul. 'How Islamic Inventors Changed the World'. Independent, 17 May 2008. https://web.archive.org/web/20080517013534/

http://news.independent.co.uk/world/science _ technology/article350594.ece.

VanHemert, Kyle. 'Aerospace Gurus Show Off a Fancy Space Suit Made for Mars'. Wired, 5 November 2014. https://www.wired.com/2014/11/aerospace-gurus-show-fancy-space-suit -made-mars/.

Watts, Sarah. 'The Voice Behind Some of Your Favorite Cartoon Characters Helped Create the Artificial Heart'. Leaps.org, 30 July 2021. https://leaps.org/artificial-heart-paul-winchell/.

Wellcome Collection. 'A Breast Pump Manufactured by H. Wright. Wood'. https://wellcomecollection.org/works/rsypec3r.

WebMD. 'Anatomy and Circulation of the Heart'. https://www.webmd.com/heart-disease/high-cholesterol-healthy-heart.

Winderlich, Melanie. 'How Breast Pumps Work'. How Stuff Works, 9 February 2012. https://science.

howstuffworks.com/innovation/everyday-innovations/breast- pump.htm.

World Pumps. 'A Brief History of Pumps'. 6 March 2014. https://www.worldpumps.com/articles/a-brief-history-of-pumps/.

協力者一覧

本書の執筆中、惜しみなく知識と知恵を分かち合ってくださった以下の方々に感謝します。加えて、ジェミマ・ウォーターズ、フォーキーズ・ミュージック、キアロ・テクノロジー、トーマス・ジェファーソン財団、英国・アイルランド・ファスナー・ディストリビューター協会、ゴールデン・ヒンデ、構造技術者協会、土木技術者協会、英国王立協会、ウェルカム・コレクションにも感謝します。

全体

アイニッサ・ラミレス博士、科学者・作家

バドリナート・ヘブサー

ダニエル・パーキス、ユニバーシティ・カレッジ・ロンドン

レベッカ・ラモス、スタジオ・レア

1 NAIL 釘

アグネス・ジョーンズ、アーティスト・鍛冶屋

アンドリュー・スミス、ロールス・ロイス・ホールディングス

アズビー・ブラウン、大工職人

ビル・エクルズ博士、ボルト・サイエンス

ブランカ・ペガド、アーティクル25のシニアアーキテクト

コーリー・アチソン博士、アラップ

ダン・リドリー=エリス博士、エディンバラ・ネーピア大学

ダレン・ジェイムズ、ブルー・ベア・システムズ

ダイアナ・デイビス、ACR、英国海軍国立博物館

エレノア・スコフィールド博士、メアリー・ローズ・トラスト

ガーヴェイ・ソーヤー、FIMMM、ウッド・コンサルタント

イアン・ファース、構造エンジニア

ヤン・ビル博士、文化遺産博物館、

ジャン・ミッシェル・マン、シャトルワース・コレクション

ジョン・ロバーツ博士、FREng、ジェイコブス

ジュリアン・ホワイトライト博士、海洋考古学者

ミッチ・ピーコック、BEng、木工講師・作家

モーガン・クリード、英国海軍国立博物館、理学修士（優等学位）

ニコラ・グラハムスロー、SSグレート・ブリテン・トラスト
オマー・シャリフ、BEng、CEng、MIStructE
レベッカ・ウィルトン(She / Her)、MA PGCert PGDip BA(優等学位)、ザ・レディーバードハウス
リッチ・メイナード、Much Hadham Forge
スティーブ・ハイエット、イライザ・ティンズリー

2 WHEEL 車輪

ダレン・エリス、ダレン・エリス陶器/インスティテュート・オブ・メイキング
グレッグ・ローランド、マイク・ローランド&サン社
マーク・サンダース、MAS Design Products Ltd.
ロバート・ハーフォード、ウィル・スタンチキエヴィッチ、NASAジョンソン宇宙センター

3 SPRING バネ

アダム・フォックス、CEng AMIOA、メイソンUK
ブーマ、モンゴル・アーチェリー
ダグ・バレリオ、メイソン・インダストリーズ
ゴヨ・レストン、ゴヨ・トラベル
ジェームス・ビール、アラップ
イェンス・ニールセン、f2c
ジョルディ・フェメニア、メイソンUK
キース・スコビー・ヨングス、カンブリア・クロック・カンパニー
キラン・シェカール、ミニュティア・リピーター
マーティン・レイズボロー、BEng(優等学位)、MIOA
マイケル・ウルフ、GERB Schwingungsisolierungen GmbH & Co. KG
ニコレッタ・ガルッツィ、MSc CEng MICE、構造エンジニア
ニヒル・ミストリー博士
オリバー・ファレル、CEng Meng FIMechE SIA、Farrat
レベッカ・ストラザーズ博士、ストラザーズ・ウォッチメーカーズ
ロジャー・ケリー、ビルディング・アイソレーション・スペシャリスト
シュテファン・ハベル、翻訳家(技術、特許)

4 MAGNET 磁石

アンドリュー・プリンスプ博士（He/Him）、マーケットキャスト

エレノア・アームストロング博士、ストックホルム大学

ギャビン・ペイン、オールド・テレフォン・カンパニー

三村秀典教授、静岡大学

キース・ローズ、マグネティック・プロダクツ社

スボブラタ・サルカール博士、ラビンドラ・バーラティ大学

スージー・シー博士、メルボルン大学

5 LENS レンズ

ベン・パイプ、ベン・パイプ・フォトグラフィー

ブライアン・J・フォード、作家・ブロードキャスター

セリ・ブレナー博士、ANSTO加速器科学センター

クリスティアナ・アントニアドゥ・スティリアヌー、理学士（優等学位）、理学修士、理学博士、上級臨床胚培養士

デイビッド・ノトン・フォトグラフィー

ジェフ・ベルナップ博士、科学メディア博物館

ハナン・ダウィダー、1001インベンションズ

ケネス・サンダース、理学士号、理学博士号（優等学位）、CCMI、科学機器製造者ワーシップフル・カンパニー

クワシー・クワクワ博士、サンガー EBI

マイケル・プリチャード博士、英国ブリストル王立写真協会

モハメド・エル・ゴマティ教授 OBE、BSc DPhil FloP FRMS、ヨーク大学

フィリップ・ロバーツ

スタンリー・ボッチウェイ教授、UKRI科学技術施設評議会

6 STRING ひも

ハルジット・シャー、JASミュージカルズ

ヘレン・シェルドン（She ／ her）、BSc CEng MIOA MWES FRSA、RBA音響学

カレン・イェーツ、マカロイ

マーク・エリス、Macalloy

メアリー・ルイス、ヘリテージ・クラフツ
レイチェル・ワース教授（ボーンマス芸術大学BA（優等学位）(Cantab) PGCE MA PhD
トス・レヴィ、インド楽器

7 PUMP ポンプ

クララ・バーカー博士、オックスフォード大学&リナクレ・カレッジ、MRSC、MInstP
ダラス・キャンベル、ブロードキャスター・作家
ロヒン・フランシス博士、コルチェスター病院およびエセックス心臓胸部センター
シュルーク・エル=アッタル（She ／ her）、シュルーク・エル=アッタル・コンサルティング
ヴィニータ・マルワハ・マディル（She/Her）、Rocket Women